C000078161

FESUL TAMAID

FESUL TAMAID

DEWI JONES

GWASG PANTYCELYN

© Gwasg Pantycelyn 1997 Ⓗ

Cedwir pob hawl. Ni chaniateir atgynhyrchu unrhyw ran o'r cyhoeddiad hwn na'i gadw mewn cyfundrefn adferadwy na'i drosglwyddo mewn unrhyw ddull na thrwy unrhyw gyfrwng electronig, electrostatig, tâp magnetic, mecanyddol, ffotogopïo, recordio, nac fel arall, heb ganiatâd ymlaen llaw gan y cyhoeddwyr.

Dymuna'r cyhoeddwyr gydnabod cymorth Adrannau Cyngor Llyfrau Cymru.

ISBN 1 874786 52 6

Argraffwyd gan Wasg Pantycelyn, Caernarfon

CYFLWYNEDIG I
MAGDALEN, MARIAN, DELYTH, GWEN ELIN AC ANN
AM DDOD Â LLAWER O AMRYWIAETH
A LLAWENYDD I'M BYWYD INNAU.

RHAGAIR

Bûm yn wiwera ers blynyddoedd. Codwn ddarnau o wybodaeth werthfawr a diwerth, yma ac acw, er pan oeddwn yn blentyn. Gwirionwn ar *Believe It or Not* gan Ripley ac ambell bwt gafaelgar o gylchgronau fel *Answers* a *Tit Bits.* Copïwn ffeithiau drosodd a throsodd am adar ac anifeiliaid, gwledydd, gwreng a bonedd, nes llenwi llyfr ar ôl llyfr a thybio fy hun yn giamstar ar bosau croeseiriau gwybodaeth gyffredinol. Yr uchelgais, yn fy isymwybod, pe cawn olygu papur ryw dro, oedd cynnwys pethau felly yma ac acw ynddo, a hynny yn Gymraeg. Cefais wneud hynny i ryw raddau yn *Yr Arwydd*, un o bapurau bro Ynys Môn, papur y bûm yn olygydd iddo bellach am bedair blynedd ar ddeg. Bûm hefyd yn cribinio darnau o farddoniaeth dros y blynyddoedd nes llenwi chwe chopïbwc trwchus a bu y rheini hefyd yn ffynhonnell gyfoethog wrth fy mhenelin.

Rhaid diolch i Magdalen am ddioddef cynifer o lyfrau a phapurau o gwmpas y tŷ ac i fy nghyfyrder Harry Griffiths am wthio hyd yn oed mwy o gyfrolau defnyddiol o dan fy nhrwyn o'i lyfrgell enfawr. Efallai y dylwn hefyd ddiolch i 'nhad a mam am gau llygaid pan fyddwn yn ceisio fy ngoleuo fy hun wrth ddarllen i berfeddion nos dan ddillad y gwely yng ngolau *torch*. Diolch i'r diweddar John Lloyd am anfon ambell gyfrol ac i'm meibion, Rhys a Dafydd, sydd erbyn hyn yn hel deunydd llafar ac ysgrifenedig i mi yn ôl yr egwyddor, "Buasai 'nhad yn hoffi gweld (neu glywed) hwn."

Pan ddaeth cystadleuaeth yn gofyn am ddameidiau o'r fath yn Eisteddfod Bro Colwyn dyma fwrw iddi i roi yr hyn oedd gennyf at ei gilydd. Yr wyf yn ddiolchgar iawn i Tegwyn Jones am ei feirniadaeth adeiladol, ei nodiadau gwerthfawr ar sut i gymennu'r deunydd ac am ychwanegu at fy ngwybodaeth innau. Diolch hefyd i Olygydd y Cyfansoddiadau, J. Elwyn Hughes am ei anogaeth ar lafar ac ar bapur. Unwaith eto yr wyf yn ddiolchgar i William Owen am ei gymhelliad brwd a'i ddiddordeb cyfeillgar, i Wasg Pantycelyn am eu gwahoddiad, am eu gofal ac am raen eu gwaith, ac i Ken Owen am fynd a'i grib mân ysgólheigaidd trwy'r gwaith i gyd. Mae fy nyled yn fawr iddynt.

Nid wyf, o fwriad, wedi rhoi'r pytiau mewn unrhyw fath o drefn amser nac ansawdd. Adlewyrcha hyn fy hoffter o ddod ar draws yr annisgwyl mewn llyfr, mewn siop lyfrau, mewn pobl ac mewn bywyd. Os bu fy nefnydd o ambell bennill neu linell yn fy ngwneud yn euog o lên-ladrad yna fe ymddiheuraf gan gymryd yn esgus y ffaith fy mod wedi gwirioni ar y deunydd.

Fe derfynaf drwy obeithio y caiff fy wyres, Gwen Elin, yr un pleser o chwilota'n eiddgar trwy'r pethau difyr hynny a gofnodir ym mhob oes am y byd a'i bobl.

1997   DEWI JONES

CROESO

Croeso i ddalennau
    Y llyfyr pytiog hwn
Nad ydyw heb ei feiau
    A'i frychau lu, mi wn;
Ond os cewch unrhyw bleser
    O'i ddarllen, bydd i chi,
A finnau, focha' bodlon,–
    Ac felly, ffwrdd â ni.

O'R UN ENW

Yr oedd bardd arbennig yng ngarddwest Gorsedd Beirdd Môn pan drawodd ar ferch ieuanc ddeniadol a dechrau sgwrsio â hi. Deallodd fod y ferch o'r un enw â'i wraig, er bod yr enw hwnnw braidd yn anghyffredin . Mentrodd ddweud mai dyna'r tro cyntaf iddo gyfarfod a neb arall hefo'r enw hwnnw.

Yn ddiweddarach y pnawn hwnnw, cyn ymadael, trodd y ferch ieuanc ato ac mewn llais uchel dywedodd, "Peidiwch ag anghofio dweud wrth eich gwraig eich bod wedi cael hyd i rywun arall."

Da yw y groes, y gwradwydd,
    Y gwawd a'r erlid trist,
Y dirmyg a'r cystuddiau
    Sydd gyda Iesu Grist;
Cans yn ei groes mae coron
    Ac yn ei wawd mae bri,
A thrysor yn ei gariad
    Sy' fwy na'n daear ni.
William Williams, Pantycelyn

9

YITZHAK RABIN

Yr oedd yn filwr yn rhyfeloedd ei genedl ac yn ferthyr yn ei heddwch.

Yr Arlywydd Clinton

Yr oedd ar ei orau mewn rhyfel ac ar ei fwyaf mewn heddwch.

Shimon Peres

❖

TEYRNAS DINIWEIDRWYDD

Yn nheyrnas diniweidrwydd–
Gwyn fyd pob plentyn bach
Sy'n berchen llygaid llawen
A phâr o fochau iach!
Yn nheyrnas diniweidrwydd–
Gwae hwnnw wrth y pyrth,
Rhy hen i brofi'r syndod,
Rhy gall i weld y wyrth.

Rhydwen Williams.

❖

FFORDD O DDWEUD

Mae ei gi o mor denau fel bod rhaid iddo fo roi ei din yn erbyn y wal i gyfarth. *(Charles Williams)*

Pwy faga' blant a thedi bêrs mor rhad?

"Hefo cerdd dant mae'r geiriau'n bwysicach na'r gerddoriaeth. Hefo opera mae'r gerddoriaeth yn bwysicach na'r geiriau."

❖

HEN ŴR

Hen ŵr wyf yn arafu, – ar fy nhaith,
Terfyn hwn sy'n nesu;
Af i fyw o nef a fu
I nef arall yfory.

Hyfreithion

❖

RHAI O DDYWEDIADAU'R PARCHEDIG TOM NEFYN

Dyma'r cyfle i lawer ddweud ychydig ac nid i'r ychydig ddweud llawer.

Gawn ni lacio llinyn y bwa.
Gawn ni daflu'n baich i lawr.
Gawn ni wrando ar yr hyfryd lais.
Gawn ni ymorffwys ar aberth y Groes.

Yn ôl y dydd y bydd dy nerth
Ar lwybrau serth y saint.

Plentyn tragwyddoldeb yn nillad amser yw dyn.

Ni syrth crinddail ddoe i'r ffos
Heb i ddeunydd yfory gael ei drysori mewn mesen.

BEDDARGRAFF CYNGHORYDD

Siôn Huws sydd yma yn ei arch,
Gynghorydd pwysig, mawr ei barch,
'Tae chi'n ei weld o yn y gro
Ni fuasech yn ei 'nabod o.

Mae'n debyg i bobl Sir Fôn gael yr enw Moch Môn am fod y ddau air yn dechrau hefo'r un llythyren – fel Lloia Llŷn a Caneris Caernarfon. Ond yn ei hunangofiant mae'r Parchedig William Aubrey, Llannerch-y-medd, (1815-1887) yn ceisio cadw eu cefnau rhag y fath sarhad. Mae'n well ganddo gymryd yr ystyr arall i'r gair moch, sef buan neu gynnar. Mochdrai ddylai Mochdre fod medda' fo am fod y môr yn mynd allan yn fuan yno! Nant sionc oedd yn Llanrhaeadr-ym-Mochnant hefyd meddai William Aubrey! Aeth ymlaen i ddweud pethau calonogol fel hyn am drigolion Gwlad y Medra – "Yr oedd pobl Môn – Môn Mam Cymru yn yr hen oesoedd, yn ddiarhebol am eu deall a chyflymder eu meddwl. Anrhydedd ar y Monwysion ac nid dirmyg ydyw iddynt gael eu galw yn Foch Môn." Ac o wybod hynny fe gaiff pobl Sir Fôn i gyd gysgu'n llawer esmwythach heno.

Yr oedd gŵr yn cerdded trwy'r fynwent pan glywodd sŵn curo. Wrth iddo fynd yn ei flaen yr oedd y curo'n uwch a'i ddychryn yntau'n cynyddu. Yn sydyn daeth ar draws gŵr ar ei gwrcwd yn naddu carreg fedd. "Diolch byth," meddai. "Mi dychrynaist ti fi; beth wyt ti'n wneud?" Trodd y gŵr ei ben ac meddai, "Tydy 'nhw ddim wedi cael fy enw i'n iawn."

Y CAPTEN ROWLANDS

"Y Capten Rowlands, o'r llong Anglesea ar ei fordaith o Rio de Janeiro i Antwerp yr hon a diriodd yn Dover, dydd Mercher y trydydd o Fedi 1942, a hysbysa iddo gyfarfod â llong ddrylliedig wedi ei dyfrlwytho, yn ymddangos oddeutu 500 tunnell ac o adeilad Americanaidd. Amryw o longwyr yr Anglesea a'i byrddiasant ar ddyfodiad y ddwy long ger ei gilydd. Pryd y cyrhaeddasant eu bwrdd hwy a ddychrynwyd gan ystŵr yn deillio o geudod y llong. Ar agoriad yr osgordd-ffordd hwy a ganfuasant for-gi arswydus wedi ymddyrysu ei hun rhwng y trawstiau. Pan ganfyddodd ef hwy efe a ymsaethodd at un ohonynt, hwn, yn ffodus, a syrthiodd yn ôl ar fwrdd y llong ac a ddihangodd. Ar ôl llawer o drafferth a phwyll hwy a lwyddasant i ladd yr anghenfil, yr hwn fesurodd ugain troedfedd ac o bwysau mawr. Nis gwyddir enw'r llong ddrylliedig gan fod ei phen ôl wedi ei gludo ymaith gan y dwr."

Yr Iforydd 1942

❖

DOD AR FY MHEN

Yr oedd yr hen Arglwydd Glasgow (1874-1963) yn hen fachgen digon diridano heb ddim yn erbyn i'r Comandos lleol ddefnyddio ei diroedd ar gyfer eu piltran militaraidd. Yn hollol naturiol yr oedd y Comandos yn awyddus iawn i dalu'r pwyth yn ôl a chynigiasant eu gwasanaeth a'u doniau i chwythu hen foncyff dianghenraid i ebargofiant. Yr oedd yr Arglwydd wrth ei fodd, ei unig amod oedd y dylid peidio niweidio'r coed ifanc o gwmpas y boncyff.

"Popeth yn iawn." meddai'r Cyrnol Durnford Slater, "Gallwn ddod â'r boncyff i lawr ar bisyn chwech." "Dyna beth yw gallu," meddai'r Arglwydd gydag edmygedd. Gorchmynnodd y Cyrnol i'w swyddog baratoi'r ffrwydron – 75 pwys i gyd. "A yw hyn'na'n ddigon?" gofynnodd y Cyrnol. "Ydi, syr," atebodd y swyddog," Mae'n berffaith gywir, fe weithies i'r cwbl yn fathemategol." Er mwyn bod yn berffaith siŵr dywedodd y Cyrnol wrtho am ychwanegu rhyw bwys neu ddau.

Ar ôl clamp o ginio aeth pawb allan i'r awyr agored i weld chwalu'r boncyff. Meddai'r Cyrnol balch wrth yr Arglwydd Glasgow, "Fe welwch y boncyff yn disgyn ar yr union lecyn ac yn berffaith glir â'r coed ieuainc." Ar hynny goleuodd y ffiws ac ymgilio.

Eiliadau yn ddiweddarach fe ffododd y boncyff hanner can troedfedd i'r awyr gan fynd â hanner acer o dir y stad a phlanhigfa gyfan o goed ieuainc gydag ef.

"Camgymeriad oedd o," meddai'r swyddog. "7.5 pwys ddylai o fod ac nid 75."

Dychwelodd yr Arglwydd Glasgow yn ddistawach, yn dristach a challach dyn i'w gastell. Wrth ddynesu at ei gartref gwelodd fod pob ffenestr yn y castell yn deilchion. Gyda chri fechan wylofus enciliodd yr Arglwydd trallodus i'r tŷ bach i guddio'i alar yn urddasol aristocrataidd. Ond pan dynnodd y tsaen, fe ddaeth y nenfwd a tho ei gastell i gyd i lawr ar ei ben.

GO DACIA FO

"Arferai fy nhaid ddweud 'Go dacit' neu 'Go dacia' pan fyddwn yn hongian ar y glwyd ers talwm ond ni ddychmygwn i mwy nag yntau fod yna unrhyw arwyddocâd arbennig i'r ebychiad ar wahân i rybudd iasol a phendant i mi roi'r gorau i'r direidi. Ond ar ôl darllen 'Hanes Ysgolion a Cholegau'r Methodistiaid' deallais mai ystyr 'Go dacit' yw *God hack it* yn union fel y mae'r dywediad Saesneg *'Go blimey'* yn gyfystyr â *God Blind Me*. Yn yr un modd ystyr 'Go drapia' neu 'Go drapit' yw *God rip it*. Ystyr 'Go daria' yw *God harry you* a thybiaf y buasai'n well gan fy nhaid golli'r glwyd na dymuno hynny ar neb.

❖

Nid mewn cryfder y mae mawredd ond yn yr iawn ddefnydd o gryfder.

❖

SYR WILLIAM JONES

Ym 1987, yn un o siopau Llundain, fe ofynnid £400 am wyth cyfrol o waith Syr William Jones, y barnwr a'r ieithydd o Faenaddwyn, Ynys Môn. Yn yr un pecyn yr oedd cofiant i'r marchog gan yr Arglwydd Teignmouth. Bu'r cyfrolau, a ailgloriwyd ym 1954, yn eiddo i briod Syr William (Anne Marie Shipley, merch Esgob Llanelwy).

Syr William oedd y gŵr a gyflwynwyd i Dywysog Ffrainc fel un allai siarad pob iaith ond ei iaith ei hun. Nid oedd hynny ymhell o fod yn wir chwaith gan iddo ddysgu wyth o ieithoedd yn drwyadl, wyth arall yn lled drwyadl ac yr oedd ganddo grap ar ddeuddeg iaith arall yn cynnyws Pali, Coptic, Cymraeg a Tsieinëeg. Cyfeiriwyd at Syr William gan y Dr. Samuel Johnson fel 'y mwyaf goleuedig o feibion dynion.' Codwyd cofeb iddo yn Eglwys Sant Paul ac un arall ym Mengal lle bu'n farnwr am un mlynedd ar ddeg. Fe gyflawnodd beth mwdral o waith cyn iddo farw ym 1794 yn 48 oed. Un o'i ddywediadau oedd "Ysgrifen yw cadair y cof."

❖

Nid yw angel o fawr bwys yn y nefoedd. (*G.B.Shaw*)

❖

Ar y rhaglen 'Yn Ei Elfen' fe gyfeiriwyd at y dywediad, "Mae yna ddigon o awyr las i wneud clos pen-glin i glagwydd." Mae hynny'n gwneud i ddyn amau a oedd yna awyr las o gwbl y diwrnod arbennig hwnnw. A beth am y cwestiwn arall hwnnw? "Sawl llathen o groen llyffant wnaiff glos pen-glin i gyw gŵydd?" Yn ddieithriad yr ateb fyddai "Dim". "Pam?" "Am nad oes pen-glin gan gyw gŵydd. Ac y mae yna le i gredu mai rhyw led debyg oedd anatomi tad y cyw gŵydd yn y cwestiwn cyntaf hefyd!

❖

Y LLWYBR TROED

'Rwy'n hen a chloff ond hoffwn – am unwaith,
Gael myned pe medrwn,
I'm bro a rhodio ar hwn,
Rhodio lle gynt y rhedwn.

J.T.Jones

❖

RHESWM DIGONOL

"Gwnewch o er mwyn y dyfodol."
"Pam? Wnaeth y dyfodol erioed ddim byd i mi."

❖

Hyd yn oed yng Nghymru fe glywch y dywediad "*Not on your Nelly*". Fuoch chi'n meddwl o ble ar y ddaear y daeth y dywediad hwnnw? Yr agosaf y gallwn ddod ato o'i gyfieithu i Gymraeg yw "Dim ar boen dy fywyd," efallai. Fe ddaw o'r slang odledig Saesneg "*Not on your Nellie Duff*" - *duff* yn odli hefo *puff* (*life*) *Not on your life, not on your puff.*

14

AR Y RADIO

"Byddai'n rhaid torri trwy erddi a rhandiroedd," meddai dyn y newyddion ar y radio, "Ac y mae hyn wedi codi gwrychyn nifer o bobl."

❖

HYSBŶS

Yma y gorwedd John O'Donnell,
Bragwr cwrw gorau'r byd,
Trowch i'r dde, ewch rownd y gornel,
Mae cwrw gan ei fab o hyd.

❖

TAD

Ychydig o eiriau Cymraeg sydd wedi eu mabwysiadu gan y Saeson - corgi, cromlech, eisteddfod, er bod yna amryw yn deillio o'r Gelteg. Yn ôl Constance Mary Matthews, anystwythder tafod y Sais oedd i'w feio am hyn (ond mae wedi benthyca miloedd o eiriau o ieithoedd eraill). Ond mae yna un gair wedi ei dderbyn yn hollol, sef y gair Tad neu Dad. Cred Miss Matthews fod y gair wedi croesi'r bont wrth i blant Cymru a phlant o Saeson gydchwarae. Fe'i cofnodwyd gyntaf ym 1500 ond bu'n hir yn dringo i lwyr adnabyddiaeth. Fodd bynnag, erbyn 1900 yr oedd wedi disodli Papa yn Saesneg. Mae Pop neu Poppa yn gyffredin o hyd yn yr Amerig ond mae Dad neu Daddy yn ennill ei blwyf yno hefyd. Mae yna lawer o blant Saesneg eu hiaith yn dweud Nan am eu neiniau hefyd ac o'r gair "Nain" y daw hwnnw, meddai Miss Matthews.

❖

DARBODUSRWYDD!

Yma y gorwedd Siôn Ifan y Cwm
Yn ddiogel rhag pob ofn a braw,
I ddweud y gwir ei enw yw Twm
Ond bod hon yn garreg ail-law.

❖

"Rhaid i chi symud eich traed, syr," meddai gofalwr y capel. "Rydych yn gorwedd ar draws y llwybr." Atebodd y dyn, "Aaaaghhh!" Aeth y gofalwr i nôl y pen blaenor a dywedodd hwnnw, "Wnewch chi symud

Os gwelwch chi'n dda, rydych ar ffordd pobl." Ac meddai'r dyn, "Aaaaghhh." Aeth y pen blaenor i ddweud wrth y gweinidog ac medddai hwnnw,"Wnewch chi symud, fedrwn ni ddim mynd ymlaen, o ble daethoch chi felly?" Edrychodd y dyn i fyny ac meddai'n floesg, "O'r galeri."

❖

AMBELL FRAWDDEG

Helygen felen fy iaith,
Wylaist ond deiliaist eilwaith.

Brawddeg o eiddo'r Group Captain Leonard Cheshire yn ystod ei waeledd olaf, "Rwy'n wynebu dipyn bach o fflac ar fy ffordd i'r targed."

Gwagia dy bwrs i dy ben ac ni all neb ddwyn dy gyfoeth. *(Benjamin Franklin)*

Gwna'r peth nesaf sydd gen ti i'w wneud, a'i wneud yn iawn. *(Emyr Llewelyn)*

❖

PENAWDAU EIFIONYDD YN YR 'HERALD'

Dyn yn teithio heb docyn:
  Y dyn swil o dan y sêt.

Talcen tŷ yn syrthio:-
  Sŵn cracio sy' yn Cricieth.

Storom haf:-
  Goleuo mellt a glaw mawr.

Lleidr ieir:-
  Dyna ffŵl yn dwyn y ffowls.

William Eames yn pesychu:-
  Cu lenor yn cael annwyd.

A phan ofynnodd rhywun beth oedd y mwstwr ar y llwyfan:-
  Mwstwr coed derw Mistar Cadeirydd.

❖

ENGLYN RHIFAU

7, 22, 6, 11 – 111, 8,
999, 4, 15,
8, 22, 77777, 12,
222, 9, 18 18 18, 10.

Saith, dau ddau, chwech, unarddeg,–tri un, wyth,
Tri naw, pedwar, pymtheg,
Wyth, deuddau, pump saith, deuddeg,
Tridau, naw, tri deunaw, deg.

Yr oedd gŵr mewn siop yn gwthio trol fechan yn llawn o nwyddau, a phlentyn bach wrth ei ochr yn cicio a strancio. Gan siarad yn bwyllog a thawel, meddai'r gŵr, "Paid â chrio, Gareth, paid â gwylltio, paid â chreu helynt."

Sylwodd gwraig oedrannus gerllaw ar hyn fel esiampl o'r hyn y dylai tad fod ac meddai,

"A gaf eich llongyfarch ar y ffordd yr ydych yn trin Gareth bach."

"Misus," meddai'r tad yn lluddedig, "Y fi ydi Gareth".

Wnaiff hi ddim bwrw glaw heddiw, mae'r cymylau'n gaws ac yn bosal. *(Owen Williams)*

ER COF AM WERINWR
(John Griffith, Tŷ Capel, Uwchmynydd)

Ei nef oedd ei gynefin,–hen lwybrau
A geiriau ein gwerin;
Canfu hedd a rhyfedd rin
Ar rawd y dyn cyffredin.

John Morris

Brodor o Gaergybi oedd Richard Williams. Ym mrwydr Trafalgar fe anfonodd Horatio Nelson yr arwydd enwog hwnnw yn mynegi bod Lloegr am i bob dyn wneud ei ddyletswydd. Cyhoeddwyd y neges trwy ddangos llumanau ar fwrdd y Victory a'r llongwr a fu wrth y gwaith hwnnw oedd Richard Williams. Fe'i claddwyd ym mynwent

17

Llanallgo, Môn.

HEDDWCH

Celfyddyd o hyd mewn hedd – aed yn uwch
O dan nawdd tangnefedd;
Segurdod yw clod y cledd
A rhwd yw ei anrhydedd.

Emrys

❖

Safai plentyn pedair oed wrth ochr ei athrawes ar ei ddiwrnod cyntaf yn yr ysgol. Gwaeddodd yr athrawes ar y dosbarth i fod yn ddistaw.
"Pawb yn ddistaw rŵan os gwelwch yn dda," meddai'r athrawes.
Ac meddai'r bychan, "Rhaid i chi 'cael nhw'n ddistaw yn bydd, neu mi fydd 'na gythral o le yma, bydd?"

❖

BEDDARGRAFF JOHN JONES

John Jones sydd yma yn dawel ei hun
Yr hwn a fu farw yn drigain ac un,
Ni fuasai wedi gwneud rhyw lawer iawn mwy
Petai wedi cael byw yn drigain a dwy.

❖

Pan gewch eich hun hefo'r mwyafrif mae'n amser i chi gymryd munud i feddwl. *(Mark Twain)*

❖

HIWMOR

Yr hiwmor gorau yw'r un sy'n gwneud i ni chwerthin am bum eiliad a meddwl am ddeng munud. *(William Davis)*

'Does yna ddim yn gwneud mwy o ddrwg i'ch hiwmor na rhywun yn gofyn lle mae o. *(Ivern Ball)*

❖

ANWADALWCH

Weithie i lawr ac weithie i fyny,
 Weithie'n methu codi 'mhen,
Weithie'n canu Haleliwia,
 Weithie'n methu dweud Amen;
Weithie'n canu, weithie'n crio,
 Weithie'n methu wylo dim,
Weithie'n credu, weithie'n peidio,
 Weithie'n cario cledda llym.

Weithie'n synied yn ddaearol,
 Weithie yn ysbrydol iawn,
Weithie tan yr iau yn fodlon
 O foreuddydd hyd brynhawn;
Weithie'n gwingo dan ddisgyblaeth,
 Weithie'n addfwyn gario'r groes,
Weithie'n credu, weithie'n peidio,
 Weithie'n cofio angau loes.

Cred rhai mai Humphrey Roberts (cyfoeswr Dafydd Ddu Eryri),
Tyddyn Iolyn, Llanfair Mathafarn Eithaf yw'r awdur.

❖

Wrth i John Roberts Williams gofio am Syr Geraint Evans a mynd
ymlaen i sôn am Fryn Terfel:

Os wyneb iarll sy'n y bedd
Iarll a anwyd er llynedd.

❖

Mewn ffenestr car, "Peidiwch byth â gyrru'n gyflymach nag y gall
eich angel gwarcheidiol hedfan."

❖

GWRAIG FFRAEGAR

Yma y gorwedd, diolch i Dduw,
Y wraig fu'n ffraeo tra bu byw,
Troediwch yn ysgafn ar ei gro
Neu fe ddechreuith arni 'to.

Os ydych am adael ôl traed ar dywod amser gwisgwch esgidiau
gwaith. (Rex Malik)

19

YR HEN GETYN DU

'Roedd Huwcyn a Sali yn burion y ddau,
'Roedd o yn gwneud 'sgidiau a hithau yn gwau;
'Roedd hi'n cymryd snisyn yn andros o gry'
A Huwcyn yn smocio yr Hen Getyn Du.

'Roedd ganddynt hen ddresel yn costio tair punt
A chloc heb 'run wyneb yn mynd fel y gwynt;
Ond nid oedd un rhithyn o ddodrefn y tŷ
Mor werthfawr i Huwcyn â'r Hen Getyn Du.

Pan fyddai ei ddillad yn hynod o wael
A'r arian yn brinion a dim modd i'w cael,
Neu pan na fai tamaid o fwyd yn y tŷ
'Roedd rhaid cael tybaco i'r Hen Getyn Du.

Hen grefydd y pentan oedd crefydd y ddau
A threfn y gwasanaeth oedd dwy awr o ffrae
Ac arogl darth yn llenwi'r holl dŷ
O allor poethoffrwm yr Hen Getyn Du.

Un noson yn ymyl y tân,ar ei hyd,
'Roedd Huwcyn yn cysgu a smocio 'run pryd
Ac anodd yw credu yr anffawd a fu,–
Breuddwydiodd a llyncodd yr Hen Getyn Du.

1914   *Anadnabyddus*

❖

O dan y dorchan, cofia di,
Yn gefn-gefn mae y wraig a mi,
Os dwed hi air myfi nis clyw,
Llai dedwydd oeddem pan yn fyw;
Pan gyfyd hi wrth gorn y Cynydd
Fe orwedda' i yn berffaith llonydd.

❖

DWY FRAWDDEG

Helpa'r gweinidog i roi gwynt yn nheiars teulu'r ffydd. *(T.J.Davies)*

Yr wyt ti mor gelwyddog ag wyt ti'n gymalog. *(Gwraig o Rosybol, Ynys Môn)*

Yr oedd aelod blaenllaw a chodwr canu yn un o gapeli Maesteg wedi dwyn bwyell o weithdy yn perthyn i siop tad y gweinidog. Y Sul canlynol fe lediodd y gweinidog y pennill canlynol fel y gallai'r codwr canu gyflawni ei swyddogaeth:

> O am 'nestrwydd yn y gwreiddyn,
> O am iechyd yn y gwa'd,
> O am nerth i wrthod lladrad
> O fwyelli siop fy nhad;
> Glân yw 'nestrwydd,
> O na feddwn y fath beth.

❖

EI LYTHYR OLAF

Llythyr olaf Goronwy Owen, o Blandford, i Mrs. Jeaney Owen yn Brunswick, Sadwrn, Mehefin 24, 1769.

Fy annwyl gariad a phriod,

Y mae eich brawd mor garedig â rhoddi i mi fenthyg bachgen* i ddyfod i'ch ymofyn; os oes arnoch eisiau i mi fyw, rhaid i chwi ddyfod ataf. Yr wyf yn gwybod pa mor galed ydyw gadael y blanhigfa ond fy nghyngor ydyw gadael Dickey a Goronwy gyda'u tad a chyrchu Janey a Hackey gyda chwi yn y gadair. Rhaid i'r bachgen negroaidd farchogaeth gyda'm cyfrwy a'm ffrwyn. Yr wyf mor wan fel mai prin y gallaf eistedd i fyny i ysgrifennu. Pan welwch chi fi fe welwch olygfa, yr wyf yn deneuach nag y gwelsoch fi erioed, y mae fy nghoesau fel gwiail tybaco.

Byddwch yn siwr o ddod â fy esgidiau gyda chi. Os daw y bachgen yna yn lled gynnar heno bydd rhaid i chi gychwyn bore yfory a chyrraedd yma nos yfory. Ni fydd angen i chi aros i wisgo eich hun na Janey, dim ond rhoi'r dillad yn y coffr yr wyf yn ei anfon i chi, a gwisgo amdanoch yma. Fe gewch, yn y coffr, deisen neu ddwy i'w bwyta ar y ffordd. Yr wyf yn erfyn na fydded i chi fethu dod, a dygwch lawer o ddillad canys bydd raid i chi aros bythefnos o leiaf, os na fydd i mi farw yn gynt a dwed y meddyg nad oes berygl.

Fy mendith i fy annwyl blant, a dyletswydd i dad a mam. Nis gallaf ysgrifennu rhagor, yr wyf yn llwyr flinedig; felly rhaid i mi derfynu gan eich sicrhau chi, fy anwylaf, fel yr ydwyf gyda phob cariad a serchowgrwydd yr eiddoch tra byddaf.

Goronwy Owen

* Daniel, y caethwas bach.

❖

"Os yw mam yn dod i fyw atom ni," meddai'r wraig wrth ei gŵr. "Mae'n rhaid i ni symud i dŷ mwy."

"Fuasai hynny'n gwneud dim gwahaniaeth," meddai'r gŵr, "Mi fuasai'n siŵr o gael hyd i ni."

❖

1492 A PHOPETH FELLY

Yn un mil, pedwar, naw deg dau
Columbus, aeth mewn llongau brau
I roi ar estron dir ei hawl,–
'Roedd yr Indiaid yno o flaen y diawl.

Ac fe haera llawer fod Madog wedi ennill y blaen arno hefyd. Sut le oedd Ewrop pan drodd Columbus ei gefn ar y cyfandir hwnnw. A sut le oedd yn y wlad yma?

Yn ôl ṛob hanes 'doedd yma ddim lle difyr. Yr oedd trais ac anhrefn yn ei anterth gyda churo merched a phlant yn beth cyffredin iawn. Fe labyddid anifeiliaid i farwolaeth er difyrrwch. Ceid un gŵr yn ymorol am yr heddwch ym mhob ardal a phe ceid lle i amau rhywun o ddrwgweithredu, wel, gwaedd ac ymlid fyddai hi wedyn a phawb, fel un gŵr, yn erlid y troseddwr. Petaech wedi lladrata gwerth llai na swllt o nwyddau fe gaech eich fflangellu, 'roedd swllt yn gyflog wythnos i lafuriwr. Byddai rhywun a ddedfrydwyd i farwolaeth yn sicr o gael ei ddienyddio ymhen tridiau. Os oedd yn euog o'i drosedd gyntaf fe gâi ei groen-losgi a'i grogi wrth fôn ei fawd. Os trosedd rywiol a gyflawnwyd rhoddid yr euog mewn trol a'i dynnu trwy'r pentref i sŵn tabyrddau a chlychau. Rhoddid twyllwr neu derfysgwr yn y stociau neu mewn cyffglo.

Symudai'r 'byddigions' o dŷ i dŷ. Yr oedd chwech wythnos yn hen ddigon mewn tŷ neu blasdy. Ar ôl hynny rhaid oedd symud gan y byddai'n drewi fel cigladd. Pe caech wahoddiad i ginio fe fyddech yn mynd â chyllell hefo chi, - nid oedd angen fforc. Bwytid un pryd bwyd sylweddol tuag unarddeg o'r gloch y bore ac un arall rhwng pedwar a phump. Fe gâi medelwyr bwys o gig y dydd. Cig eidion oedd blasusfwyd y boneddigion ac ymfodlonai'r werin ar gig oen. Yr oedd y dŵr yn afiach a gwell oedd yfed cwrw ac fe fyddai crefftwyr yn yfed galwyn ohono mewn diwrnod.

Yr oedd poen o ryw fath yn gydymaith parhaus ac ychydig iawn o bobl allai osgoi'r frech wen. Yr oedd twymyn yr ymysgaroedd (teiffoid), y dwymyn heintus (teiffws) a'r clefydau gwenerol yn gyffredin. Fe gâi chwain a llau bob rhyddid i luosogi ac fe ddioddefai

22

llawer oddi wrth gerrig yn y bledren a'r bustl. Collid un baban ym mhob tri yn y tri mis cyntaf. Yr oedd anabledd, dallineb a byddardod yn gyffredin hefyd. Byddai pobl yn tynnu eu dannedd eu hunain neu'n disgwyl rhyw ddeintydd crwydrol i gyflawni'r orchest â'i efail bedoli. Yr oedd ofergoeledd yn rhemp, er enghraifft fe gredid petaech yn hollti onnen, yn estyn baban afiach trwy'r bwlch cyn trwsio'r hollt, yna fe fyddai'r plentyn yn holliach.

Ond mae dros bum can mlynedd er i Columbus lanio ar Ynys Watlin ac fel y gofynnodd y dyn hwnnw y diwrnod o'r blaen, "Pam 'da ni'n cwyno?"

❖

Daw llên o wir gelfyddyd nid ar siawns,
Rhwyddach yw cam un hyddysg yn y ddawns.

❖

Mae'n debyg eich bod, fwy nag unwaith, wedi dod wyneb yn wyneb â'r cwpled enwog a therfynol hwnnw:

By hook or by crook
I'll be last in your book.

Mae'r llinell gyntaf yn golygu eich bod am gael eich maen i'r wal, doed a ddelo. Ond fuoch chi yn meddwl erioed am darddiad y dywediad. Fe â'n ôl i'r cyfnod pan oedd gan bob gwas fferm yr hawl draddodiadol i hel priciau yng nghoed y faenol. Yr oedd gan y gweision hawl i'r canghennau y gallasent eu cyrraedd trwy ddefnyddio bilwg neu fagl ffon bugail. Felly fe gâi'r gwas ei danwydd 'by hook or by crook'.

Gair arall a ddefnyddir yw 'lysh' am gwrw. Fe ddaw yn wreiddiol o enw cwmni o fragwyr, Lushington.

❖

SIÂN

Yma y gorwedd Siân Ifans, Bryn Glew,
A oedd yn ei dydd, yn ddynes fawr dew,
Yn hanner cant oed fe'i galwyd i'r ne'
Er mwyn i'w chymdogion gael 'chwaneg o le.

❖

23

MADOG

Ysgrifennwyd y llyfr *Madoc and the Discovery of America* gan Richard Deacon. Mewn gwirionedd Donald McCormick oedd enw'r awdur, hanesydd a anwyd yn y Rhyl. Ei ddedfryd ef oedd bod gan yr Americaniaid fwy o ddiddordeb yn hanes Madog na'r Cymry - y Cymry wedi eu penfwydo i dalu mwy o sylw i Nelson, Wellington ac eraill o gyffelyb drais. Ym 1992 fe aeth deunydd ymchwil Donald McCormick i gyd ar werth yn Llundain a chafwyd dros £600 amdano. Ond fe ddeil·Cymry America i gymryd diddordeb yn hanes Madog. Fe geir peth tystiolaeth yn hanes y Mandaniaid, llwyth o Indiaid a ddegymwyd gan y frech wen ym 1836. Yr oeddent hwy yn defnyddio cwch ar ffurf cwrwgl gan ei galw'n 'keerig'. Yr oeddynt hefyd yn defnyddio'r geiriau hen, glas a bara yn union fel y gwnawn ninnau.

❖

"Mae'r ci yma wedi mynd ar goll eto. Mae'r gŵr yn gadael y drws yn agored o hyd. Mi fydd rhaid i mi ei ddifa fo."

❖

GWEN

Obry yn awr y gorwedd Gwen,
Fe aeth â'i sgwrs tu hwnt i'r llen,
Ymadael wnaeth â'r bywyd brau,
Mae'r saint a minnau'n llawenhau.

❖

CHWITHDOD

Ysgrifennodd Meic Stephens erthygl yn ddiweddar yn awgrymu mai cenedl lawchwith oedd y Celtiaid. Cafwyd hyd i darian fach gron nid nepell o'r Amwythig. Yr hyn sy'n ddiddorol yw ei bod yn darian i filwr llawchwith. Yr oedd hynny'n sicrhau fod ei law dde yn rhydd i drin y cledd. Pobl 'ddeheuig' oedd y Rhufeiniaid ac fe ddaeth y Brythoniaid dan eu dylanwad yn hynny o beth ar wahân i'r rhai oedd yn byw yng Nghymru ac ar y gororau.

Byddai'r Derwyddon yn cyfarch ei gilydd â'r llaw chwith neu'r beulan, a chaent eu claddu ar eu hochr chwith. Gwisgent fodrwyau a thlysau ar y fraich dde ac yn eu mabolgampau cadwai'r cerbydau i'r chwith - dyna sydd wrth wraidd ein Rheolau Ffordd Fawr ni heddiw. Felly byddai tarian y Brython rhyngddo ef a'r gelyn, yn enwedig gan mai ymladdwr llaw dde oedd y Rhufeiniwr.

Yng nghestyll y gororau yr oedd grisiau yn codi mewn cylch i'r dde er mantais i amddiffynnwr â chleddyf yn ei law chwith. Yn yr un modd gosodwyd y ffenestri a'r sgrafelloedd ar gyfer saethwyr llawchwith. Y Rhufeiniaid ddysgodd y Brythoniaid, yn erbyn eu hewyllys, i ymdeithio trwy gychwyn gyda'r droed dde. Hefo pa droed fyddwch chi yn cychwyn cerdded?

❖

NEUADD MYNYTHO

Adeiladwyd gan dlodi,–nid cerrig
Ond cariad yw'r meini;
Cydernes yw'r coed arni,
Cyd-ddyheu a'i cododd hi.
                              R.Williams Parry

❖

AMBELL FRAWDDEG

Dyma'r gaeaf gwlypa' er pan oedd Noa'n hogyn.

Mae pobl yn gaeth i'r syniad o ryddid.

Mae merch fel bag te, mae hi ar ei chryfaf mewn dŵr poeth.

❖

Mae'n debyg fod y rhan fwyaf ohonom wedi cael y profiad o deimlo rêl *dunce* o dro i dro. Ym 1993 'roedd yr Eglwys Gatholig am ystyried un o'i diwinyddion yn fendigaid a chynhaliwyd y seremoni ar Fawrth 20. Ganwyd y diwinydd mewn pentref o'r enw Dunce, Swydd Berwick, ym 1265 ac fe'i bedyddiwyd yn John Dunce Scotus. Yr oedd John Dunce yn deyrngar iawn i ddaliadau traddodiadol ei grefydd ac fe alwyd ei ddilynwyr wrth yr enw Dunsers gan y credid eu bod yn erbyn pob dysgeidiaeth newydd. Felly dyma'r gŵr roddodd fenthyg ei enw dros dro i'r rhai mwyaf anwybodus ohonom. Claddwyd John Dunce yn Cologne a rhoddwyd cwpled debyg i hyn ar ei fedd:

Yr Alban a'm hesgorodd, Lloegr a'm magodd,
Ffrainc a'm dysgodd, Cologne a'm cadwodd.

❖

25

GLAS Y DORLAN

Rhyfeddais, sefais yn syn–i'w wylio
Rhwng yr helyg melyn,
Yna'r lliw yn croesi'r llyn,
Oedais, ond ni ddaeth wedyn.

Trebor Roberts

❖

O.H. FYNES-CLINTON

Gŵr rhyfeddol oedd yr Athro O. H. Fynes-Clinton a chafwyd erthygl ddiddorol iawn amdano gan y Dr. Bruce Griffiths yn y *Casglwr.* Yr oedd yn ŵr swil iawn ond fe wnaeth gymwynas fawr â Chymraeg llafar trwy gofnodi cannoedd ar gannoedd o briod-ddulliau'r Gymraeg yn ardal Bangor. Fe edrydd y Dr. Griffiths hanesyn amdano yn rhoi cat o faco i ŵr o Aran am ddod i sgwrsio ag ef am awr yn y Wyddeleg. Yr oedd yr Athro'n rhy swil i gynnal sgwrs a threuliodd y ddau awr mewn mudandod llwyr.

Dyma ddywedodd Syr Ifor Williams am Fynes-Clinton, *"No Cymro born and bred could have loved the Welsh language more than did this shy reserved Englishman and few worked harder, more steadfastly, or with more zest in its service."*

Claddwyd yr Athro, fel Syr John Morris Jones y cymwynaswr mawr arall, yn Llanfairpwllgwyngyll, Syr John yn 1929 a Fynes-Clinton ym 1941.

❖

Yr oedd yna ŵr o Frynsiencyn
Orchuddiodd ei donsils â menyn
Mae ei chwyrnu ers tro
Fel mud bluen ar ffo
Rhwng tawel fagwyrydd hen fwthyn.

❖

I FYNY

I fyny, fy nghyfaill, i fyny o hyd,
Paid gwrando ar swynion rhad bethau y byd,
I fyny mae coron anrhydedd a chlod,
I fyny mae hanfod pob da sydd yn bod;
I fyny mae cariad digymysg ei ryw,
I fyny mae bywyd, i fyny mae Duw;
Os ydyw y llwybrau i fyny yn serth,
Cei'r Iôr i dy gynnal, efe a rydd nerth;
Gan hynny, i fyny, i fyny fy ffrind,
Gwna ateb i bopeth, "I fyny 'rwy'n mynd."

Anad

AMBELL FRAWDDEG

Mae bywyd yn gwastraffu ei hun tra'r ydym yn paratoi i fyw.

Nid yr hyn sydd gennym ond yr hyn a wnawn ag ef yw ein teyrnas.

Byddwch ffyddlon i Dduw, yn ffyddlon i chi eich hun a gadewch i'r byd ddweud beth a fynno.

Mae cyngor yn debyg i drên, yn hawdd i'w gymryd ond yn anodd i'w ddilyn.

Nid yw tlodi'n dinistrio rhinwedd na chyfoeth yn ei greu.

BEDDARGRAFF GWERTHWR ENSEICLOPIDIAS

Rhy uchel ei silffyddiaeth,
Rhy fawr oedd ei ofalaeth,
Wrth orymestyn claddwyd Ben
Dan domen o wybodaeth.

Glyndwr Thomas

❖

"Welais i ddim mohonot hefo Siân ers talwm."
"Fedrwn i ddim dioddef ei chlywed yn chwerthin."
"Sylwais i ddim ar ei chwerthin hi."
"Doeddet ti ddim yno pan ofynnais iddi fy mhriodi."

❖

27

IONAWR

Mae Ionawr ar y mynydd–a gwelwach
Yw golwg y meysydd;
Ond daw yn newid tywydd
Ac yn y fan, gwanwyn fydd.

John Penry Jones

❖

GWYDDOM AM Y TEIMLAD

Mae'r wlad lle'm ganed a'r wlad y byddaf fyw ynddi, wedi ei throi'n
wlad dramor o flaen fy llygaid. *(Glenda Jackson)*

❖

CYMRY CELFYDD

Ar dechrau 1993 fe ddywedodd golygydd y celfyddydau yn y *Western
Mail* rywbeth fel hyn. Yn ôl Nichole Sochor mae'r Cymry wedi
gwirioni mwy ar y celfyddydau na neb arall ym Mhrydain a'r Cymry
Cymraeg yw'r mwyaf diwylliedig ohonynt i gyd. Mae 49% o
boblogaeth Cymru yn debyg o fynd i gyfarfod diwylliannol o'i
gymharu a 46% ym Mhrydain gyfan. Mae'r cyfrif yn 54% ymysg y
Cymry Cymraeg. Ond dyma'r bilsen; mae 78% o boblogaeth Prydain
yn darllen llyfrau, 75% o'r Cymry Cymraeg a 73% o boblogaeth
Cymru gyfan. Dim ond 29% o'r Cymry Cymraeg sy'n darllen llyfrau
Cymraeg a dim ond 7% o boblogaeth Cymru gyfan.

'Roedd y celfyddydau'n ennill £76m i economi Cymru ac yn rhoi
gwaith i bum mil, un swydd ym mhob deugant.

❖

O DDIWYGIAD 1859

Beth yw'r symud sydd ar ddodrefn?
Chwilio am yr arian cudd?
Perlau'r Iesu sydd yn gorwedd
Yn y llwch ers llawer dydd;
Mae mudaniaid yn llefaru
Ac mae'r cloff yn llamu'n llon,
Trwy y Gŵr a ddioddefodd
Dan ei ystlys waywffon.

❖

"Tydi hi'n ddiwrnod diflas?"
"Mae hi'n well na dim."

❖

O CHWITH

Fe ddywedir bod y Celtiaid yn llawchwith a bod hen gestyll y gororau wedi eu llunio ar gyfer eu hamddiffyn gan filwyr llawchwith. Dywedir bod yr un peth yn wir am ambell gastell ar y ffin rhwng yr Alban a Lloegr. Un ohonynt oedd Castell Ferniehirst, cartref y teulu Kerr. Saif y castell ar y chwith wedi gadael Galashields i gyfeiriad Caeredin.

Ystyr y gair Kerr neu Carr yw un yn byw ar faes gwlyb ac isel. Saif y castell ar un o'r ffyrdd pwysicaf rhwng Lloegr a'r Alban ac ym 1549 fe laddwyd y garsiwn Seisnig i gyd gan Syr John Kerr wrth ail-feddiannu'r castell ar ôl brwydr fawr 1545. Dyma bennill cyntaf y gerdd a ysgrifennwyd gan Walter Laidlaw i gofnodi'r achlysur gwaedlyd hwnnw:

> So well the Kerrs their left hands ply,
> The dead and dying around them lie,
> The castle gained, the battle won,
> Revenge and slaughter are begun.

Hyd heddiw fe ddefnyddir y term 'Kerrhanded' am y llawchwith yn yr Alban.

Codwyd castell Ferniehirst ar gyfer pobl lawchiwth. Erbyn heddiw dim ond y grisiau sy'n tystio i hynny, 'roeddent yn sicrhau bod cleddyfwr llawchwith yn cael mantais. Mewn archwiliad yn ddiweddar fe ddarganfyddwyd fod tair gwaith cynifer o deulu Kerr neu Carr yn debycach o fod yn llawchwith nag unrhyw deulu arall. Yn gyffredinol mae un o bob deg yn llawchwith, yn nheulu'r Kerr mae'r nifer yn dri o bob deg. Mae hanes yn dweud bod Andrew Kerr, sylfaenydd y teulu ym 1457, wedi dysgu ei feibion a'i weision i ddal bwyell neu gleddyf yn y llaw chwith er mwyn peri penbleth i'r gelyn. A dyma ddyfyniad o gerdd gan James Hogg:

> But the Kerrs were aye the deadliest foes
> That e'er to Englishmen were known,
> For they were all bred lefthanded men
> And fence against them there was none.

❖

RHOSYN A'R GRUG

I'r teg ros rhoir tŷ grisial–i fagu
Pendefigaeth feddal;
I'r grug dewr y graig a dâl,
Noeth weriniaeth yr anial.

Pedrog

❖

Hyder yw'r teimlad hyfryd hwnnw o hunanfeddiant perffaith cyn i chi syrthio o ben yr ysgol.

❖

O FRYNSIENCYN

Mae Dic yng Ngharreg Wian
A Wil yn Rhyd yr Arian,
A Siôn yn 'Sgubor Fawr y Bryn,
A Chatrin adre'i hunan.

❖

PYTIAU

"Dengys yr ymchwil mai deugain munud yw'r hwyaf y gall y bod dynol ddal sylw," meddai'r seicolegydd. Yna aeth ymlaen i ddarlithio ar y pwnc hwnnw am deirawr.

Os yw eich ci yn credu mai chi yw'r un gorau yn y byd, peidiwch â gofyn am ail farn.

Mae Dydd Sadwrn yn debyg i enfys. Mae'n edrych yn dda o bell ond mae'n diflannu wrth i chi nesáu ato.

❖

HEDDWCH

Miliynau o groesau
A gyst rhyfel o hyd
Ond un groes yn unig
A bryn heddwch y byd.

Ifan Roberts

❖

ANNIBYNNWR

Sylwyd bod un o weinidogion yr Annibynwyr yn edrych yn nror ei ddesg cyn cau pob llythyr pwysig a anfonai o'r swyddfa. Wedi iddo ymddeol fe ddaeth ei gydweithwyr o hyd i ddarn papur yn y drôr oedd yn ei atgoffa – Dwy N ac un N.

ENGLYN BEDDARGRAFF

Hen ŵr oedd fy nhad yn byw yn y Borth,
Yn gyrru cwch i'r dŵr i mi a mam gael torth;
Ond heno mae o'n huno'n hynod
Gyda'r graean a'r cacynod;
Afiechyd oedd ei waeledd
A marw wnaeth o'r diwedd,
Pridd ar ei draws a phridd ar ei hyd,
A dyna lle bydd o tan ddiwedd y byd.

Y Bardd Cocos

❖

Pennill a ysgrifennwyd gan Evan Thomas, Carno, i'w roi ar ei gerdyn coffa ei hun. Yr oedd Evan Thomas yn wargrwm ond nid oedd iddo arlliw o hunandosturi.

Y mae Evie wedi marw,
  Hagar iawn a hyll ei wedd
Ac fe'i rhowd ef fel pawb arall
  Lawr i orwedd yn y bedd;
Ond yn nydd yr atgyfodiad,
  Evie gwyd i fyny, gwn,
Gwaedda Gabriel yn ei gyffro,
  "Arglwydd annwyl, be 'di hwn?"

❖

Fe ddyfeisiwyd peiriant ager yn Alexandria fil o flynyddoedd yn ôl. Caed pelen fawr wag wedi ei gosod ar bibell yn sownd mewn tecell. Âi dwy bibell ar ffurf L â'r stêm i ddwy ochr y belen i'w throi.

❖

31

FY MRO

Nid am fod yma feysydd teg
A thai yn llawn o bethau drud
Yr wyf yn caru tir fy mro.
Yn fwy nag unman yn y byd.

Ond am fod yma rai sy'n byw
Yn unol â'i thraddodiad hir,
Gan barchu'r trysor sydd ar ôl
Y rhai fu gynt yn arddu'r tir.

A phan orweddaf yn ei gro
I huno'n sŵn y gwynt a'r glaw
Dymunwn adael rhywbeth bach
Yn rhin i blant yr oes a ddaw.

Robert Eifion Jones

❖

'Does dim byd yn newydd. Fe ddaliwyd un o frenhinoedd Lloegr,
Ethelred The Unready (Yr Amharod), noson ei briodas, yn y gwely
hefo'i wraig a'i fam yng nghyfraith.

❖

Paid â defnyddio bwyell i symud pry' oddi ar dalcen dy gyfaill.
(Dihareb o Tsieina)

❖

Jim Cro Crystyn
One, two, four,
A'r mochyn bach yn eistedd
Mor ddel ar y stôl.

Mewn toriad papur o Awstralia ceir hanes y cloddio am aur mewn
ardal oer o'r enw Daylesford. Anodd yw cael hyd i'r lle ar y map, yn
Victoria efallai, ond wedi i chi ei ddatgymalu mae'r enw yn un
diddorol iawn. Fe enwyd rhan o dir y wlad yn 'Jim Crow' gan ŵr o'r
enw John Hepburn yn nhridegau'r ganrif ddiwethaf. Nid oedd y
Capten Hepburn yn fwyngloddiwr ond fe ddarganfuwyd plwm ar ei
dir wedi iddo farw ym 1859.

Pan adawodd Hepburn ddinas Sydney ym 1837 yr oedd yna
ganwr crwydrol o'r enw 'Adelphi' Rice (Cymro o waed) yn arfer canu
cân boblogaidd ag iddi'r gytgan:

Hop a little,
Skip a little,
Jump Jim Crow.

Yn ôl un ffynhonnell T. D. Rice oedd y *'nigger minstrel'* gwreiddiol ac fe ganodd y gân am y tro cyntaf yn Washington, U.D.A. ym 1835, cyn dod â hi i'r Adelphi yn Llundain ym 1836. Yr oedd Jim Crow yn enw ar un oedd wedi 'troi ei gôt' gan symud o un safbwynt i'r llall. Mewn un llinell yn y gân ceir y geiriau *'Wheel about and turn about'*. Yr oedd Hepburn mor hoff o'r gân fel yr enwodd yr afon a'i glwt o dir yn 'Jim Crow'. Mae yna eglurhad arall paham yr enwyd y lle'n Jim Crow. Yr oedd amddiffynnydd yr hen frodorion, E. S. Parker, wedi sefydlu ei hun ger Mynydd Franklin ym 1840 ac fe dybiodd fod dwy goeden yn yr ardal fel petaent yn perfformio dawns Jim Crow.

ER COF AM WERINWR
(John Griffith, Uwchmynydd)

Ei nef oedd ei gynefin,–hen lwybrau
    A geiriau ein gwerin;
Canfu hedd a rhyfedd rin
Ar rawd y dyn cyffredin.
                                    John Morris

Câr dy gymydog fel ti dy hun, ond cofia ddewis dy gymdogaeth. *(Louise Beal)*

Tosturia dros y rhai addfwyn canys hwy a etifeddant y ddaear. *(Don Marquis)*

Mae gan bobl un peth yn gyffredin, maent i gyd yn wahanol. *(Robert Zend)*

EU GEIRIAU OLAF

ALEXANDER GRAHAM BELL
Cyn lleied a gyflawnwyd, cymaint eto i'w wneud.

OSCAR WILDE
Mae'r papur wal yma i fynd,–neu fi.

LYTTON STRACHEY
Os mai dyma yw marwolaeth, 'does gen i ddim llawer o feddwl ohono fo.

SIDNEY SMITH
(Ar ôl i'w wraig ddweud wrtho ei fod wedi llyncu inc)
Dowch â hynny o bapur blotio sydd yn y tŷ.

RABELAIS
'Does gen i ddim byd. Mae arnaf lawer. Y gweddill 'rwy'n ei adael i'r tlodion.

WILSON MIZNER (Wrth yr offeiriad)
Pam dylwn i siarad hefo ti? Dwi newydd fod yn siarad hefo dy fistar.

SOMERSET MAUGHAM
Mae marw'n hen firi dwl a diflas. Fy nghyngor yw i chi beidio gnweud dim byd â fo.

Pan ddaeth yr Iesu i Ganaan,
Hoeliasant Ef ar bren,
Rhoi picell yn ei ystlys
A phoeri am ei ben.

Pan ddaeth yr Iesu i Gymru
Fe safodd ar y stryd,
A'r dyrfa a aeth heibio
A'i adael Ef yn fud.

James Ellis, milwr o Lanfairfechan

Aeth awdur enwog i barti go ddiflas. Gofynnodd rhywun iddo a oedd yn mwynhau ei hun. "Ydw," meddai'r awdur. "Does yna ddim byd arall yma i'w fwynhau."

COF ELLIS ROBERTS

Cymeriad diddorol ydi Ellis Roberts sydd wedi colli ei olwg ond heb golli ei gof o bell ffordd. Brodor o Lŷn yw Ellis Roberts yn wreiddiol a phan glywodd fi'n sôn am glefyd y Sul y diwrnod o'r blaen dyma fo allan efo'r hyn a ganlyn, y bu'n ei adrodd yng Nghyfarfod Llenyddol Capel Penygraig, Llangwnadl, pan oedd o'n blentyn:

Rhyw glefyd rhyfedd yw clefyd y Sul,
Gwna'r corff yn anghynnes a'r enaid yn gul,
Byrhoedlog iawn ydyw ond daw yn ei drefn,
Fe gilia am wythnos i ddyfod drachefn.
Mae'n adwaen ei dymor er gwaethaf pob peth,
Fel gwyliau'r Nadolig fe ddaw yn ddi-feth.
Mae'r truan yn codi ar doriad y wawr,
Bob un o'r chwe diwrnod mae'n fywiog bob awr
Ond pan ddêl y seithfed mae'i degwch dan len,
Mae poen yn ei ysgwydd a chur yn ei ben.
Cymalwst a'r troedwst sy'n dod ar eu hynt,
Ni fu y fath ofid er bore'r Sul cynt.
Pwy ddichon waredu y truan ŵr, sydd
Mewn ymdrech ag angau, ar golli y dydd?
Mae'n tuchan, mae'n cwynfan, mae'n wyrthiol o wael!
Mae'n wael ymron marw – oes meddyg i'w gael?
Nid yw y meddygon yn deall y dyn
'Does dim all ei wella ond bore Dydd Llun!

Mae Ellis o gwmpas y pedwar ugain oed ac yn dal i gofio a holi llawer am fro ei febyd. *(Reuben Roberts)*

SAITH

I ddilynwyr Pythagoras yr oedd y rhifau tri a phedwar yn rhai hynod o lwcus. Mae tri a phedwar yn gwneud saith. Yn yr hen oes yr oedd yna saith planed lwcus, yr Haul, y Lleuad, Mercher, Gwener, Mawrth, Iau a Sadwrn. 'Doedd y ddaearen ddim yn cyfrif! Cymerwyd saith niwrnod i greu'r byd, mae saith diwrnod yn yr wythnos, saith rhinwedd, saith pechod gwreiddiol, saith deisyfiad yng Ngweddi'r Arglwydd a saith cyfnod yn einioes dyn. Rhestrai Shakespeare y cyfnodau hynny fel hyn: baban; disgybl cwynfanllyd; carwr, milwr, ystus heddwch; henwr main yn ei slipars ac, yn olaf oll, "henwr diddannedd, di-weld, diflas, dibopeth."

Wyddwn i ddim beth oedd hapusrwydd nes i mi briodi – wedyn 'roedd hi'n rhy hwyr. *(Max Kauffman)*

Mae'r bydysawd yn llawn o bethau rhyfeddol yn disgwyl i ni gallio. *(Eden Phillpots)*

YR HEN BARC

Ar wahân i'w lyfr *Byr a Phert* mae gan William Griffith, Hen Barc, Llanllechid, awdur y gerdd 'Defaid William Morgan', gyfrol arall o'r enw "Casgliad o Ddywediadau Ffraeth ynghyd ag Englynion a Phenillion." Ond nid yw ei englyn enwog i'r ceiliog yn y gyfrol yma chwaith.

> Y ceiliog a'i glôg liwgar–yw'r crafwr
> Cryfaf ar groen daear;
> Dodwyedig dad adar,
> Cywir ei dôn, cariad iâr.

Mae rhagair (Syr) Ifor Williams i'r gyfrol yn ddiddorol: "Ni welswn erioed mo awdur a chasglwr y llyfr hwn hyd y dydd y disgynnodd arnaf o'r bryniau fel barcud ar gyw i ofyn i mi ysgrifennu pwt o ragair iddo. Cytsyniais, nid am fy mod yn awyddus i'r gorchwyl, ond am y gwyddwn na bydd neb doeth byth yn darllen rhagair, ac felly nid oedd rhaid i mi ofalu na malio rhyw lawer beth a ddywedwn." Ond fe aeth Ifor Williams ymlaen i lunio rhagair campus.

Fe gafodd William Griffith gig drwg i ginio ym Mangor a chafodd gyngor y wetar i roi sos H.P. arno. 'Doedd o ddim mymryn gwell ac meddai'r bardd :

> Ni fuaswn mor fisi–da y gŵyr,
> Petai'r cig heb ddrewi,
> Fo a'i sos, ni phrofais i
> Gryfach datws a grefi.

Yr oedd William Roberts, Pantreiniog wedi bod allan o waith am fisoedd lawer ac yr oedd wedi mynd yn bur fain arno. Gofynnodd Jane, ei wraig, iddo un noson, "Be gawn ni i swper dywed, Wil?" "Wn i ddim wir," meddai William. "Os na ffrïwn ni'r ddau ornament yna."

❖

AR ÔL UNIG FERCH

> Ymholais, crwydrais mewn cri,–och alar!
> Hir chwiliais amdani;
> Chwilio'r celloedd oedd eiddi,
> A chwilio heb ei chael hi.
>
> *Robert ap Gwilym Ddu*

❖

Mae'n debyg i chi glywed y dywediad *'the mind boggles'* neu *'mind boggling'*. Wel, fe ddaw y gair hwnnw, yn y pen draw, o'r gair Cymraeg bwgwl sy'n golygu ofn, arswyd, braw. Yn Lloegr, yn enwedig ar y gororau, yn y bymthegfed ganrif, fe fyddai ceffylau yn *'boggling'*, a thybid mai wedi cael eu dychryn gan y *'bogie'*, y *'boogie'* neu'r bwgan y byddent. Mae'n debyg bod 'bwgan' a 'bygwth' yn dod o'r un ffynhonnell.

❖

Yr oedd y Parchedig Rhys Nicholas yn olygydd y *Genhinen* pan ddywedodd wrth Isfoel ei fod am symud i Borth-cawl i fyw. "Wel, ie," meddai Isfoel, "Yn y cawl mae lle'r genhinen."

❖

LLOER

Y glos loer, fugeiles lân, O! mae'n hardd
Ym min nos o'i chorlan
Yn dyfod, â'i myrdd defaid man,
I geisio'i gŵr mewn gwisg arian.

Taliesin o Eifion

❖

Mae'n dibynnu pwy ydych a lle'r ydych yn sefyll ym myd y blodau hefyd. Ym 1746, ddau gant a hanner o flynyddoedd yn ôl fe drechwyd Bonnie Prince Charlie a lladd mil o'i filwyr mewn llai nag awr gan y Saeson ym mrwydr Culloden. Cadfridog byddin Lloegr oedd y Dug William o Cumberland ac fe enwyd blodyn ar ei ôl mewn edmygedd o'i allu militaraidd – 'Sweet William'. Ond mae gan yr Albanwyr enw arall ar y planhigyn bach cyffredin yma – 'Stinking Willy'.

❖

CORDDI

Faint ohonoch sy'n cofio'r fuddai geffyl, yn gweithio ar y pŵer, gyda'r ceffyl yn cerdded y tu allan i'r tŷ llaeth i droi'r olwyn. A'r fuddai gnoc, y fuddai dro, y fuddai ystyllog a'r corddwr.

Mae'r gair corddi yn dod o'r un gwraidd â'r gair cerdded ac yn golygu neidio neu lamu. Fe ellir corddi llaeth i'w droi yn fenyn. Fe ellir hefyd gorddi wyau, sef cnocio wyau. Fe arferid dweud 'corddi'r ymennydd' hefyd yn ôl Lewis Morris. 'Rydym yn parhau i'w ddefnyddio pan ddywedwn "Yr oeddwn yn corddi" neu "Yr oedd fy meddwl yn corddi".

Fe ddefnyddir y term 'dwlali' neu 'dwlal' am ddyn sydd ychydig yn wahanol i ddynion eraill ac yn edrych ar bethau mewn ffordd sy'n amrywio o'r arwynebol ysgafn i'r mursennaidd. Efallai i'r term ddod i ni o Lerpwl ac i'r ddinas honno o'r India. Yn India yr oedd pentref o'r enw Dwlal neu Dwlali. I Dwlal yr anfonid y milwyr Prydeinig pan nad oedd dyletswyddau ar eu cyfer. Fu erioed le mwy diflas a diddigwydd a thoc fe gâi milwr y clefyd hwnnw a elwid yn Dwlali Tap, hynny'n golygu ei fod wedi mynd dipyn yn rhyfedd – mewn geiriau eraill wedi mynd yn dipyn o dwlali.

❖

Y TEILIWR

'Rwy'n mynd â'm llathen yn fy llaw,
A'r haearn presio prysur,
Y siswrn llym a'r bwtcin twt
A'r labwt ar ei lwybr.

Gwilym Hiraethog

❖

HITLER

Un â'i lond o greulonder ydyw'r gŵr,
Dur a gwaed ei bleser;
Ond Winston gryf hyf ei her
Sy'n setlo busnes Hitler.

Huw Ellis, Bryn Du

❖

MICHAEL CAINE

Mae'n debyg fod Michael Caine yn un o actorion cyfoethocaf y wlad ac yn byw mewn palas o dŷ. Gyda llaw, ei enw cywir yw Maurice Micklewhite. Mae'r enw Cain neu Caine i'w gael mewn Saesneg Canol, yn llysenw o'r Ffrangeg 'caine', o'r Lladin canna am gansen, cawn neu helyg. Mae'n debyg felly fod yna berthynas rhwng y gair Cymraeg 'cawn' a'r cyfenw Caine. Gall darddu hefyd o enw rhywun sy'n trigo lle mae cawn neu hesg yn tyfu. Cred rhai y gallai'r enw ddod o ddinas Caen yn Normandi. Ar y llaw arall efallai bod dinas Caen yn agos i gors. Ond credir hefyd mai cyfuniad yw'r enw Caen o'r ddau air Celteg 'catu' (cad, brwydr) a 'magos' (cae neu wastadedd fel yn maes, Mathafarn a Maastricht). Ond pwy fuasai'n meddwl bod cysylltiad rhwng plasdy Michael Caine a'r bwthyn bach to cawn?

MYND FEL CATH I GYTHRAUL

Gwelwyd y paragraff canlynol yn y gyfrol *Welsh Bards and Music* gan W. Bingley (1804). O'i gyfieithu mae'n darllen fel hyn:

"Fe ddywedir i mi fod yna un cof-cenedl o seremonïau aberthu'r derwyddon yn parhau o hyd mewn rhannau o Ogledd Cymru. Pan fyddo clefyd heintus yn peryglu bywyd y da corniog ymuna ffermwyr y gymdogaeth i brynu bustach. Fe eid â'r bustach i ymyl clogwyn a'i daflu trosodd. Fe elwid hyn yn 'bwrw caeth i gythraul'."

Tybed a oes a wnelo hyn â'r dywediad cyffredin "mynd fel cath i gythraul?"

❖

DAU FATHEMATEGWR

William Jones, Llanfihangel Tre'r Beirdd ym Môn, fu'n gyfrifol am gopïo, golygu a chyhoeddi llawer o lawysgrifau Newton.

Griffith Davies newidiodd gynlluniau Thomas Telford i Bont Menai, a'u cywiro.

❖

STORI GAN DDYSGWR

Fe fydda i'n dweud i chi am ymweliad Mr. Caspari i Safari Park. Fe yrrodd ei deulu o gwmpas y park yn ei *Avenger* newydd sbon. Fe hoffen nhw edrych ar y llewod, y teigrod a'r mwncïod. Fe yrrodd Mr. Caspari yn lle caeëdig yr eliffantod, a nain oedd yn eistedd yn y cefn yn agor y ffenestr. Fe wthiodd eliffant ei drwnc trwy ffenestr. Fe gaeodd nain y ffenestr yn frysiog iawn a gwasgu trwyn yr eliffant. Fe wthiodd yr eliffant ei droed yn erbyn y car a gwthio y car mewn twll wrth dynnu ei drwnc allan.

Fe gwynodd Mr. Caspari wrth wardeniaid yr anifeiliaid. Fe ddywedodd y wardeniaid 'roedd yn ddrwg gyda nhw a rhoi 'double brandy' i Mr. Caspari.

Ar y ffordd adre arhosodd yr heddlu ei gar. *"That's a nasty dent in your car, sir, you shouldn't be on the road, how did it happen?"*

"An elephant did it," atebodd Mr. Casperi.

"Would you mind breathing into this bag, sir?" dywedodd dyn yr heddlu.

Achos 'roedd wedi yfed dybl brandi 'roedd e' dros y ffin ac 'roedd wedi ei ddirwyo. Mae pob gair yn wir.   *Bill Jones*

❖

A ddarlleno, ystyried;
A ystyrio, cofied;
A gofio, gwnaed;
A wnêl, parhaed.

Ellis Wynne

❖

Mewn llyfr nodiadau un oedd yn dysgu canu salmau yng Nghôr
Caergybi ym 1737 (William Morris).

Dysg Gymro diwnio dy denor–Dic
Dacw it wers yn rhagor,
Gwaith ffiaidd, ciaidd, mewn côr
Yw gweiddi heb egwyddor.

❖

Mewn llys barn yng Ngogledd Cymru fe ofynnodd y barnwr a oedd
gan y cyhuddiedig rywbeth i'w ddweud cyn cael ei ddedfrydu.
"Cythral o ddim," meddai'r cyhuddedig. Nid oedd y barnwr yn
clywed yn dda a gofynnodd i'r clerc oedd y cyhuddedig wedi dweud
rhywbeth. "Cythral o ddim, syr," meddai'r clerc. "Wel wir," meddai'r
barnwr. "Mi fuaswn yn taeru fy mod wedi gweld ei wefusau'n
symud."

❖

ELFYN

Ganwyd Elfyn, Robert Owen Hughes, yn Llanrwst yn 1858 ond fe'i
cysylltir â Llan Ffestiniog. Bu farw ym 1919 ac fe'i claddwyd yn
Ffestiniog. Enillodd gadair y Genedlaethol ym Mlaenau Ffestiniog
ym 1898 a chadair Eisteddfod Môn yn Llannerch-y-medd ym 1911.
Enillodd ei fab, Ap Elfyn, y gadair yng Nghemaes ym 1907.

Er y curo a'r corwynt,–er y nos
Er y niwl ar f'emrynt
Hyderaf y caf fel cynt
Weld yr haul wedi'r helynt.

Elfyn

❖

INIGO JONES

Mae'n debyg mai Inigo Jones, Corbousier a Frank Lloyd Wright oedd y tri pensaer mwyaf yn y byd, dau ohonynt yn Gymry. Waeth pa alwedigaeth fydd dan sylw mi gewch fod yna Gymro neu Gymraes heb fod ymhell o'r brig.

Ganwyd Inigo Jones ym 1573 ac fe'i claddwyd ym mynwent Eglwys Gymraeg Benet Sant yn Llundain. Y fo gododd Bont Llanrwst. Yn ôl Hartwell Jones bu penodi Inigo Jones yn Arolygwr y Gweithfeydd ym 1615 yn garreg filltir yn hanes pensaernïaeth Lloegr.

Os ewch i'r Winter Palace yn Leningrad fe welwch lun o Inigo Jones wedi ei beintio gan Van Dyck. Mae peth o waith y pensaer i'w weld yn Llundain o hyd, o Whitehall i Lincoln's Inn.

❖

CWM PEN LLAFAR

Ffarwel i Gwm Pen Llafar
A'i heddwch di-ystŵr
Lle nad oes lef ond ambell fref
A Duw, a sŵn y dŵr.

J. T. Job.

❖

Os cododd dyn yn y byd erioed, Harry C. De Vighne oedd hwnnw. O fod yn un o wehilion y Bowery yn Efrog Newydd, fe gymhwysodd ei hun i fod yn feddyg gwerthfawr yn Alaska. Yn ei hunangofiant fe rydd ddisgrifiad o dreflan Deadwood ym 1890, tref oedd yn dechrau ymbarchuso fel hoeden yn dechrau heneiddio ac eto'n ddistaw ymfalchïo yn ei gorffennol lliwgar ac anfoesol. Un o'i thrysorau etifeddol oedd y goets fawr gyda'r ystaen tywyll dan un o'r seddau lle gorweddodd y gyrrwr ar ôl i'r dihirod ei lofruddio yn Split Tail Gulch. Llusgodd y ceffylau y goets yn hollol ddigymell i Deadwood ac aros y tu allan i'r gwesty yn ôl eu harfer.

Yr oedd neuadd ddawns y Bella Union yn dal yn boblogaidd. Yma y saethwyd un o'r cwsmeriaid mewn camgymeriad gan y barman, yr hwn a gafwyd yn ddieuog o'r llofruddiad. Yn yr un ystafell, yr oedd staen tywyll arall lle saethwyd y gyfeilyddes, ac un arall ar ganol y llawr lle safodd gŵr dieithr i saethu'r dyn oedd wedi dwyn ei wraig – a'r fan lle cafodd yntau ei saethu gan y cyfeilydd.

Cludid y nwyddau i Deadwood mewn wagenni anferth a dynnid gan hyd at bum gwedd o ychen. Gellid clywed gwich yr echelydd am

41

filltiroedd ac fe'i hatalnodid gan ruadau'r gyrwyr a chleciadau eu chwipiau hirion. Fe ddywedid y gallai'r rhain ladd pry' ar glust ych o ugain llath heb gyffwrdd blewyn o'i ben. Diddorol hefyd oedd hanes y fynwent ar Fynydd Moreia, Boot Hill, lle claddwyd llawer hen fegor ar derfyn oes derfysglyd. Yno mae bedd Wild Bill Hickock, y marshal enwog o Dodge City. Ymddeolodd i fywyd cymharol dawel Deadwood ond fe'i saethwyd yn ei gefn mewn salŵn. Y nesaf ato, yr unig un a enillodd ei serch, y mae Calamity Jane a fu farw'n dawel ychydig flynyddoedd ar ei ôl. Un arall a gladdwyd yno oedd Preacher Smith a laddwyd gan yr Indiaid ar ei ffordd i'w gyhoeddiad yn Spearfish. O'r neilltu braidd, mae hanner cant o feddau dienw, oedolion i gyd, rhai a saethwyd, a grogwyd, a lofruddiwyd ac a gladdwyd ar y cyrion yn ddiseremoni. Yr oedd Deadwood yn ddiguro, hyd yn oed gan Tombstone!

❖

Yr organydd yn saethu'r mwnci am fod yr offeryn allan o diwn. (John Roberts Williams)

Gwnewch ddaioni yn y byd ac fe wna fyd o ddaioni i chi.

❖

Arachnophobes yw'r enw gwyddonol ar bobl sy'n byw mewn ofn ac arswyd pryfed cop a cheir llawer iawn ohonynt. Gallant 'weld' neu deimlo pryf copyn yn rhywle yn yr ystafell ac y mae ei agosatrwydd yn ddigon i wneud iddynt lewygu yn y fan a'r lle. Mae Sŵ Llundain yn trefnu cyrsiau ar eu cyfer erbyn hyn. Bu cyrsiau yno yn ddiweddar ac ar y diwedd 'roeddent yn gallu mwytho Belinda, y pryf copyn anferth o Fecsico sydd a chanddo bengliniau cochion ac archwaeth am adar.

Gyda llaw (neu ddim gyda llaw!) wyddoch chi sut i gael pryf copyn allan o'r bath? Wel, rhowch hyd o 'bapur pawb' dros ochr y bath, yn ysgol iddo ddringo allan. Ond y cwestiwn i lawer yw, lle mae'r cena wedi mynd wedyn?

❖

O'R DIWYGIAD

Hen lestr iachawdwriaeth
A ddaeth i'n daear ni,
Mordwyodd foroedd cariad
Hyd borthladd Calfari;
Dadlwythodd ei thrysorau
Mewn teirawr ar y Groes,
Rhoes fodd i dorf nas rhifir
I fyw tragwyddol oes.

DONIOLWCH DIARWYBOD

'Roedd hi mor dawel mi fuasech yn clywed llygoden yn disgyn.

Un barus ydi o, welais i erioed un mor farus. Mi gwelais i o yn bwyta hanner ciwcymber i de, ac mi fwytais i yr hanner arall.

Mi fu rhaid iddynt dorri ei choes i ffwrdd - yr holl ffordd at ei ffêr.

Yr oedd carfan o ymwelwyr yn edrych ar Goleg Iesu yn Rhydychen ac meddai un, "Oes gobaith cael gweld yr union fan?"

YR ARADR

Brenin yr holl beiriannau–a ddelir
Ar ddolydd a llethrau;
A'r aradr a dry erwau
Daear werdd yn dir i'w hau.
Ehedydd Ial (?)

Yr oedd F. E. Smith, Iarll Birkenhead, y Canghellor ym 1919-1922 yn gwawdio'r Barnwr Hewart oherwydd helaethrwydd ei stumog, gan ofyn, "Be' ydi o i fod, bachgen 'ta geneth?" Ac meddai Hewart, "Os bachgen fe'i galwaf yn John, os geneth fe'i galwaf yn Mary, ond os dim ond gwynt ydi o fe'i galwaf yn F. E. Smith."

43

PLADUR (gwallus)

Do, mi ges hen bladur gas,–hen bladur
Blydi ddigymwynas;
Fe'i warpiwyd hi o bwrpas
Yn y nos gan Isaac Nash.

Huw Parry

Mae'n hen bladur atgas – ofnadwy
I'w chwifio o gwmpas;
Fe'i gwnaed yn gam o bwrpas
Yn y nos gan Isaac Nash.

Ymryson y Beirdd

Fe ymddengys i oes y mwnci gwirion fynd heibio. Yn America fe
ddysgwyd Mary i gyfathrebu geirfa o fil o eiriau mewn arwyddion.
Mae'n mwynhau arlunio, chwarae hefo'r gath, dweud jôcs a hel
atgofion. Fe all alaru ar ôl cyfeillion ac fe deimla dristwch wrth
drafod ei marwolaeth ei hun. A gorila, ugain oed, ydi Mary yn ôl
erthygl gan wraig o'r enw Polly Ghazzi. Ar wahân i fil o eiriau trwy
arwyddion fe all Mary ddeall rhai miloedd o eiriau llafar Saesneg ac
ymateb i gwestiynau mewn un, dau, tri neu bedwar gair. Gall fathu
ei henwau ei hun hefyd, ei henw am *'lighter'* yw *'bottle match'* ac fe
ddefnyddia *'white tiger'* am sebra. Petai ei gwddf ychydig bach yn
wahanol fe fuasai'n medru sgwrsio cystal â ninnau.

❖

TIPYN O DDWEUD

Adolygwr cerdd yn rhoi ei farn ar ganu Abba, "They probably speak
English better than what we do."

J. Lyndon Johnson, Arlywydd yr Unol Daleithiau, yn rhoi ei reswm
dros beidio â rhoi'r hwi i J. Edgar Hoover, "Mae'n well ei gael y tu
mewn i'r babell yn piso allan na thu allan i'r babell yn piso i mewn."

❖

Mae siop lyfrau yn brifysgol y gall unrhyw un fynd iddi.

Os ydych eisiau i'ch plant wrando, siaradwch yn ddistaw, hefo
rhywun arall.

Cyfaill i'w osgoi yw cyfaill mewn angen. *(Yr Arglwydd Samuel)*

44

IORYS HUGHES

Mae llecynnau diddorol a thrist ar draethau Normandi. Fe welir Traethau'r Goresgyniad lle glaniodd y bechgyn cyn brwydro'n galed i osod eu traed ar dir Ffrainc – traethau Utah, Omaha, Gold, Juno a Sword lle collwyd cynifer o fywydau. Fe welir y mynwentydd prudd-daclus a'r Amgueddfa yn Arromanches ei hun.

Yn yr Amgueddfa honno mae llun gŵr golygus wedi ei osod mewn ffrâm hŷn na'r gweddill. Y mae rhes o lythrennau ar ôl ei enw, M.Eng., FICE Struct., Cons E.Reg.Arch. Y fo oedd prif Bensaer Ymgynghorol y cynllun glanio i gyd, y porthladd Mulberry a'r holl adnoddau i lanio miloedd o ddynion ar draethau Normandi. A'i enw? Iorys Hughes, gŵr o Gonwy a anwyd ym Mangor.

❖

TIPYN O DDWEUD

Ar faes yr Eisteddfod, "Fel cerddor mae ganddo gystal clust â Van Gogh."

Gŵr yn dweud wrth ei wraig ym mis Awst, "Nawr 'te, oes gen ti rywbeth i'w ddweud cyn i'r 'rygbi season' ddechre?"

❖

Y GADAIR FREICHIAU

Rhof fy mhwys a gorffwysaf–ar ei sedd
    Dyma'r saib felysaf;
Rhydd hithau ei breichiau braf
Yn dyner iawn amdanaf.
                              J. J. Williams

❖

A chawsom iaith er na cheisiem hi, oherwydd ei blas oedd yn y pridd eisioes a'i grym anniddig ar y mynyddoedd.
                    Gerallt Lloyd Owen (yn Nant Gwrtheyrn)

❖

GWEDDI ORGANYDD

Cymer Di fy nwylo i
Heddiw i'th wasanaeth Di,
Boed i nodau'r organ hon
Ddwyn fy moliant ger Dy fron.
                              Ann Hughes

AGOR DRYSAU

Y mae yna ddrysau anghyffredin ym Mhlas Newydd, cartref Ardalydd Môn yn Llanfairpwllgwyngyll. Pan fyddwch yn agor un drws mae'r drws nesaf yn agor gydag ef. Fe'u gosodwyd gan frawd y pensaer, Wyatt, yn y ddeunawfed ganrif. Yn ddiweddar daeth ymwelwyr o'r Unol Daleithiau i Blas Newydd a dweud eu bod wedi gweld drysau o'r fath yn Virginia, mewn tŷ a godwyd gan Jefferson, Arlywydd yr Unol Daleithiau. Oes yna berthynas tybed? Efallai wir, gan mai o gyffiniau Llanberis yr hanai teulu tad Jefferson ac fe godwyd cofadail yno'n ddiweddar i goffáu Thomas Jefferson a'r deunaw o Gymry a arwyddodd y Datganiad o Annibyniaeth ar Orffennaf 4, 1776. Thomas Jefferson wnaeth y gwaith mwyaf ar lunio'r Datganiad ac yr oedd Benjamin Franklin ar y pwyllgor hefyd. Y diwrnod hwnnw fe agorwyd un drws i ryddid a chau drws arall ar Frenin Siôr y Trydydd a'i ymerodraeth.

❖

Yr oedd hen ŵr yn y pentref wedi cyrraedd ei gant oed ac aeth gohebydd papur newydd i holi un o'i gymdogion yn ei gylch.

Meddai hwnnw, "Yr unig beth wnaeth o 'rioed oedd mynd yn hen ac fe gymerodd beth hylltod o amser i wneud hynny hefyd!"

❖

GWELD YMHELL

Dychmygwch delesgop mor bwerus fel y gallai rhywun yn Williamsburgh, Virginia ddarllen Cywydd y Farn Fawr petai rhywun yn ei ddal i fyny yng ngardd y Dafarn Goch. Byddai ynddo gloc na chollasai ond eiliad mewn miliwn o flynyddoedd. Gallai glandro miliwn miliwn o gyfrifiadau tra byddech chi yn darllen y frawddeg hon ac fe allai gofnodi mwy o wybodaeth mewn modfedd o dâp nag a geir yn Y Cymro mewn blwyddyn. Fydd dim rhaid i chi ddychmygu'n hir, mae'r anghenfil llygadog a chraff yma wedi dechrau ar ei waith yn Mecsico Newydd. Felly gwyliwch be 'dych chi'n ddarllen!

❖

DŴR

Mae geiriau dyn am ddŵr yn saff o fod ymysg y geiriau hynaf sy'n bod. Mae'r mwyafrif o ieithoedd Ewrop yn cael eu geiriau am ddŵr o'r gair 'wodor' ac o'r gair hwnnw y daw 'water, wash, wet, winter ac

46

otter' yn Saesneg; *'water'* yn yr Is-Almaeneg ; *wasser* mewn Almaeneg (ac ar ddechrau Vaseline); *voda* yn y gwledydd Slaf (sy'n rhoi vodka). Yr un gwraidd roddodd y gair 'hudor' yn y Groeg ac yna 'hydro'.

Daeth y Gelteg o'r un hen deulu o ieithoedd. Mae'r Gelteg yn rhoi *'uisque'* i'r Gaeleg, ac o hwnnw ceir *'uisquebaugh'* (wisgi) dŵr y bywyd. Mae dwfr yn rhoi Dover ac efallai 'deep' yn Saesneg. Ond daeth llawer o eiriau o *'aqua'*, y gair Lladin am ddŵr. *'Eau'* yn Ffrangeg, *'acqua'* yn yr Eidaleg ac *'aqua'* yn Sbaeneg. 'Roedd yna air Saesneg am nant yn dod o'r ffynhonnell yma hefyd, 'ea'. Nid yw ar gael mwyach ar wahân i fod yn rhan o enwau fel Ayton ac Eton.

BEDDARGRAFF YR AST

Llety hedd, diwedd y daith,–i hen ast
O'i phoen hir aeth ymaith;
Ni chyfarth yno eilwaith   (?)
Ni ddaw â chŵn ynddo chwaith.

Gwilym Deudraeth

❖

YR ERYR AUR

Gŵr o Lychlyn oedd Jack Carlson, yn cloddio am aur ger Kargoorlie yng ngogledd-orllewin Awstralia yn y dauddegau. Pan oedd yn laslanc 'roedd yn un o'r chwech yn gweithio pwll aur go addawol ger Coolgardie. Gwerthasant yr hawliau am £6,000 a daeth y gwaith i gynhyrchu 80 tunnell o aur yn y trigain mlynedd nesaf a rhoi pedwar i bum miliwn yn mhocedi'r cyfranddalwyr.

Cychwynnwyd y gwaith yn niwedd y ganrif ddiwethaf gan fechgyn o Gymru ac fe'i galwyd wrth yr enw *'Sons of Gwalia'*. Un o'i chyfarwyddwyr cyntaf oedd Herbert Hoover a ddaeth yn Arlywydd yr Unol Daleithiau ym 1928 a cholli ei le i F. D. Roosevelt ym 1933.

Y talp mwyaf o aur i'w ddarganfod yng Ngorllewin Awstralia oedd y *'Golden Eagle'*. 'Roedd dros ddwy droedfedd o hyd, yn pwyso 71 pwys ac ar ffurf eryr. Jim Larcombe ddaeth o hyd iddo ac fe gododd dŷ tafarn gyda'r elw a'i alw'n 'Golden Eagle'. Tybed mai oddi yno y daeth y syniad am enwi siopau felly yng Nghymru?

❖

EDAU AUR

'Roedd Hen Wraig yr Edau Nodwydd yn drichant oed ym 1994. Mewn geiriau eraill 'roedd Banc Lloegr, *"The Old Lady of Threadneedle Street"* yn dathlu ei thrichanmlwyddiant. Ychydig dros filiwn o bunnau oedd gan y banc pan agorodd ei ddrws mewn un ystafell ar Orffennaf 27, 1694 i gynnal rhyfel Brenin William y Trydydd yn erbyn Ffrainc. Fe ddaw enw'r banc oddi wrth y wraig sydd yn eistedd ar ochr chwith y papur sydd yn eich poced.

❖

Mae twtio eich annedd a'r etifedd yn blentyn
Fel ysgubo eich llwybr tra bo'r eira yn disgyn.

❖

'Rydym yn gyfarwydd â hanes Wil Hopcyn ac Ann, y ferch o Gefn Ydfa, ac fel, yn dilyn cynllwyn ei mam, y priododd Ann ag Anthony Maddocks. Hiraethodd hithau am Wil a bu farw yn ei freichiau. Yn ôl traddodiad, Wil ysgrifennodd 'Bugeilio'r Gwenith Gwyn' a cheir ambell stori arall amdano fel bardd. Yr oedd Wil yn codi cwt mochyn yn yr Ysgubor Ddegwm yn Llangynwyd. Wedi gorffen ei waith dechreuodd ddawnsio ar lawr y cwt. Daeth ei gyfaill Phylip Rolant heibio a chanu:

Mi welais Wiliam Hopcyn
Yn dawnsio'n daer heb delyn,
Ac heb un crwth na lle i'w gael
Ar dwlcyn gwael y mochyn.

Ac meddai Wil:

Fy ffrind a'm cyfaill cryno,
Y llawr oedd newydd'i lorio
O lechau clir ar wyneb clai
Pwy all'sai lai na dawnsio?

Gwelodd Wil ei gariad ym Mhen-y-bont ar Ogwr yn prynu gwisg ei phriodas i Anthony Maddocks o Gwm Risga ger Ton-du, a chanodd:

Ym Mhen y Bont ar ddydd y farchnad
Cwrdd â nghariad wnelwn i,
'Roedd hi'n prynu siwt briodas
A'r diferyn ar ei grudd.

Eisia ewndra, eisia pwrsia,
Eisia petha oedd arna'i,
Pe buasa rhain ond genny'
Byth nis elai'r gŵr â hi.

TEGWCH

Yr oedd dau ustus heddwch yn beicio adref yn y tywyllwch.

"Ydych chi'n sylweddoli," meddai Tom, "Nad oes gan yr un ohonom olau ar ei feic."

"Wel, wir," meddai Rolant. "Rhaid i ni fynd i'r llys yfory a rhoi ein gilydd ar brawf."

Bore trannoeth aeth y ddau i'r llys. Plediodd Tom yn euog i reidio beic heb olau a chafodd ddirwy o bumpunt gan Rolant. Tro Rolant oedd hi wedyn a phlediodd yntau'n euog i reidio beic heb ddim golau a chafodd ddirwy o ddecpunt gan Tom.

"Tydi' hyn'na ddim yn deg," cwynodd Rolant. "Mae hyn'na yn ddwbl y ddirwy gawsoch chi."

"Wel, gadewch i hyn'na fod yn wers i chi," atebodd Tom. "Mae'r drosedd yma'n digwydd yn rhy aml o lawer. Dyma'r ail achos o'r fath y bore yma."

SAER

I goed a blynyddoedd
Rhoes grefftus raen,
A'i fyw, fel ei offer,
Yn ddiystaen;
Carodd ddiwydrwydd
Ac onest waith,
Haeddodd ei noswyl
Ar ben y daith.

Rolant o Fôn: Ym mynwent Bodffordd

FFORDD O DDWEUD

Mi fuasai hon'na yn rhoi cur pen i botel asprins.

Gŵr priod, "Ers talwm yr oeddynt yn aberthu wrth yr allor – 'rydy' ni'n dal i wneud".

Y rhai sy'n jogio yw y rhai sy ddim angen jogio.

Nid canu yw pentyrru desibels.

Sut mae pob llwchyn i'w weld yn glir pan fo'r hwfer ddim wrth law,

Nid â dau sgwrsiwr mawr ar daith hir gyda'i gilydd. (Dihareb o Sbaen)

Dynes dweud ffortiwn wrth ei gŵr. "Ble'r oeddech chi tan ddau o'r gloch bore 'fory?"

Dwi'n bictiwr o'r economi. Mae fy ngwallt yn encilio, fy nghanol mewn chwyddiant a'm hysbryd mewn dirwasgiad.

❖

PEDWAR GWRON

'Rydym yn gyfarwydd ag enwau Sitting Bull, Crazy Horse a'r ddau Apache, Cochise a Geronimo. Ond faint a wyddom o'u hanes?

Fe unodd Sitting Bull a Crazy Horse, o dylwyth y Sioux, neu Lwyth y Neidr, i chwalu byddin y Cadfridog Custer yn Little Bighorn ym 1876 ond fe'u cipiwyd a'u lladd gan filwyr eu gwrthwynebwyr yn ddiweddarach.

Gŵr doeth a charedig oedd Cochise a bu farw o ganser ym 1874 yn fuan wedi iddo arwyddo cytundeb gyda'r dyn gwyn, cytundeb oedd yn ymddangosiadol fanteisiol i'r Indiaid.

Geronimo oedd y ffyrnicaf, y mwyaf hirhoedlog a'r mwyaf cymhleth o'r pedwar. Fe'i ganwyd pan nad oedd ond dyrnaid o wynebau gwynion lle mae Mecsico Newydd ac Arizona heddiw. Pan fu farw ym 1909 wedi 23 mlynedd o garchar, yr oedd y trên, y teleffon, y sinema, y modur a'r awyren wedi cyrraedd a'r Indiaid wedi eu trechu, eu darostwng a'u cyfyngu i'w rhandiroedd diddyfodol.

Enw bedydd Geronimo oedd Gayahkla (dylyfwr gên) ac fe dyfodd mewn cyfnod o heddwch cymharol ond ym 1846 fe ddychwelodd y Mecsicanwyr i ladd a threisio. Tua 1850 lladdwyd gwraig a phlant Geronimo gan y milwyr. Er iddo briodi bum gwaith wedyn a thadogi nifer o blant ni bu byth yr un fath. Ym mrwydrau'r pumdegau y cafodd yr enw Geronimo ac fe laddai'r Mecsicanwyr ar bob cyfle. Lladdai o ganlyniad i weithredoedd ysgeler milwyr y De ac wedyn ymladdodd am un mlynedd ar ddeg yn erbyn lladron tir, mwynwyr, gwerthwyr gynnau, cwmnïau rheilffyrdd, gwerthwyr diodydd ac asiantwyr llygredig. Fe'i bradychwyd a'i roi mewn cadwynau ym 1877 ond fe ddihangodd ar ei ffordd i'w grogi. Ildiodd unwaith neu ddwy ac yna dianc drachefn i wneud ffyliaid o'r Cadfridogion Crook a Miles. Nid oedd ganddo ond rhyw ddau ddwsin o Indiaid gydag ef ond cadwai bum mil o filwyr yn brysur (chwarter y fyddin) ynghyd â chymaint wedyn o filwyr Mecsico. Yn ôl un swyddog yr oedd ei erlid "fel hela carw hefo seindorf". Yr oedd Geronimo yn arweinydd athrylithgar, yn aristocrat naturiol, yn ddemocrat argyhoeddiedig ac yn un o'r milwyr mwyaf medrus, dyfeisgar a gwyn a welwyd erioed. Ildiodd i'r Cadfridog Miles ym 1886 ac fe ddywedodd hwnnw ei fod yn un o'r dynion galluocaf, y mwyaf penderfynol a'r dewraf a welodd erioed - "yr oedd pob symudiad o'i eiddo yn cyfleu grym, egni a phenderfyniad."

Wedi iddo roi ei hun yn eu dwylo fe dynnodd y llywodraeth y cytundebau i gyd yn ôl. Bu Geronimo byw trwy erchyllterau annynol y carchar yn Fflorida, symudwyd ef i Alabama ac yna i Oklahoma ym 1894. Yn 70 oed gallai frochgáu a saethu'n well na neb arall a thyrrai twristiaid i'w weld. Bu yng ngosgordd Theadore Roosevelt ar strydoedd Washington ym 1905. Daeth yn ôl i Oklahoma ond ni chafodd byth ddychwelyd i Arizona a bu farw ym 1909.

ARIAN

Enillwch hynny fedrwch, cynilwch hynny fedrwch a rhowch hynny fedrwch. (John Wesley)

❖

Y LLYFRAU BYRRAF ERIOED

Fy Nghyfnod Yng Nghymdeithas yr Iaith (Elwyn Jones).
Sut i Ddygymod â Bod yn Hen Lanc (Harri'r Wythfed).
Rhinweddau'r Ymerodraeth Brydeinig (Gwynfor Evans).
Y Gwir yn Erbyn y Byd (Josef Goebbels).
Fy Mywyd yng Nghysgod Dennis (Margaret Thatcher).
Fy Mlynyddoedd yn Rhif 10 (Neil Kinnock).
Gwisgo i Dynnu Sylw (John Major).
Llawlyfr y Dreth Incwm (Lester Piggott).
Yr Eisteddfod Genedlaethol (John Redwood).
Teyrnged i'm Holynydd (Edward Heath).
Gwniadwaith, yr Ail Gam (El Bandito).
The Windsor Song Book (Dafydd Iwan).
Sut i Feistroli Dandruff (Kojak).
Fy Ngwlad a'm Hiaith (George Thomas).
Cynnal a Chadw Cestyll y Normaniaid (Owain Glyndŵr).

Molawd i Gymru (Bernard Levin).
Gair Bach Tawel o Blaid Lloegr (Hywel Teifi)
Dyfodol Gwych yr Ysgolion Cymraeg (Alan Williams).

❖

Mae arian fel tail, rhowch o'n un pentwr ac fe aiff i ddrewi, chwalwch dipyn arno ac fe wnaiff ryw ddaioni.

Bydd pyramidiau'r Aifft wedi mynd yn llawr maes ymhell cyn i ôl troed dyn ddiflannu oddi ar wyneb y Lleuad.

❖

CYNNYDD

Gweld gras ar gefn asyn,–golchi traed,
    Dirgelwch tri chlaerwyn;
Gweled brad a gweld y bryn
Rhaid ei glodfori wedyn.

Reg Powell

❖

GWEDDI

Bydded i chi ffydd y bugeiliaid,
    Gobaith y doethion,
Cariad Mair
A llawenydd yr angylion.

Yng ngwasanaeth y plygain yn Llanfihangel-yng-Ngwynfa.

❖

Mae'n well bod yn ŵr bonheddig mewn cwt mochyn nag yn fochyn mewn plasdy.

❖

HEN FFON FY NAIN

A welsoch chi hen ffon fy nain,
    Mae'n union fel y saeth?
Mae'n hynach heddiw nag erioed,
    Ond nid yw lawer gwaeth;
'Roedd hon mewn bri cyn bod un trên
    Yn cario nain drwy'i hoes,
A'i chario wnaeth i byrth y bedd,
    Heb unwaith gweryl croes.

52

Trwy gymorth hon y troediai gynt
　I'r capel dros y bryn,
Trwy'r haf a'r gaeaf, glaw a'r gwynt,
　Y rhew a'r eira gwyn;
Ac os digwyddai daro'i throed
　Wrth faen ar lwybr y fron,
Pan daenai'r nos ei phruddaidd len,
　"Diogel," meddai'r ffon.

Pan oeddwn gynt yn blentyn bach,
　Yn dechrau troedio cam,
I dŷ fy nain y rhoddwn dro
　Heb wybod i fy mam;
Fe wyddwn hyn yn eithaf da
　Er maint fy ofn a'm braw,
Na chawswn gam gan undyn byw
　Os byddai'r ffon wrth law.

Ond erbyn hyn mae nain mewn hedd
　Yn ieuanc ac yn llon,
Heb arwydd henaint yn ei gwedd,
　Yn rhodio heb ei ffon;
A'r ffon sy'n gorffwys ddydd a nos
　Mewn tawel gornel gain –
O! na chawn innau fynd i'r bedd
　Ar bwys hen ffon fy nain.

Glan Padarn

❖

WILFRED OWEN

Dadorchuddiwyd cofeb i'r bardd o filwr, Wilfred Owen, yng
Nghroesoswallt. Heddychwr oedd Wilfred Owen wrth reddf ond fe'i
lladdwyd wrth iddo godi pont, gwta wythnos cyn diwedd y Rhyfel
Mawr. Mae'n debyg mai un o'i linellau mawr, o'i chyfieithu oedd:
　"Fi oedd y gelyn a leddaist, fy ffrind."

❖

YN YR HEN GARTREF

Gweld deryn gwyllt, gweld derwen gam – gweld mawn
A gweld môr yn wenfflam;
Gweled brwyn ar dwyn dinam
A gweled mwg aelwyd mam.

J.J.Williams

❖

Y CREFYDDAU

Mae'r Cristionogion yn credu mai Mab Duw yw Crist, fe gymerant fywyd Crist fel patrwm a derbyniant ei fod yn berffaith.

Cred Islam yw mai Mohamed oedd y proffwyd terfynol a'i linach yn cynnwys Abraham, Moses a Christ.

Saif Iddewiaeth dros y gred mewn hollalluog, hollbresennol Dduw cariad sy'n dysgu ei ddilynwyr i garu eu cymdogion fel hwy eu hunain.

Ganwyd y Bwda yn India yn y chweched ganrif, yn ŵr goleuedig, yn athro mawr ond nid yn Dduw. Dysgai ef y gellir rhyddhau dynolryw o gylch geni a marw trwy gredu mai'r bod mewnol yw'r unig wirionedd.

Cred y Sikh fod yr anfarwol dduw tu draw i ddirnadaeth dyn, a'i fod yn bresennol ym mhob man.

❖

MEDDENT HWY

Petai fy ngŵr yn cyfarfod â dynes sydd rywbeth yn debyg i'w luniau fe fuasai'n cael ffit. *(Mrs. Pablo Picasso)*

Hapusrwydd yw'r cytgord syml rhwng dyn a'i fywyd. *(A. Camus)*

Anwar yw'r llanc na wyla ac ynfyd yw'r hynafgwr na chwardd. *(G. Santayana)*

Waeth pa mor uchel ei orsedd rhaid i bob dyn eistedd ar ei din ei hun. *(Montaigne)*

Gweddi yw allwedd y bore a bollt yr hwyr. *(Ghandi)*

CYWYDD Y RHEW A'R EIRA

Nid fal hwn, barnwn y bydd
Y gaeaf, yn dragywydd;
Eira gwyn yn oeri gwedd
A'r lluwch yn cuddio'r llechwedd;
Pob lle'n oer, pob llwyn yn wyn,
A diffrwd fydd y dyffryn.
Clo ar ddwfr, nid claear ddydd,
A durew hyd deyerydd,
A bwyd adar byd ydoedd
Dan glo Duw, yn galed oedd.

Lewis Morris

❖

Dyma weddi a offrymwyd gan wahanglwyf truenus yn India a gofynnwn yr hen gwestiwn, "Beth sydd gennym i gwyno yn ei gylch?"
"Ti yw coes y cloff, llais y mud, clust y byddar ac i Ti y cyflwynaf y cyfan sydd gennyf."

❖

EIRLYS

Ymwêl angylion
Â'r ddaear o hyd
A'u gynnau'n wynnach
Gan mor goch y byd.

Ond angylion ydynt
A'u pennau i lawr
Fel pe'n cywilyddio
Am ei gochni mawr.

Tom Parry Jones

❖

AMBELL AIR

Pwy roddodd yr 'anti freeze' yn yr eirlys a phwy gafodd y weledigaeth?

Dyma welwyd ar ffenestr car ym Mhenrhyndeudraeth yn ddiweddar, "Carpenter from Nazareth seeks joiners."

Mae'n well gen i gerdded hefo Duw yn y tywyllwch na cherdded ar fy mhen fy hun gefn dydd golau. *(M. J. Brainerd)*

A rare 18th century German stoneware teapot went under the hammer yesterday for £75,900. *(Y Western Mail, 3 Mawrth, 1994)*

❖

LASARUS

Ar y radio clywsom hanes ci o'r enw Brownie. Aeth ei feistres ar ei draws yn ei char a chladdwyd Brownie yn barchus ym mhen draw'r ardd. Ymhen ychydig oriau llusgodd y ci at ddrws y tŷ yn fwd ac yn faw i gyd. Heddiw mae Brownie yn fyw ac yn iach ac yn fawr ei barch, ond nid Brownie yw ei enw erbyn hyn ond Lasarus!

❖

Mae dyletswydd yn rhywbeth na fyddaf byth yn ei wneud, o ran egwyddor. *(Oscar Wilde)*

❖

CORNWYDYDD Y CYMRY

"The use of linen changes, shirts and shifts, in the room of sordid and filthy woollen, long worn next to the skin, is a matter of neatnes comparatively modern but must prove a great means of preventing cutaneous ills. At this very time woollen, instead of linen, prevails among the poorer Welsh, who are subject to foul erruptions."
'The Natural History of Selbourne'. Gilbert White.

❖

Yn *Yr Hogwr*, papur Bro Ogwr, Morgannwg, fe ddywedir bod fandaliaid wedi rhoi Capel Bethel, Heol Tre-Dŵr ger Margam, ar dân. Ysgrifennodd Tom Price fel hyn, "Un prynhawn braf bûm yno yn tynnu lluniau, ac wedi bod yno, ceisiais roi fy nheimladau mewn pedair llinell ar ffurf englyn:

> Cariad fu'n naddu'r cerrig–a gweddi
> Gyhoeddus fu'r miwsig;
> Heddiw tomen o huddyg
> A ffrydiau ein dagrau dig.

❖

AMBELL FRAWDDEG

Canu cyn Gŵyl Fair, crio cyn G'lanmai.

Mae'n haws gweld y bai na gweld y goleuni.

Mae'r capel yn bwysig iawn i mi ond fydda'i byth yn mynd yno.

Ein llygaid a gofnodant oleuni sêr meirwon.

Y tu ôl i bob dyn mawr y mae gwraig flinedig.

Yn y boced y mae'r arian ond yn y galon y mae'r cyfoeth i gyd.
(Dafydd Griffiths ar y rhaglen Gwlad Moc)

❖

TROI DALEN

Gwell ydyw hwyr na hwyrach–medd henair
Mi ddof innau'n gallach;
Nid yfaf ddim byd afiach
A thaga'i byth hogia' bach.

Gwilym Deudraeth

❖

PROBLEM Y MALWOD

Pryner tostar mewn siop drydan. Rhodder ef allan yn gynnar yn y bore hefo haen denau o letys ar ei waelod i hudo'r malwod a'r gwlithod. Tra byddant yn gwledda'n braf yn y tostar fe fydd yr haul yn codi ac yn cynhesu'r tostar. Fe rydd y tostar glec sydyn a thaflu'r malwod a'r gwlithod yn un gawod sydyn i ardd drws nesa'.

❖

BEDDARGRAFF DEWI EMRYS

Melys hedd wedi aml siom,
Distawrwydd wedi storom.

Dewi Emrys

❖

DYDD IAU CABLYD

Mae'r gair 'cablyd' yn dod naill ai o'r gair Lladin am olchi pen, neu'r gair Lladin am eillio pen. Arferid eillio pennau'r myneich a golchi traed ar Ddydd Iau Cablyd i goffáu'r Swper Olaf a'r weithred o olchi traed y disgyblion.

YM MYNWENT EGLWYS LLANRHUDDLAD
(I ddau forwr a olchwyd i'r lan)

Gwŷr yrrwyd i'n gororau–o rywle
Ar elor y tonnau;
Iôr ei hun ŵyr eu henwau
Daw ryw ddydd i godi'r ddau.

Gwilym Berw

❖

CEFFYL AT HELA

Mae yna lawer o sôn am y *'stalking horse'* yn ein gwleidyddiaeth bob
hyn a hyn. Mae'r term yn golygu math o orchudd i guddio gwir
fwriad. Byddai'r helwyr yn arfer cuddio y tu ôl i'w ceffylau nes dod i
gyrraedd eu hysglyfaeth. Hen ffordd ddigon cyfrwys o wneud
pethau.

❖

Dyletswydd yw'r hyn a ddisgwyliwn gan eraill, nid gennym ni ein
hunain. *(Oscar Wilde)*

❖

AMBELL FRAWDDEG

Mae'n rhaid i bawb gael capel yn rhywle. *(Jeremy Isaacs, ar y
rhaglen Gwlad Moc)*

Os yw eich penglinau'n cnocio, plygwch nhw. (Arwydd a welwyd yn
ystod yr ymgyrch fomio yn Llundain)

'Does gan ddyn sy'n tynnu ei bwysau ddim ar ôl i'w daflu o gwmpas.

Tydi pryderu yn lleihau dim ar alar yfory, dim ond tynnu oddi wrth
nerth heddiw.

❖

AR DDARN O BAPUR

Cofia ddilyn y medelwyr,
Ymysg y 'sgubau treulia'th oes;
Pan fo'r gwres y mwyaf tanbaid
Gwlych dy damaid wrth y Groes.

❖

Gair y Geiriadur am y cen gwyn ysgafn fydd yn disgyn o'r gwallt i'r ysgwydd yw 'mandon'. Mae 'mardon' yn enw arall arno. Ond mae yna air arall hefyd. Dyma frawddeg a glywid ers talwm, "Dos i olchi dy ben, mae gen ti bardwn."

❖

LLAWYSGRIFAU HENDREGADREDD

Mae Llawysgrifau Hendregadredd yn llawn o waith y Gogynfeirdd, hynny bron yn gyfystyr â Beirdd y Tywysogion, beirdd oedd yn eu blodau rhwng 1110 a 1350, beirdd fel Meilyr, Cynddelw Brydydd Mawr, Llywarch ap Llywelyn, Dafydd Benfras a Bleddyn Fardd.

Ond pam Llawysgrifau Hendregadredd? Yn y 16ed ganrif 'roeddynt yn eiddo i Griffith Dwn ac yna i Huw Lleyn cyn mynd i Lyfrgell Hengwrt, Dolgellau. Mae'n debyg i'r Dr. John Davies o Fallwyd gael ei fenthyg. Ar ddechrau'r 19ed ganrif cafodd yr Archddiacon Newcome o Ruthun ei fenthyg ac fe anghofiodd hwnnw gan bwy. Fe'i prynwyd gan Ignatius Williams o Hendregadredd. I orffen fe ddyfynnir yn Saesneg o adroddiad llyfrgellydd y Llyfrgell Genedlaethol ym 1923 pan gyflwynwyd y gyfrol i'r Brifysgol gan Gwendoline a Margaret Davies, y chwiorydd hael o Gregynog:

"It was rediscovered in October l910, stowed away in a wardrobe in a disused bedroom in Hendregadredd."

❖

Mewn drych fe welaf hen ŵr gyda gŵr ifanc yn rhedeg o gwmpas o'i mewn. *(Yr Arglwydd Parry)*

❖

HENGIST A HORSA

Cefais fenthyg traethawd B.A. Hanes gan Nicola Pavitt, myfyrwraig yng Ngholeg Caerwynt. Traethawd diddorol iawn oedd am ddyfodiad y brodyr Hengist a Horsa i dir Prydain ym 449. Gwahoddwyd Hengist a Horsa i Brydain gan Wrtheyrn i'w gynorthwyo yn erbyn y Pictiaid ac anodd oedd cael 'madael â nhw wedyn. Ac yna, fe ddywedir, fe syrthiodd Gwrtheyrn mewn cariad a merch Hengist a rhoddodd dir Canturguoralen (Caint ffor'na), yn dâl amdani er bod Gwyrangon yn frenin yno ar y pryd. Yn rhyfedd iawn fe ddadorchuddiwyd cofeb i'r glaniad yn Ebbsfleet ym 1903 gan y maer, gŵr o'r enw Owen Hughes. Yn ddiddorol iawn hefyd fe ddangosir mai'r enw gwreiddiol ar Aylesford oedd Rhyd yr Afael, a

59

Rhyd y Gragen oedd Crayford, a hynny ar ôl pymtheg can mlynedd. Yn y traethawd fe ddywedir bod baner Hengist a Horsa yn arddangos ceffyl gwyn. I ddweud y gwir ystyr yr enwau Horsa a Hengist oedd Ceffyl ac Ebol. Cyfeirir hefyd at ddefod yn nwyrain Caint sydd wedi parhau hyd y dydd heddiw, seremoni'r *Wild Hooden* neu'r *Hodening Horse*. Rhoddid pen ceffyl ar bolyn bedair troedfedd o hyd gan glymu llinyn wrth yr ên isaf a rhoi gorchudd am y penglog i gyd a'i addurno'n lliwgar. Byddai rhwng pedwar ac wyth o ddynion yn mynd o dŷ i dŷ hefo'r pen ceffyl i gyfeiliant offerynnau cerdd.

Yn naturiol ddigon mae fy mhriod, Magdalen, fel brodores deyrngar o blwyf Llangynwyd, yn gwrthod yn lân â derbyn fod a wnelo'r Fari Lwyd ddim oll â gorchestion militaraidd Hengist a Horsa, *plant Alys y Biswail*. Ond tybed?

❖

CRWNER

Bu'r crwner Thomas T. Noguchi yn ymwneud â llawer achos o hunanladdiad a llofruddiaeth yn yr Unol Daleithiau. Yn ei gofiant mae'n egluro ystyr y gair Crwner.

Fe ddaeth meddygaeth fforensig i fodolaeth gyda throsedd a ysigodd Ewrop ym 1192. Yr oedd y Brenin Richard (Llew-galon) ar ei ffordd adref o ryfel y Croesgadau pan gymerwyd ef yn wystl gan y Brenin Leopold yn Awstria. Yr oedd ei bridwerth yn uchel iawn, ac ni allai'r trysorlys fforddio talu cymaint o arian am ei ryddid. Ond cafodd Hubert Walter, y Prifynad, ateb i'r broblem, a'r ateb oedd *cyrff*! Yn y cyfnod hwnnw crogid pob drwgweithredwr heb feddwl ddwywaith. Apwyntiodd Walter farchog ym mhob sir i feddiannu eiddo'r drwgweithredwyr ar ran y Trysorlys, gan roi iddo'r teitl crwner, gair yn dod o'r Lladin *custos placitorum coronae* yn golygu "gwarchodwr hawliau'r goron". Weithiau fe fyddai'r crwner yn gwerthu erfyn y llofrudd hyd yn oed, pe caffai bris teilwng amdano.

Ond yr oedd gan y crwner swyddogaeth arall hefyd, swyddogaeth a ddaeth yn bwysicach yn hanes y wlad. Yn Lloegr yr oedd yna gymysgedd o Saeson a Normaniaid a chan y Normaniaid yr oedd y llaw uchaf. Yr oedd yn iawn i Norman ladd Sais ond yr oedd i Sais ladd Norman yn gofyn am drwbwl. Os am osgoi talu dirwy drom, sef y *murdrum*, byddai rhaid i bentref ddod â'r llofrudd i'r golwg neu brofi nad Norman oedd yr hwn a laddwyd. Y crwner fyddai'n ymchwilio i bob marwolaeth amheus o'r fath ac fe geidw'r swydd honno hyd y dydd heddiw.

❖

AF I FERWYN

Dyma droi unwaith eto i gyfrol Francis Wyn Jones, *Godre'r Berwyn*. Mae yna baragraff yn y llyfr hwnnw sydd yn fy nenu bob amser. Darllenwch ef yn ofalus ac fe aiff â chithau'n ôl "i'r nefoedd sydd rhwng bryniau'r wlad."

"Y tu ôl i'r tŷ yr oedd llechwedd coediog serth, a thrwy hafn yn y llechwedd fe arllwysai Nant Widdan ei dyfroedd o gwymp i gwymp dros y creigiau i lawr i'r dyffryn i chwyddo afon Ddyfrdwy. Nid oedd ond teirllath rhwng y nant ag ochr y tŷ, ac am hynny yr oedd sŵn treigl y dŵr yn gwmni cyson i ni ddydd a nos. Ar dywydd teg rhyw sisial ysgafn a glywid ganddi, ond ar ôl glawogydd trymion neu feiriol ar y mynydd fe fyddai ei rhu yn wir fel "sŵn dyfroedd lawer yn torri." Ambell dro pan ddeffrown yn y nos a chlywed sŵn y dŵr yn dwysáu'r tawelwch o'm cwmpas, fe fyddai'r dieithrwch yn magu ynof ryw ymdeimlad megis pe bawn yn unig yng nghanol y greadigaeth fawr ddigyffro, ac y buasai hi, ond i mi glustfeinio, yn sibrwd rhai o'i chyfrinachau wrthyf. Mi gofiaf i'r un hud ddyfod trosof lawer gwaith pan eisteddwn wrth ffenestr y parlwr bach; dim i'w glywed ond sŵn undonog ebill gwybedyn yn ceisio tyllu trwy'r gwydr na dim symudiad i'w weld ond twr o wybed mân yn dawnsio yn y tes uwchben y lawnt, a minnau yn ymlonyddu yn y tawelwch nes ymollwng i synfyfyr breuddwydiol am bethau y tu hwnt i'm deall."

OSCAR WILDE

Ar wibdaith i Iwerddon yn ddiweddar yr oeddem, ac yn dod i mewn i Ddulyn o gyfeiriad Dun Laoghaire pan sylwais ar gofeb ar fur cartref Oscar Wilde, y dramodydd a'r bardd enwog. Yr oedd Oscar Fingal O'Flahhertie Wills Wilde yn greadur go ryfedd yn ei gyfnod ac fe'i carcharwyd am ddwy flynedd am drosedd fuasai yn ei roi ar oriau brig teledu Saesneg heddiw. Ond os oedd ei gorff wedi mynd ag ef ar ddisberod yr oedd ganddo feddwl gwreiddiol a miniog ac fe erys llawer o'i ddywediadau:

Cysondeb yw noddfa olaf y diddychymyg.

Fe all unrhyw un greu hanes, mae angen dyn mawr i'w gofnodi.

Weithiau fe fyddaf yn meddwl bod Duw, wrth greu dyn, wedi gorbrisio ei allu ei hun.

Ceir gwir berffeithrwydd dyn, nid yn yr hyn sydd ganddo ond yn yr hyn ydyw.

Mae gan bob sant ei orffennol a phob pechadur ei ddyfodol.

Yr unig ffordd i gael gwared â themtasiwn yw ildio iddo. Gallaf wrthsefyll popeth ond temtasiwn.

Gwaith yw lloches pobl nad oes ganddynt rywbeth gwell i'w wneud.

❖

ELISABETH

Fe ysgrifennwyd degau o lyfrau am y frenhines Elisabeth y Cyntaf, rhai ohonynt yn dwėud ei bod yn rhugl ei Chymraeg, eraill yn defnyddio'r gair rhydlyd, eraill o'r farn na allai yngan gair o iaith ei chyndadau, ac eraill yn fud ar y pwnc. Fe ddaeth Elisabeth yr Ail i Aberystwyth ond byr fu ei harhosiad. Byddai Elisabeth y Cyntaf yn mynd ar grwydr hefyd i loywi ei delwedd gerbron ei deiliaid. Nid am ddiwrnod y byddai hi'n codi allan ond am dri mis. Ar un achlysur yr oedd yn dioddef gan y ddannodd a 'doedd y ffaith ei bod yn gorfod marchogaeth ar hyd y lonydd gwaelion rhwng bob arhosiad yn rhoi fawr o gysur iddi yr adeg honno.

Parai ei harhosiad hunllef i lawer o'i deiliaid gan y disgwylid iddynt wario'n helaeth ar ei chysur a'i hadloniant. Nid colli cwsg a thawelwch meddwl yn unig a wnaent ond colli'r peth yma a'r peth arall mewn dirgel ffyrdd hefyd. Fe gostiodd £10,000 i Iarll Surrey drefnu lle iddi roi ei chlun i lawr ac, o'r herwydd, fe aeth y creadur i'r wal. Fe gredid bod y Llundeinwyr yn cario'r pla hefyd a bu pum mil o bobl farw yn Norwich wedi ymadawiad y fintai frenhinol. Digwyddodd hyn serch i Norwich, yr ail ddinas o faint yn y deyrnas ar y pryd, wahardd celanedd anifeiliaid a gwartheg blith. ('Does dim yn newydd!)

Yr oedd cannoedd o bobl ym mintai'r frenhines ac o'u blaenau fe haldiai dau gant o droliau yn llwythog at y wasbws o anghenion y llys. O flaen y troliau hyn fe âi cerbydau eraill yn cludo'r aur, yr arian, y llestri, y dodrefn a'r anghenion adloniant. Er ei bod yn drahaus ac yn gïaidd wrth ei gosgordd fe ystyrid Elisabeth yn frenhines radlon ac agos-atoch yn barod i ddioddef areithiau Lladin diderfyn er mwyn hyrwyddo ei phoblogrwydd. Yn ôl un edmygydd gallai "dynnu pobl ar ei hôl i ble bynnag yr elai." Ac y mae hynny'n saff o fod yn wir erbyn gweld!

❖

Wrth fy mhenelin mae rhifyn Mai, 1880 o *Dywysydd y Plant*, llyfryn bregus a glustnodwyd ar gyfer Meity Fawr, Trecastell, Sir

Frycheiniog. Tua'r diwedd, gan fardd dienw, mae'r penillion yma i'r Cybydd a'r Mochyn:

> Ymhlith y creaduriaid a grewyd gan Dduw
> Mae amryw yn debyg, er nad o'r un rhyw;
> Y ddau mwyaf tebyg o'r oll a wn i
> Yw'r cybydd a'r mochyn, yn sicr i chi;
> Rhaid porthi y mochyn â llawer o flawd,
> A hynny yn gyson cyn ceir arno gnawd;
> Cheir dim oddi wrtho tra byddo ef byw
> Ond pan fyddo farw daw tipyn yn wiw.

> 'Run fath mae y cybydd a'r mochyn yn hyn,
> Rhaid iddo gael llawer, a hynny a fyn;
> Ddaw dim oddi wrtho tra gallo ei gael
> Ond pan fyddo farw caiff rywrai yn hael;
> Gochelwn er popeth gymeriad fel hyn,
> Mae'n wrthun i'r eithaf, os nad yw yn brin;
> Er mwyn bod yn bwysau yng nghlorian y Gair,
> Gadawed y cybydd addoli ei aur.

❖

RHYWBETH DDYWEDWYD

Cymro mewn siop ym Mangor: *"Why don't you have a go? I'm not afraid of your language, why should you be afraid of mine?"*

'Roeddwn yn 'nabod gŵr bonheddig unwaith, cyn i mi ei briodi o.

Am ryw reswm fe ystyrir *The Sound of Music*, am bobl sy'n hoffi plant ac yn casáu'r Natsïaid, yn ysgafnbeth sentimental ond mae ffilm am fam ddibriod yn cael ei threisio gan ddyn hanner pan, yn ddeifiol o realistig. *(Richard Curtis)*

Y pellter mwyaf rhwng dau bwynt yw biwrocratiaeth.

Defnyddiwch eiriau cyffredin i ddweud pethau anghyffredin.

Mae yna rai pobl heddiw yn meddwl bod daioni yn beth drwg a drygioni'n beth da.

Fedrwch chi ddim ymolchi ddwywaith yn yr un dŵr afon. (o Rwsia)

O safbwynt pensaer a saer maen, wal dywyll yw wal heb ffenestr ynddi. *(O. M. Williams)*

❖

Y TRYDYDD TRO BU COEL

Cafodd Oliver Cromwell ddwy o'i fuddugoliaethau pwysicaf ar y trydydd o Fedi, un yn Dunbar ar llall yng Nghaerwrangon. Os temtiwyd ef i feddwl mai dyna oedd y dyddiad lwcus iddo fe brofwyd i'r gwrthwyneb, fe fu farw ar y trydydd o Fedi, 1658.

❖

DYWEDWYD AR Y BWS

Petai hwn'na'n gwenu mi fuasai ei wyneb yn cracio fel tomen galch.

Petai rhywun yn cymryd hetar smwddio at Gymru fe fuasai'n fwy na Lloegr.

Dwi'n methu deall sut mae cymaint o bobl yn marw yn nhrefn yr wyddor. (Dyn yn darllen y *Daily Post*)

❖

CARTREF BORROW

Yn Norwich mae cartref George Borrow. Yn ôl y llyfrwerthwr lleol nid oes gan bobl y ddinas honno fawr o ddiddordeb yn yr awdur. Erbyn hyn mae ffenestri'r tŷ wedi eu byrddio rhag fandaliaid ond erys ei gofeb ar y mur allanol. Deellir bod y cyngor yn gofyn hanner can mil o bunnau am y tŷ ar yr amod fod y prynwr yn gwario can mil ar yr hen le. Ofnaf mai gwag y rhawg fydd cartref awdur 'Wild Wales'.

❖

"Dacw 'fory'n dŵad." – Miss Menai Williams, Bangor, yn dyfynnu sylw plentyn bach wrth weld yr Haul yn codi.

❖

AMBELL FRAWDDEG

Ein gwaith yw hau, ein gwobr yw medi.

Nid môr i bysgota ynddo yw'r eglwys ond cwch i bysgota ohono.

Mae chwe gair ar hugain gan y Cymry am ymladdfa (brwydr, cad, gwayw, rhyfel, caled, peiriant, gwaith, trin ac ati) a dim un gair o gwbl am 'surrender'.

Mae angen dau i ddawnsio tango
A llawer mwy i lunio cwango. (Ifor Rees)

O Dduw, gwna bawb sy'n ddrwg yn dda a phawb sy'n dda yn neis.
(Gweddi plentyn)

Mae amryw byd ohonom yn fy nghlai. *(T. H. Parry-Williams)*

DŴR O'R GRAIG

Fe drawodd Moses y graig ger Horeb a daeth dŵr ohoni i'r bobl ei yfed. Fe fuasech yn meddwl y byddai hynny'n dasg amhosibl ond i ddweud y gwir dim ond cofnodi digwyddiad naturiol y mae'r Beibl.

Dywedodd Llywodraethwr Prydain yn Sinai yn y tridegau ei fod wedi gweld y peth yn digwydd. Yr oedd nifer o filwyr wedi aros mewn dyffryn sych ac wrthi'n tyrchio yn y tywod bras oedd wedi hel ar waelod y clogwyn. Yr oeddent yn ceisio cael at y dŵr oedd yn diferu o'r garreg galch. Gweitho braidd yn bwyllog yr oeddent ac yn ôl dull pob rhingyll dyma'r sarjiant yn gafael yn y rhaw a rhoi pwcs gwyllt arni am ddau funud i ddangos sut oedd gwneud. Fe darrodd wyneb y graig yn ddifwriad yn ei wylltineb. Syrthiodd y blisgen galed oddi ar wyneb y garreg galch. Daeth carreg feddalach i'r golwg ac o honno daeth pistylliad cryf o ddŵr. Dyna mae'n debyg a ddigwyddodd pan darrodd Moses y graig a'i ffon yn Rephidim.

Fe wnaeth Moses yr un peth ar y ffordd o Cades i Edom. Mae'n rhaid ei fod wedi dysgu sut i wneud pan fu'n byw ymysg bugeiliaid y Midianiaid. Gyda llaw, yn Cades y bu farw ac y claddwyd Miriam, chwaer Aaron a hanner chwaer i Moses.

BWRW GLAW

Mae'n bwrw hen wragedd a ffyn.
Mae'n bwrw glaw fel ffyn grisia'.
Mae'n bwrw glaw fel dannedd og.

*

PWY?

Medd y Sais wrth ddyweddïo ei ferch:
    Ai dewr a doeth, ai da'r dyn?
    Oes da iddo, oes dyddyn?
Medd y Cymro:
    Pwy ei dad, pwy ei daid o?
    Pwy ei nain, pwy hen nain heno?

FFAIR Y BORTH

Ffair frwd ei ffrwgwd, ffair wegi – rhandir
India Roc a chelfi;
Och a rheg, dyrnod a chri,
Haid o ffyliaid a pheli.

John Owen, Bodffordd

BRETHYN BRAU

Yn ddiweddar fe ddaeth y gair *'sleaze'* i'r sgwrs bob dydd. Fe dry Ivor Brown, arbenigwr ar eiriau, at ryw erthygl am Dde America a ymddangosodd yn y *Times* flynyddoedd yn ôl ond nid yw'n hapus iawn â'r tarddiad hwnnw. O chwilota, y gorau ellir ei gynnig yw fod y gair *'sleaze'* yn enw ar frethyn bregus, ansylweddol a thwyllodrus a ddeuai yma o Silesia yn yr ail ganrif ar bymtheg.

GAIR YN EI LE

Dim peth i'w gymryd yn ysgafn yw hapusrwydd. *(Richard Whately)*

Mae'r byd yn gomedi i'r sawl sy'n meddwl ac yn drasiedi i'r sawl sy'n teimlo. *(Horace Walpole)*

Mae popeth yn ddoniol cyhyd â'i fod yn digwydd i rywun arall. *(Will Rogers)*

❖

Y CNICHT

Tarddiad enw'r 'Cnicht', y mynydd pigfain hwnnw ger Llanfrothen, yw'r gair *'knight'* yn Saesneg ac y mae yna rywbeth yn aristocrataidd yn y mynydd talsyth. Nid yw'r gair i'w weld yn aml ond fe'i ceir yn hanes y Brenin Canute, y brenin poblogaidd hwnnw a geisiodd ddangos i'w lys nad oedd yn anffaeliedig, trwy eistedd ar ei orsedd yn y llanw. Âi yn ei gwch heibio Abaty Ely gan annog ei farchogion i rwyfo'n nes i'r lan fel y gallai glywed y mynachod yn canu:

Merry sungen the monkes in Ely
When Cnut King rowed thereby;
'Row, cnichts, near the land,
And hear these monkes sing.

66

WRTH WELD CI YN RHWYGO SACH BLAWD

Myn diawl mi neidiodd Wili – rhag i'r ci
Rwygo'r cwd i'w grogi;
Duw annwyl! Nid daioni
Rhoi blawd Caer i'r blydi ci.

Un o'r Brodyr Ffransis

GWEDDI O EGLWYS IONA

Bydded heddwch dwfn y don redegog i chi,
Bydded heddwch yr awel dyner i chi,
Bydded heddwch y ddaear dawel i chi,
Bydded heddwch y sêr llachar i chi,
Bydded heddwch Tywysog Tangnefedd i chi.

FFORDD O DDWEUD

Mae ysgrifennu'n hawdd. Y cwbl sydd raid ei wneud yw syllu ar ddalen lân o bapur nes bydd y gwaed yn cronni ar eich talcen. *(Gene Fowler)*

Mae fy athroniaeth i yn syml. Llenwch yr hyn sy'n wag, gwagiwch yr hyn sy'n llawn a chrafwch beth bynnag sy'n cosi. *(Alice R. Longworth)*

Fe gymer ugain mlynedd i fam wneud dyn o'i mab ac ugain munud i ddynes arall wneud ffŵl ohono. *(Helen Rowland)*

'Does yna ddim elw mewn barddoniaeth. 'Does yna ddim barddoniaeth mewn elw chwaith. *(Robert Graves)*

Mae bywyd fel canu'r ffidil yn gyhoeddus a dysgu chwarae'r offeryn wrth fynd ymlaen. *(Samuel Butler)*

JONA

Ym mawr fol y morfilyn – bu Jona
Dan beryg, ŵr cyndyn;
A challach, ystwythach dyn,
O beth, ydoedd byth wedyn.

Gwilym Hiraethog

ISAAC NEWTON

"Ni wn i sut yr wyf yn ymddangos i'r byd. Nid wyf ond megis bachgennyn yn chwarae ar lan y môr gan ddifyrru fy hun wrth gael hyd i ambell garreg lyfnach na'i gilydd neu gragen dlysach na'r cyffredin, – a chefnfor maith o wirionedd yn ymestyn o'm blaen."

❖

Nid yw gryf ond a gâr gwan. *(Cybi)*

❖

SO ENIWE

Pan fo'r iaith Gymraeg ar ei sodlau
   A bratiaith o'n cwmpas yn frych,
Pan fo cyfoeth yr oesau'n llyfria'
   A cheinder ac urddas mewn nych;
Fe godwn o'n tlodi a'n llymder
   A gogrwn pob gair yn ei dro
Cyn symud i godi cofgolofn
   I air bach anhepgor fel 'so'.

Pan aiff hanes ein gwlad i ddifancoll
   A'n chwedlau dros gof fesul un,
Pan fo sgwennu Cymraeg yn beth diarth
   A'i sgwrsio'n aflêr a di-lun;
Fe drown oddi wrth ein gofidiau
   I roi plac bach yn Neuadd y Dre'
I gofio gwasanaeth diflino
   Y gair bach cyfleus 'eniwe',

Ac fe gawn roi bai ar y titshars,
   Bwrdd Iaith, a'r mewnlifiad wrth gwrs
A nhw sy'n 'responsible', ylwch
   Am 'spoilio' pob 'sentence' mewn sgwrs;
A phan ddaw dydd y gair olaf,
   A rhoi'r iaith i orffwys mewn hedd,
Fe fydd 'eniwe'n blaen, gydag eraill
   Fel 'so', ar garreg ei bedd.

❖

MYND I'R WAL

Y tu mewn i eglwys Yr Heledd Wen (Nantwich) mae silff o garreg a arferai fod yn rhan o fur yr eglwys. Yn y canol oesoedd fe arferai'r gynulleidfa addoli ar eu traed ond caniateid i'r oedrannus, y gwan a'r methedig roi eu pwys ar y silff yma yn ystod y gwasanaethau. Dyna yw tarddiad y dywediad "wedi mynd i'r wal" pan fyddo rhywun yn rhy fethedig i ddal ei dir gydag eraill.

Pan ordeinwyd Latimer yn Esgob Caerwrangon ym 1535 nid oedd o blaid gosod seddau yn yr eglwysi. Erbyn hynny deuai'r methedig â stolion gyda hwynt i'r eglwys. Mae'n rhaid nad oedd meinciau yn bethau cyffredin yn y gogledd hyd yn oed ym 1636 gan i wraig o'r enw Jenny Geddes daro'r Deon ar ei ben hefo stol pan ufuddhaodd hwnnw i orchymyn yr Archesgob Laud i gyflwyno Llyfr Gweddi newydd i eglwysi'r Alban.

Er nad oedd dodrefn yr eglwysi, dri chan mlynedd yn ôl, yn gydnaws â thrwmgwsg, fe ofelid bod gŵr arbennig yn cerdded i fyny ac i lawr y llwybr i gadw pawb yn effro. Cariai bastwn hir ag iddo nobyn caled i daro ambell gysgadur ar ei ben. Ar ben arall y pastwn clymid cynffon llwynog i gosi trwynau'r chwiorydd a bendwmpient.

GWLEIDYDDIAETH

Yn ôl y Dr. Prys Morgan yr oedd Llywodraeth Elisabeth y Cyntaf wedi dwys ystyried symud miloedd o Saeson i Gymru fel cyfrwng i integreiddio'r ddwy wlad yn llwyr. Yr oedd cynllun felly eisioes ar y gweill yn Iwerddon. Ond ni fu rhaid gweithredu gan fod Cymru, yn wahanol i Iwerddon, wedi dechrau troi at Brotestaniaeth. A'r rheswm am hynny oedd fod y Beibl wedi ei gyfieithu i Gymraeg gan yr Esgob William Morgan. Y tu cefn i'r cwbl oedd ofn y llywodraeth i Gymru fynd yr un ffordd ag Iwerddon ac ochri hefo'r Sbaenwyr. Dyna i chi pam, yn 1563, y cefnogodd y llywodraeth y Cyfieithiad Cymraeg, lai na 30 mlynedd ar ôl i Harri'r Wythfed orchymyn nad oedd yr awdurdodau yng Nghymru i ddefnyddio'r Gymraeg o gwbl.

❖

GWEITHIWR Y FFORDD FAWR

Mab tawel ym mhob tywydd – a gwrol
  Agorwr hen ffosydd;
Rhwygwr a holltwr gelltydd,
Aur ei ddawn a hir ei ddydd.
Ap Ceinwen

69

Croniclwyd mai ar ei ffordd i Chwarel Dorothea y cyfansoddodd William Owen, Prysgol, y dôn 'Bryn Calfaria' a'i hysgrifennu ar ddarn o lechen. Ond fe ddywed Owen Williams, ac fe fu ef yn byw ym Mhrysgol, Caeathro, mai ar Lôn Pen Cefn, ar ei ffordd i Felin Bodrual, yr oedd y cyfansoddwr ar y pryd.

Dywedai Huw, un o bedwar mab William Owen, mai aredig tyndir ar dir y Prysgol yr oedd ei dad pan gyfansoddodd y dôn a ddaeth yn enwog dan yr un enw â'r fferm. Y tro hwnnw gadawodd y gwŷdd a'r wedd ar ganol y cae a rhedeg am y tŷ i'w tharo ar bapur.

Pan ddeuai tôn i feddwl William Owen ar ganol cynhaeaf gwair, rhaid fyddai i bawb roi'r gorau i weithio a chanu o'i hochor hi, hyd yn oed pe golygai hynny orfod ailafael yn y picffyrch drannoeth.

Mae yna hanes am Gerallt Lloyd Owen yn llunio ei awdl benigamp i'r 'Afon'. Yr oedd ei briod yn y gegin a Gerallt mewn ystafell arall yn ymgodymu â'r awen. Yr oedd heddwch yn teyrnasu ac yna fe glywyd llais ymbilgar y prifardd, "Dwêd i mi, oes yna rywbeth arall ar lan afon heblaw crëyr glas a llygoden ddwr?"

❖

RHYWBETH O'I LE

Mae allwedd y llyfrgell ar gael yn y llyfrgell.

Gwaherddir lladrata tyweli. Os na fyddwch yn arfer gwneud pethau felly peidiwch â darllen hwn.

Ac meddai Mrs Thomas, sydd yn medru gweld yr eglwys oddi ar garreg y drws. "Tydi o ddim wedi gorffen eto, mae fy mab yn dod yma heddiw i roi côt o baent ar y drws ffrynt."

Dywedodd y Cynghorydd Hughes nad oedd yn gweld unrhyw bwrpas mewn cynnal cwest ar rywun oedd wedi marw.

Rhowch y cig mewn sos am ddwyawr ac yna gadewch i'r gwesteion ei dywallt drostynt eu hunain.

Fe gerddodd William bum milltir ar ddwy frechdan gig moch.

Yn dair wythnos oed fe allwn ddidoli'r ceiliogod, dipyn o gamp.

I atal pryfed rhag maeddu'r bylbiau golau rhwbiwch nhw hefo camfforeted oil.

DI-DROI'N ÔL

Enillodd Twm daith i China mewn cystadleuaeth. Yno mae o hyd yn
ceisio ennill cystadleuaeth i gael dod adref!

❖

LLANNAU MÔN

Llandegfan, Llanbeulan, Llanffinan, Llanidan,
Llangwyllog, Llanfwrog, Llanfaelog a'i blas,
Llanddona, Llansadwrn, Llaneugrad, Llanallgo,
A Llanfairynghornwy, Llangwyfan, Llan-faes;
Llanfaethlu, Llanfachraeth, Llanrhuddlad, Llangeinwen,
Llandrygarn, Llandyfrydog a Llannerch-y-medd,
Llanrhwydrus, Llanfechell a Llanfair Mathafarn,
Llanfigael, Llan-fflewin, Llan'llwyfo bro hedd.

Llanddeusant, Llanddyfnan, Llanddaniel, Llanedwen,
A Llanfair-yn-neubwll, Llaniestyn, Llangoed,
Llanfihangel-yn-Nhywyn a Llanfair y Cwmwd,
Llaneilian, Llanbadrig, Llangefni erioed;
Llanynghenedl, Llangaffo, Llantrisant, Llanbabo,
Llanfihangel Sinsylwy a Llanbedrgoch;
A Llanfairpwllgwyngyll go ger y chwyrn drobwll
Llantysilio go-go-goch.

❖

Mae'r hen ddaear yn fam i'r chwyn ac yn fam yng nghyfraith i
bopeth arall. *(W. Williams)*

❖

MAI

Hen fuwch y borfa uchel – heb aerwy
A bawr heddiw'n dawel,
A dail Mai fel diliau mêl
Wedi rhoswellt y rhesel.

Ieuan Jones

❖

71

Wil Wal Walwyn,
Dechrau'r gwanwyn,
Picio'r pwdin o ben y tân,
A chig y frân yn berwi.
Digon o fwyd i'r hen gath goed
A phedwar troed i'r milgi.

Ci mawr yn corddi
Adar bach yn pobi
Llygod mân yn chwythu'r tan
A'r gath yn golchi llestri.
                              'Meddai Syr Ifor'

RHYWBETH O'I LE

Ar ddiwedd yr ymweliad fe ddarparwyd lluniaeth gan gwmni Ready Mix Concrete.

'Rwy'n poeni'n arw am fod fy merch eisiau priodi bachgen tlawd a di-waith ac o grefydd gwahanol. Sut gallaf ei rhwystro rhag ei briodi ac ar ba ochr mae mam y briodferch i fod i eistedd?

Cafwyd hyd i lun o hen weision ffermwyr dan domen o lwch yn y selar.

Bu rhaid iddynt ei godi i'r cwch. Yr oedd ganddo bedair milltir arall i'w nofio fel yr hêd y frân.

Pan roes alto ddatganiad i'r crachach
Fe nogiodd cyn canu ymhellach,
   Meddai cath frech o'r Sarn,
"Rydwi'n gwybod y darn,"
A 'doedd neb yn y neuadd ddim callach.

*

MÔN

Daear hedd y Derwyddon,–ynys fras
   Hynaws fro y beirddion;
Llennyrch toreithiog llawnion
O ŷd a mêl yw gwlad Môn.
                    Buddugol yn Eisteddfod Pentraeth ym 1915.

72

TRI DYMUNIAD DYN

Darllen hanes Wynnstay yr oeddwn, cartref teulu Williams Wynn yn Rhiwabon. Watsday oedd yr enw gwreiddiol gan fod Clawdd Wad yn dod i ben yn rhywle ar y tir ond fe newidiwyd yr enw gan Syr John Wynn pan briododd ag aeres y stad, Jane Evans.

Yr un Syr John Wynn a gododd dŵr ym 1706 a rhoi arno'r arysgrif yma, "*Cui domus est victusque decens, et patri a dulcis, sunt satis haec vitae, caetera cura labor.*" Ac er mwyn i chi gael ei osod uwchben eich drws ffrynt, cyn gynted ag y daw cyfle a thywydd braf, dyma led gyfieithiad ohono:

"Os bydd gan ddyn aelwyd barchus a bywoliaeth, a gwlad sy'n annwyl ganddo, mae'n berchen ar bopeth fydd arno ei angen trwy gydol ei fywyd; dim ond pryder a helbul yw popeth arall."

CYCHWYN GEIRIAU

Mae pob gair ym mhob iaith wedi dod o rywle a diddorol yw ceisio dyfalu, yn gam neu'n gymwys, ym mhle'r oedd y rhywle hwnnw.

Mae ieithoedd Ewrop wedi dod o un ffynhonnell, o deulu'r ieithoedd Indo-Ewropeaidd ac fe ddeil yr ysgolheigion bod y ffynhonnell honno ar gael tuag wyth mil o flynyddoedd yn ôl i'r gogledd o'r Môr Du, tua Chechnya, yr ardal lle mae'r gyflafan heddiw. Fe ymrannodd y ffynhonnell hon yn llawer iaith yn Ewrop, y Dwyrain Canol a gogledd India. Cofiaf i mi ofyn i ŵr o Malaya beth oedd ystyr yr enw *pen-geulu* yn ei iaith ef ac yntau'n dweud mai pennaeth neu benteulu oedd yr ystyr ond mai fel *pengwlw* y byddai ef yn ei ynganu.

Fel arfer gellir olrhain y datblygiad mewn geiriau am bethau sydd wedi bod gyda ni erioed. Ceid *mori* neu *mari* yn y ffynhonnell Indo-Ewropeaidd, *more* a *mur* yn Rwsieg, ac fe'i ceir yn yr enw Murmansk, sef "y dref ar lan y môr, *mere* yn Saesneg am lyn neu'r *mer* yn mermaid a'r *mar* yn mariner, yr un modd mewn Sbaeneg ac Eidaleg.

Gair arall y gellid ei drafod yw *mynych*, gair a ddaeth o'r gair Indo-Ewropeaidd *monogho* a roddodd *manch* yn yr Almaeneg, *manga* yn Swedeg, *many* a *manifold* yn Saesneg.

A phwy fuasai'n meddwl fod cysylltiad rhwng y gair *eczema* â'r Gymraeg. Fe ddaw y gair yn y lle cyntaf o'r Groeg *ek* – allan, a *zein* – berwi. A daw *zein*, yn ei dro, o'r gair Indo Ewropeaidd *jes* sydd yn rhoi *yas* yn y Sanscrit, *ias* yn Gymraeg ac *yeast* yn Saesneg.

73

Ac fe honnir bod yna gysylltiad rhwng y ddau air miniog yma o ran tarddiad, – *bodkin* yn·Saesneg a *bidog* yn Gymraeg.

Er cael fy nhemtio i fynd ymlaen ac ymlaen hyd at syrffed gwell i mi roi'r gorau iddi rhag ofn i mi gael bwgwth garodan. Defnyddio garodan oedd lladd neu ddarn-ladd rhywun trwy dynhau tenyn am ei war hefo ffon, a'i dagu. Efallai mai gwar-odan oedd y gair yn ei elfennau ond fe gychwynnodd o'r gair Celtaidd *guaroc* (gwarog?) yn golygu ffon neu bastwn i'w droi.

❖

Cosi llygad dde, llawenydd o bob lle
Cosi llygad chwith, dagrau fel y gwlith.
John Owen

❖

DOD ADREF

Mae yna lawer o greiriau alltud sydd a wnelont â Chymru y buasai'n braf cael eu croesawu adref. Cofiaf gael y fraint o weld Llyfr Coch Hergest dros ysgwydd Syr Idris Foster yn llyfrgell Coleg Iesu yn Rhydychen a deall mai yno y byddai mwyach. Dyma un o'r pwysicaf o lawysgrifau Cymraeg y Canol Oesoedd gan ei bod yn cynnwys bron bob math o lenyddiaeth Gymraeg y cyfnod.

Ac yn awr mae hi'n edrych yn ddu ar y gobaith o gael llythyr Owain Glyndŵr, "Llythyr Pennal," o archifau Paris yn ôl i Gymru. Fe ysgrifennwyd y llythyr ym 1406 gan Owain Glyndŵr ym Mhennal, ger Machynlleth, a'i anfon i Siarl Chweched, Brenin Ffrainc. Yr oedd yn adeg o ymrafael o fewn yr Eglwys Gatholig ac yr oedd y llythyr yn ganlyniad i gynhadledd ym Mhennal. Tystiai'r llythyr i genedlaetholdeb Cymru ar y pryd gan fynegi awydd Glyndŵr i ochri â Phab Avignon yn hytrach na Phab Rhufain oedd yn dipyn o lawia' hefo Harri'r Pedwerydd, brenin Lloegr. Serch y siom yma mae trefnyddion Gŵyl Pennal yn bwriadu trefnu arddangosfa Owain Glyndwr yn yr eglwys ac am godi cronfa o £6,000 i ddod â Llythyr Pennal yn ôl i'r fro.

❖

TAFLU BEIBL

Yn ôl Herbert Hughes, Korea yw un o wledydd mwyaf Cristnogol y byd ac fe ddaw lliaws o bererinion o'r wlad honno i Gymru i gydnabod eu dyled i un o genhadon Gwent. Deuant i Gapel Hanover, Capel yr Annibynwyr Cymraeg, i gofio gŵr o'r enw Robert Jermain

Thomas, eu tad yn y ffydd. Fe alwyd y capel wrth yr enw Hanover er clod i William a Mary a ddaethant i'r orsedd i roi rhyddid i Ymneilltuwyr, – a chaethiwed i'r Catholigion.

Ym 1864 merthyrwyd Robert Jermain Thomas yn Corea ac yntau ond 27 oed. Yn ieithydd gwych, bu yn genhadwr yn China cyn mentro i Korea. Wrth lanio fe'i llofruddiwyd a phan oedd ar fin marw llwyddodd i daflu ei Feibl i ddwylo un o'i ymosodwyr. A dyna oedd cychwyn Cristionogaeth yng ngwlad Korea.

❖

Yr oedd tri gŵr yn siomedig iawn am nad oedd lle ar eu cyfer yn y Gêmau Olympaidd a'r mwyaf siomedig o'r tri oedd Ifan Jones o Rydyffaldau. Y tu allan i'r porth gafaelodd y cyntaf mewn caead traen oddi ar wyneb y ffordd ac meddai, "Vladmir Sukof, discus." Ac i mewn ag ef. Gafaelodd y nesaf mewn peipen fawr ac at y drws ag yntau, "Pedro Valencia, pole vault," meddai a chafodd yntau fynediad. 'Doedd ond Ifan ar ôl a gafaelodd yntau mewn coflaid o weiren bigog ac aeth at y porth, "Ifan Jones," meddai'n hyderus. "Ffensio."

❖

DYMA DDYWEDODD PABLO CASALS

'Does neb yn gwybod beth yw nerfusrwydd nes bydd ganddo enw da i'w gadw.

Fe ddaw Bach yn gyntaf ac yna bawb arall.

Bach yw fy nghyfaill gorau.

Gwenwyn mewn sain yw *rock'n'roll*, bwystfileidd-dra bywyd a chelfyddyd.

Mae unrhyw ffurf ar lywodraeth yn dderbyniol gen i, cyn belled â'i fod wedi ei ddewis gan y bobl.

Rhaid i gymeriad a charedigrwydd fod yn gnewyllyn i unrhyw fenter neu weithred lwyddiannus.

Y dechneg berffeithiaf yw'r un guddiedig.

Nid y modd sy'n bwysig ond y canlyniad.

Pan ofynnodd arweinydd iddo ar ba gyflymder yr hoffai gael y symudiad nesaf fe atebodd Casals "Yr un cywir."

Oed yw gogoniant y mawrion.

❖

Yr oedd yr Ysgrifennydd Gwladol yn adrodd hanes ei ymweliad ag un o ffermdai mwyaf anghysbell Powys. Wedi agor nifer o glwydi a chroesi amryw o rwylli gwartheg fe gyrhaeddodd fuarth y fferm.

"Mae yna ffordd hir at y tŷ," meddai wrth y ffermwr.

"Wel, oes," meddai'r ffermwr. "Ond petai hi rhyw gymaint yn fyrrach fuasai hi ddim yn cyrraedd."

❖

PENILLION Y DIWYGIAD

Mi welais haf a gaeaf,
  Mi welais ddydd a nos;
Mi welais ganu a dawnsio,
  Mi welais gario'r groes;
Mi welais waethaf Satan,
  Mi welais orau Duw;
Hosannah! Haleliwia!
  Fy mod i heddiw'n fyw.

Hen lestr iachawdwriaeth
  A ddaeth o'r nef i ni ;
Tramwyodd fôr o gariad
  Hyd barthau Calfari;
Dadlwythodd ei thrysorau
  Mewn teirawr ar y groes,
Rhoes fodd i dorf nas rhifir
  I fyw tragwyddol oes.

Fe welais Graig mewn dalfa
  Gan wŷr y gwaywffyn;
Fe welais Graig yn hongian
  Ar ben Calfaria fryn;
Rhoed Craig mewn craig i orffwys
  Hyd fore'r trydydd dydd,
Er gwaetha'r maen a'r milwyr
  Daeth Craig o'r graig yn rhydd.

❖

FELLY MAEN NHW'N DWEUD

Yr oedd Robert Thomas yn yr ysbyty ddoe wedi iddo ei saethu ei hun yn ddamweiniol yn ei goes dde. Yna fe saethodd ei hun yn y goes chwith wrth danio'r gwn i alw am help.

Yr oedd gan fy niweddar ŵr bolisi yswiriant gyda'r cwmni ac mewn llai na mis fe fu farw. Yr wyf yn ei ystyried yn fuddsoddiad da.

Carcharwyd Madam Ivy Devaux o'r Weinyddiaeth Ryfel am ddwy flynedd gyda dirwy o £500, am ddefnyddio dogfennau cyfreithiol i wneud caeadau i'w photiau jam.

❖

CAERWYN

Caerwyn â'i wedd fel ceriwb,– sŵn y llais
Yn llyfn fel Esoliwb,
A'i dôn fel rhedli'r Daniwb
Yn dod drwy ryw denau diwb.
                                        W. D. Williams

❖

"Mae atal deud ar y ci acw ac y mae'r cathod yn cymryd mantais
arno fo."

❖

PALAS BUCKINGHAM

Yn y Canol Oesoedd, Palas Westminster oedd cartref y brenin, lle
mae'r Senedd erbyn heddiw, ond fe'i llosgwyd yn ulw. Ar ôl trechu'r
Cardinal Wolsey fe roddodd Harri'r Wythfed (o deulu Penmynydd) ei
bump ar ddau o'i balasau, Hampton Court a Phalas Whitehall. Ond
nid oedd Harri'n fodlon ar y ddau yna chwaith a throdd Ysbyty
Gwahangleifion St. James yn balas a chodi Palas Nonsuch yn
Swydd Surrey. Felly, o deyrnasiad Harri'r Wythfed i gyfnod Wiliam
y Trydydd ymgartefai'r teulu brenhinol ym Mhalas Whitehall, ond
llosgwyd y lle hwnnw hefyd. Ond mae un o'r neuaddau i'w gweld
heddiw, neuadd a adeiladwyd gan Inigo Jones, a gododd bont
Llanrwst, a thu allan i'r drws ffrynt y dienyddiwyd Siarl y Cyntaf.
Dymchelwyd rhan o'r wal fel y byddai'n haws i'r brenin gyrraedd y
crocbren. Yr oedd Samuel Pepys y dyddiadurwr straellyd, yn hogyn
ysgol ar y pryd ac yn un o'r dyrfa oedd wedi tyrru yno i weld y fwyell
yn disgyn.

Yr adeg honno, ar y llecyn lle saif Palas Buckingham heddiw, yr
oedd Jâms y Cyntaf wedi creu'r Mulberry Gardens er mwyn bwydo'r
chwilod sidan a chychwyn diwydiant sidan. Yr oedd ganddo faes i
chwarae gêm o Ffrainc o'r enw *paille maille* hefyd a'r *Mall* oedd
hwnnw gyda *Pall Mall* gerllaw. Yr oedd y gêm fel chwarae golff trwy
daro'r bêl trwy gylchau wedi eu codi oddi ar y ddaear. Ceid rhesi o
gewyll adar o eiddo'r brenin hefyd, – Bird Cage Walk heddiw.

Codwyd tŷ ar y llecyn gan yr Arglwydd Goring ym 1633 ac
ychwanegwyd ato gan Iarll Arlington ym 1677. Helaethwyd y lle
drachefn gan Ddug Buckingham ym 1705 a daeth i feddiant Siôr y
Trydydd ym 1761 gan fod ei hanner ar dir y Goron. Gwariwyd
£73,000 arno ym 1774. Cartref preifat ydoedd i'r brenin a dyna sut

mae llysgenhadon yn cael eu croesawu i Balas St. James hyd y dydd heddiw.

Ond 'roedd yn well gan Siôr y Trydydd fyw yn Windsor a Kew nag ym Mhalas Buckingham ond arhosodd ei frenhines Charlotte yno nes iddi farw ym 1818. Bu'n wag wedyn nes i Siôr y Pedwerydd ddod yno ym 1820 a'i ailwampio eto. Gorffennwyd y gwaith gan William y Pedwerydd ond ni ddaeth hwnnw ar gyfyl y lle. Daeth y Frenhines Victoria yno i fyw ym 1837 a gweld fod y lle yn rhy fychan ac fe'i helaethwyd unwaith eto a symud y Marble Arch i waelod Edgware Road. Ond tua diwedd ei theyrnasiad gwell oedd gan y frenhines fod yn Windsor ac Osborne a rhoddwyd y cloriau ar y ffenestri unwaith eto. Yna daeth King Ned i'r orsedd a dadebrwyd dipyn ar y lle a symudodd yntau i mewn ym 1903. Ar wahân i'w gwyliau yn Windsor, Sandringham a Balmoral, yno y bu'r teulu brenhinol yn byw yn ddi-fwlch byth er hynny.

Pedwar llew tew
Heb ddim blew,
Dau 'rochor yma
A dau 'rochor drew.
Y Bardd Cocos

Four fat lions,
Without any hair,
Two over here
And two over there.
Cyfieithiad y Parchedig T. Charles Williams

GWEINIDOGION

Aeth ffermwr at y trên i nôl y Parchedig H. T. Jacob. Toc nid oedd ond dau ar y platfform. Ebe'r ffermwr, "Dim gweinidog ydych chi?" "Ie, wir," meddai Jacob. "Ond rydych yn gwisgo siwt olau." Ac meddai'r Parchedig. "Pe bawn i'n gwybod mai dim ond siwt oeddech chi'n ddisgwyl mi fuaswn wedi anfon catalog."

———

Mewn Cyfarfod Misol fe holai'r Parchedig Ddr. R. Roberts, Trefnant, un o flaenoriaid ei gyn-eglwys a oeddynt am symud ymlaen i gael gweinidog newydd yn ei le. Yr ateb a gafodd gan y blaenor oedd eu bod "yn cymryd amser er mwyn cael un go gall y tro hwn."

78

"Da iawn, chi," oedd ateb y Doctor. "Ond mi fydd gen i gydymdeimlad mawr hefo fo, mi fydd yn unig iawn acw."

SALM 23 (yn nhafodiaith Môn)

Yr Arglwydd ydi migal i,
Fydda'i ddim yn gweld-ishio dim,
Mae O'n gneud i mi orwadd mewn llefydd braf,
Mae O'n fy nhwsu i ymyl y dyfro'dd tawal,
Mi ddychwal f'enaid,
Mi arweinith fi ar hyd llwybra cyfiawndar
er mwyn 'i enw.
Ia, taswn i'n cerddad trw' ryw hen ddyffryn t'wyll du
fasa gin i ddim ofn
am dy fod Ti hefo mi,
Ma' dy wialan a'th ffon yn gysur i mi.
'Rwyt Ti'n gosod bwr' o mlaen i
dan drwyn rheini sy'n f'erbyn,
iraist 'y mhen hefo oel, ma 'nghwpan i'n llawn,
Mi fydd daioni a thrugaradd yn bownd o nghanlyn i ar hyd f'oes
ac mi gaf fyw yn nhŷ 'Rarglwydd am byth. Amen

GAIR YN EI LE

Mae dyn yn tyfu mwy ar ei liniau nag ar ei draed.

Rhaid i longau bychain gadw yn ymyl y lan. *(Llên y Llannau)*

Nid ein cadw rhag y storm y mae Duw ond ein cadw yn y storm. *(Gwyn Erfyl)*

Paid â goglais y delyn neu mi chwardd am dy ben, chwarae hi ac mi ganith i ti. *(Telynores Maldwyn)*

CYFRI'R DEFAID

Mae'r modd yr oedd y bugeiliaid yn cyfrif eu defaid yn nyffrynnoedd Swydd Efrog a Cymbria yn ddiddorol iawn i ni'r Cymry. Mae'r modd o gyfrif yn amrywio o fro i fro ond dyma sut y gwnaent hynny yn ardal Seathwaite yn Dunnerdale. Ai dyma fel y mae cof cenedl yn adleisio'r amser y bu'r Hen Gymry yn amaethu yn Rheged ac ar fryniau'r Penwynion?

79

1. Aina	11. Ain-a-dig
2. Peina	12. Pein-a-dig
3. Para	13. Par-a-dig
4. Peddera	14. Pedder-a-dig
5. Pimp	15. Bumfit
6. Ithy	16. Aina-a-bumfit
7. Mithy	17. Pein-a-bumfit
8. Owera	18. Par-a-bumfit
9. Lowera˙	19. Pedder-a-bumfit
10. Dig	20. Giggy

MEDDE NHW

Mor frawychus yw meddwl fod yr hyn mae pobl yn ei ddweud amdanom yn wir. *(L. P. Smith)*

Mae personoliaeth i ddyn fel persawr i flodeuyn. *(C. M. Schwab)*

Bu pob cam ymlaen yn ein byd o grocbren i grocbren ac o stanc i stanc. *(Wendell Philips)*

Fe gefais Rufain o briddfeini a'i gadael yn Rhufain o farmor. *(Cesar Awgwstws)*

Mae unrhyw ffordd yn arwain i ddiwedd y byd. *(E. Fitzgerald)*

Fe wna unrhyw beth i'r tlotyn, unrhyw beth ond dod i lawr oddi ar ei gefn. *(Tolstoy)*

Mewnlifwyr yw'r dyfodol yn y presennol. *(Madam de Stael)*

Porthwr yn torri ar draws pregeth Hwfa Môn yng Nghapel Smyrna, Llangefni.

> Rhy blaen yw graen y grwniad, – a'i draswn
> Yn drysu gwrandawiad;
> Croch 'Amen', anniben nâd,
> Taw ddiawl mewn tŷ addoliad.
>
> *Llwydfryn Hwfa*

GELYNION

Cododd meddyg llwyddiannus ond hunandybus ar ei draed i ddweud gair ar ôl y cinio: "Mae gan feddygon," meddai, "lawer o elynion yn yr hen fyd yma."

Ac meddai un wraig ar ei chwith gan sibrwd fel taran, "A llawer mwy yn y nesa'."

❖

DWY OCHR I'R STORI

Athrawes yn disgrifio ei diwrnod cyntaf yn yr ysgol. "'Roedd hi fel 'taswn i'n ceisio dal deugain corcyn dan y dŵr yr un pryd."

———

Geneth fach yn disgrifio ei hwythnos gyntaf yn yr ysgol. "Rydw i'n gwastraffu amser. Fedra'i ddim darllen, fedra'i ddim sgwennu a cha'i ddim siarad."

❖

MEDDYLIWCH AM Y PETH

Ychydig o blant sydd ag arnynt ofn dŵr, os na fydd sebon ynddo.

Dyn yw'r unig greadur sydd ganddo reswm i gochi.

Mae cymeriad dyn yn debyg i hen fwthyn, nid yw gwyngalchu yn cryfhau dim arno.

Rheswm ac awdurdod yw canhwyllau mwyaf llachar y byd.

'Rwyt yn hen os ydyw dy fywyd yn ddiflas.

Hyder oedd y teimlad oedd gennych cyn i chi wybod yn well.

Mae'n anos adnabod ynfyd na gŵr doeth.

Mae ambell saib yn gwneud sgwrs felys.

Tawel yw diolchgarwch gwir gariad.

Dy fywyd yw'r un yr wyt yn ei fyw heddiw.

❖

Yr huodledd gorau yw'r huodledd sy'n cyflawni. *(D. Lloyd George)*

❖

LEWIS MORRIS

Mae bedd Lewis Morris yng nghangell eglwys Llanbadarn Fawr. Gerllaw mae cofeb teulu Poweliaid Nanteos (lle cedwid, hyd yn ddiweddar, yr hyn sydd ar ôl o gwpan y Swper Olaf). Bu ymgecru ac ymrafaelio rhwng Lewis Morris a theuluoedd Plas Ffynnon Bedr a Nanteos. Talodd y Dr. William Powell, Nanteos, ganpunt i Syr Herbert Lloyd am ei gymorth i daflu Lewis Morris o Esgair Mwyn a hawlio'r fwynfa blwm i Stad Nanteos. Aethpwyd â Lewis Morris i garchar Aberteifi a bu rhaid cael y Scot Greys, y North British Dragoons a'r Ffiwsiliwyr Cymreig i amddiffyn y fwynfa rhag Syr Herbert Lloyd a'r Dr. William Powell. Enynnodd Lewis Morris ddicter William Powell a chymaint oedd llid y gẁr hwnnw fel y collodd Lewis Morris ei swydd yn y fwynfa ym mis Ionawr 1756. Darniwyd ei gymeriad gan sgweierod dialgar Ceredigion a rhoddwyd y swydd i Sais diegwyddor o'r enw John Paynter.

Ond Syr Herbert Lloyd oedd y snechgi mwyaf ohonynt i gyd a cheir ei hanes yn chwennych cae bythynnwr tlawd o'r enw Siôn Philip. Taflwyd maharen i lawr simdde Siôn Philip a'i gyhuddo o ddwyn defaid Syr Herbert. Crogwyd Siôn Philip a hawliwyd ei gae gan Syr Herbert. Ond oherwydd afradlonedd y sgweier aeth Plas Ffynnon Bedr â'i ben iddo a disgrifwyd y fan lle bu mewn englyn gan Dafydd Dafis, Castell Hywel :

> Troir ei chain lydain aelwydau'n erddi
> A gwyrddion weirgloddiau;
> A mynych yr ych o'r iau
> Bawr lawr ei gwych barlyrau.

MEDDYLIWCH AM Y PETH

Os oes rhywun yn cysgu fel plentyn 'does ganddo fo ddim un.

Baban yw sicrwydd Duw am ddyfodol y byd.

Mae darllen llyfr heb fyfyrio arno fel bwyta pryd o fwyd heb ei dreulio.

Perffeithrwydd yw gẁr cyntaf y wraig.

DYN TENAU

Esgyrn a chnawd a gwasgod – a llodrau
Lledrith ar ddisberod;
A'r lle mae efe i fod
Y mae gwisg am ei gysgod.

Mafonwy

MEDDYLIWCH AM Y PETH

Carreg gudd dyr y gwŷdd.

Ceidw cleddyf un arall yn y wain.

Â celwydd i Rufain tra bo'r gwir yn gwisgo'i 'sgidiau.

Hwyaf arf stanc sâl.

Po agosaf yr offeiriad po hwyraf yr offeren.

Y meistr yn anfon ei was, y gwas yn anfon ei gath a'r gath yn anfon ei chynffon.

Gwas i was chwibanwr. (sinecure)

Dyw'r drwg byth yn dda nes digwydd a fyddo gwaeth.

Mae yna ddau fath o bobl, merthyron a saint. Y merthyron yw y rhai sy'n byw hefo'r saint.

❖

BRIALLEN

Yng nghwr y ffridd anniddos – er oerwynt
A'r eira yn agos,
Eiddilaf o'r holl ddeilios
Wyra'i phen ar war y ffos.

Daniel Owen

❖

BLAENORIAETHAU

"Mi godais yn gynnar y bore yma i weld a oedd y saffrwm wedi blodeuo yn yr ardd. Mi af adre heno i roi mwythau i fy wyresau, dydw i ddim wedi cael cwtsh ers dyddiau." (Brian Clough pan ofynnwyd iddo a oedd yn pryderu am ei dîm)

83

AR LAFAR

Dyn strêt ydi o, heb lawer o dylla' llygod ynddo.

Mae'n well rhoi cosb iawn i blentyn, mae hynny'n well na lladd a llyfu.

'Roedd o wedi gollwng ei blu yn arw. (Wedi cael ei ddarostwng)

TEMTASIWN

Yr oedd gweinidog ifanc yn dweud y drefn wrth ei briod am dorri ei gair a phrynu ffrog newydd.
    "Ar y diafol oedd y bai," meddai hithau. "Y fo a'm temtiodd."
    "Dylet fod wedi dweud, "Dos o fy ôl i Satan." meddai'r gweinidog.
    "Fe wnes i hynny," meddai hithau. "Ond fe sibrydodd dros fy ysgwydd fod y ffrog yn ffitio'n iawn yn y cefn hefyd."

YN GWMNI

Dychwelodd y gŵr adref i weld ei wraig yn pacio.
    "Ble'r wyt ti'n mynd?" gofynnodd.
    "Fedra i ddim dioddef dim mwy," oedd yr ateb. "Yr holl flynyddoedd yma o ffraeo a thaeru, o gicio a brathu."
    Gwyliodd ei gŵr hi am dipyn a phan welodd hi'n llusgo'i ches drwy'r drws rhedodd i fyny'r grisiau a gafael yn ei ges ei hun.
    "Aros am funud," meddai. "Rydw inna' wedi cael llond bol hefyd, mi ddo'i hefo ti."

DWEUD DA!

Mae trwyn hwn'na yn union 'run fath â bawd crydd dall.

I Draeth Llugwy fyddai'r wylan yn mynd pan oedd hi eisiau llonydd.

CYW

Mae ambell un mewn rhannau eraill o Gymru yn tueddu i gymryd pobl Môn yn ysgafn am eu bod yn dweud cyw yn lle ebol. Ond tybed nad yw'r Monwysion yn nes ati nag y mae neb yn ei feddwl gan fod yna air 'cnyw' yn golygu anifail ifanc, cenau, llwdn, porchell neu ebol.

Ac wrth sôn am ebolion fe gofir am frawddeg fel hyn, "Wn i ddim be 'dwi'n neud wir, dwi'n mynd ac yn dŵad fel llwdwn bendro drwy'r dydd."

Mae athrylith yn gwneud yr hyn sydd raid iddo ei wneud, mae talent yn gwneud yr hyn a all. *(Edward Bulwar-Lytton)*

MÔN

Golau cry' sy'n brifo'r llygaid,
   A gwynt a naid â rhwyg a brath,
Gorwel pell a cherrig llwydion,
   Dyna Fôn, – 'does lle o'i math.

Tiroedd âr ymhlith yr eithin,
   A llwyni prin a chaeau mân;
Gwartheg duon, llennyrch gleision,
   Dyna Fôn, – lle ar wahân.

Hen yw Môn a llawn o ledrith,
   Dan orchudd brith y traethu brud
Cudd drysorlys hen hanesion,
   Dyna Fôn, – Mam Cymru i gyd.
Edwin Stanley Jones

AMBELL FRAWDDEG

Yn y pen draw y pethau sy'n cyfrif yw iechyd, gwaith, ffydd, gobaith a chariad.

Un o fanteision bod yn gyffredin yw eich bod ar eich gorau bob amser.

Bywyd yw'r peth gorau sydd gen i.

Mae'r dysgwyr yma yn siarad gwell Cymraeg na ni.

CYFRIF

Yr oedd un plentyn yn y dosbarth yn hepgor y rhif 6 wrth gyfrif a rhaid oedd ei gywiro. Un bore clywyd ef yn ymarfer yn y gornel.

"Un, dau, tri, pedwar, pump, beth am y chwech, saith, wyth, naw, deg."

❖

Cyn gynted ag y clywch chi gân yr ehedydd, teimlo'r siffrwd traed drwy'r glaswellt ar ben y bryn neu arogli'r pridd mewn cae newydd ei aredig, fyddwch chi byth yn hollol ddedwydd yn y dinasoedd a'r trefi sydd megis pynnau trymion ar gefn dyn. *(Gwyn Thomas)*

❖

Y MÔR

Anoddun maith anniddig – ei lanw
Ylch lennydd pell unig,
Pwy rydd dres ar ei gesig?
Pwy nawf ei don pan fo dig?
Eifion Wyn

❖

Yr oedd athrawes wedi ymddeol yn darllen y cyfarwyddiadau ar botel ffisig "Cadwch o gyrraedd plant."

"Ah" meddai. "Gresyn na fuaswn wedi gweld hwn'na ddeugain mlynedd yn ôl."

❖

CAPEL TAIR HELYGEN (Y Wladfa)

Mae'n sefyll ar fin y briffordd,
Yn unig a llwm,
Rhwng tyfiant dilewyrch y paith
Mewn mudandod trwm.

Pob ffenestr ynghudd dan ddirgel
Gaeadau pren;
Neb yn y golwg yn unman,
Dim chwa uwchben.

Edrychais yn ôl arno eto,
Mor unig ei lun,
A synnais mor bell y daw'r Gwaredwr
I gwrdd â dyn.
Irma Hughes de-Jones.

Yn *Y Lôn Wen* mae Kate Roberts yn sôn am ffustion, "Yn nyddiau fy mhlentyndod byddai chwarelwyr yn gwisgo dillad ffustion, trowsus melfared oedd yn llwyd i gychwyn ac a olchai'n wyn."

Daw enw'r deunydd yma o enw lle, ei gartref yw Ffostat ar gyrion Cairo yn yr Aifft. Cyfeiria Shakespeare at ffustion fel dillad gwaith, "*serving men in their new fustian*". Os byth yr ewch i Wlad Groeg cofiwch edrych ar y milwyr yn eu sgertiau byrion, gwynion. 'Fustanella' yw'r enw a roir ar y rhain a dyna i chi berthynas rhwng chwarelwyr Rhosgadfan a milwyr Athen. Ond peidiwch a cheisio perswadio yr un ohonynt i fabwysiadu gwisg y llall!

❖

DIWYLLIANT

"Mae diwylliant yn rhywle rhwng palu'r ardd ac athrawiaeth yr Apostol Paul." *(Syr Ifor Williams)*

❖

RHEGI A THYNGU A DAMIO A SINCIO

Cofiaf i mi, ar ôl cyflawni rhyw ddrygioni bachgennaidd, gael fy rhegi trwy gyfrwng yr iaith goethaf a glywais erioed. Hyd yn oed yr adeg honno yr oeddwn yn ymwybodol o gael y fraint o sefyll o fewn ergyd gair dethol i ieithydd o gryn statws ym myd llwon a rhegfeydd. Yr oedd ei feistrolaeth ar y desibel, a'i afael ar elfennau'r iaith Gymraeg cystal fel nad oedd angen iddo defnyddio yr un gair ddwywaith a gallai chwalu cymeriad unrhyw un ganllath i ffwrdd yn erbyn y gwynt mewn lle agored.

Clywais am ŵr yn cael ei holi a fyddai yn rhegi ai peidio, "Dim ond dipyn bach at iws." oedd ei ateb.

"Plant ffasiwn yw rhegfeydd," meddai Dean Swift, ac nid ydynt at ddant pawb chwaith. Nid yw trigolion Japan, Malaya, yr Indiaid Cochion na'r Polynesiaid yn eu defnyddio o gwbl. Tyngu wrth rywbeth fyddai pobl yn yr hen oes ond rhegi at rywun y maent heddiw. Yn y Canol Oesoedd fe ddaeth rhegi cableddus i fodolaeth ond gyda'r Dadeni fe ddaeth rhegi secwlar i'r ffasiwn pryd y rhegid pobl yn ôl eu statws a'u nodweddion personol. Yr oedd Harri'r Wythfed a'i ferch Elisabeth yn rhegi o'i hochr hi. Digon o waith bod Elisabeth yn rhegi yn Gymraeg er bod ganddi grap ar yr iaith yn ôl rhai dogfennau. Mae'n debyg mai yng nghyfnod y Piwritaniaid y daeth yr arfer o ddefnyddio geiriau-gwneud yn lle enwau'r Duwdod a Christ, geiriau fel Duchos, Iesgyrn Dafydd, Iesgob, Go Drapit (*God* rip it), Go Dacia (*God take it*), Go Daria (*God tear* neu *God harry*) 'Rargian Fawr, Erasmws Dafydd, Duwadd Annw'l a hyd yn oed Jiw Jiw.

Gyda'r dirywiad crefyddol daeth trai ar regi o'r fath ac fe aeth y rhegwr i gyfeiriad rhyw, y corff ac ati. Ac, yn ôl pob tystiolaeth nid oes llawer o lewyrch ar y grefft o regi heddiw. Ers talwm 'roedd rhegi yn galw am ddyfeisgarwch ieithyddol ond heddiw nid yw ond ailadrodd undonog a diddychymyg sy'n arwydd pendant o ddiffyg geirfa.

❖

CAU TIR COMIN

Cau tre a chau lle y llan – cau mynydd,
    Cau mawnog y truan;
Cau coed gwŷdd, lle ceidw gwan
Ei ddiddig fuwchig fechan.

Anad. Cymru: Ionawr 15,1905.

❖

SWILDOD

Yr oedd Tomos yn ŵr ifanc swil iawn ac fe synnodd ei fam pan ddywedodd ei fod yn canlyn. Bu'n hwylio'i hun am awr cyn gadael y tŷ ond dychwelodd ymhen hanner awr.

"Wel," meddai ei fam, "Sut aeth pethau?"

"Ardderchog," meddai Tomos.

"Welaist ti hi?

"Do," meddai Tomos. "A taswn i heb guddio y tu ôl i'r wal mi fuasa hitha wedi 'ngweld inna' hefyd."

❖

AMBELL FRAWDDEG

Wyddoch chi mai dyn yw'r unig greadur y buasai ei lwyr ddileu yn fendith i bob creadur arall.

Nis gadawodd neb ôl ei droed yn nhywod amser wrth eistedd i lawr.

Collir dyn da pan aiff plentyn ar gyfeiliorn.

Profiad yw ateb heddiw i broblemau ddoe.

Gellwch gyfarfod cyfaill ym mhobman, ni fedrwch gyfarfod gelyn yn unman, – rhaid ei wneud.

❖

Yn ôl Myrddin ap Dafydd cymerai Wil, gwas y Gopy, ddiwrnod neu ddau o'i waith pan fyddai'n teimlo felly a gorchmynnodd ei feistr iddo gael papur doctor. Aeth Wil at Dr. Hughes, y Bont Bach, a gofyn am bapur. Cymerodd y doctor bapur biliau, tynnodd linell ar ei letraws a'i arwyddo. Pan ddychwelodd Wil, gofynnodd ei feistr oedd ganddo bapur doctor.

"Oes, mistar, dyma fo," meddai Wil yn dalog.

"Ond 'does yna ddim ar hwn ond 'stroke', ebe'i feistr.

"Wel, ia, mistar," meddai Wil. "Dyna be' gefais i – strôc!"

Stori arall o'r un ffynhonnell yw hanes Jac yn gweld teisen ffrwythau flasus yr olwg yn siop Star ar Sgwâr Llanrwst. Aeth i mewn i holi'r siopwr beth oedd ei phris.

"Coron," meddai hwnnw.

"Pum swllt!" ategodd Wil. "Wnaiff hi gadw?"

"O, mi gadwith am ddyddia'."

"Wel, cadw hi i'r diawl 'ta," meddai Wil.

❖

Yr iâr yw ffordd yr wy o gynhyrchu wy arall.

❖

BEIRNIADU LLU O ENGLYNION GWAEL I'R LLYFFANT

Cenfaint o lyffaint cloffion,–rhai yn fawr,
Rhai yn fyw, rhai'n feirwon;
Ni ddaeth o'r llaid haid fel hon
Ond unwaith i blith dynion.

Robert Roberts, Cwmderwen

❖

PRIOD-DDULLIAU'R PRIDD

Byddai meistres yn annog morwyn i fod yn fwy darbodus gydag adnoddau'r gegin, trwy egluro y byddai o les iddi ddysgu ar gyfer ei bywyd priodasol, pan fyddai ganddi "Dân bach a mwg main."

"Cael gwynt dan y wasgod" fyddai seibiant bach ar y dalar.

"Rhen rwdan yna," fyddai wats boced gwas arall bob amser ond "chwaer yr haul" fyddai un y gwas ei hun.

"Oes hwyl rhagor o deulu acw?" fyddai'r cwestiwn i un yn cwyso'n agos i'r clawdd.

Fe ddywedid am un oedd wedi arfer cael lle go braf neu un na wyddai mo'i eni, – "Ŵyr o ddim be' 'di sychu'i din hefo barrug."

Pan fyddai un gwas yn torri gwallt un arall ac eisiau cael 'madael â'r pant yng nghefn ei wddf, fe ddywedai "Gwna wegil llofrudd rŵan."

Yr hyn a gaffai gwas ar fferm ag ychydig o lafurio ynddi oedd, "Newyn ci a 'smwythdra."

Ar y Sul tueddai'r gweision dibriod gydeistedd yn seddau cefn y capel a hwy eu hunain fyddai'n eu galw yn Seti'r Mulod.

"Cael ei draed dan bwrdd" y byddai gwas a garai ferch y fferm neu'r feistres weddw.

Ŷd â gwelltyn byr iddo a olygid wrth ddweud bod cnwd wedi hedeg yn ei facsau.

Dywedid am lo neu gyw gwantan ei fod "Fel tae o wedi ei eni ar y merddwr."

"Dyna gwys arall yn nes i'r clawdd" fyddai'r dweud wrth gadw noswyl, beth bynnag fyddai gorchwyl y dydd.

"Sadwrn sist" y gelwid diwrnod cyflog.

Y disgrifiad o adael gwaith heb ei wneud hyd yr hwyr fyddai, "Dal y dydd gerfydd ei din."

Y disgrifiad o gnwd tenau iawn o ŷd neu wair fyddai "Fe fedrech chwipio chwain ynddo."

"Y Saesnes" oedd y bladur.

"Mynd i weindio'r cloc" fyddai'r arfer o ymweld â'r dre' ar nos Sadwrn.

❖

YR HET

'Roedd gwraig yn eistedd mewn caffi yn fuan wedi iddi brynu het werdd ac arni bluen fawr. Gwelodd wraig arall ym mhen draw'r caffi yn gwisgo'r un fath o het yn union. Pwyntiodd at y wraig ac yna ati hi ei hun gan wneud siap ceg i fynegi eu bod yn gwisgo hetiau yr un ffunud â'i gilydd. Yna dangosodd ffurf y bluen hir ond syllai'r wraig arall yn oeraidd a syn arni. Aeth y wraig gyntaf ymlaen i ail-berfformio'r ddrama a chael yr un ymateb yn union.

"O, wel" meddai wrthi hi ei hun. "Mae rhai pobl yn sychaidd."
Yna, wrth adael y caffi edrychodd yn y drych a sylweddolodd nad oedd yn gwisgo het o gwbl.

❖

PENILLION GWEISION FFERMYDD

Dacw dŷ a dacw do,
Dacw efail Siôn y Go',
Dacw Mali wedi codi
I chwipio chwain o draed y gwely.

Ffarwel i Feti foliog,
Ffarwel i'r Sgilffyn Main,
Ffarwel i'r frechdan driog,
Ffarwel i'r gwely chwain.

❖

PROPAGANDA

Fe ddaeth y gair propaganda i rym ym 1622 yn rhan o enw coleg o gardinaliaid o Eglwys Rufain a oedd yn gyfrifol am ledaenu gwybodaeth am yr Eglwys honno trwy'r byd. 1622 neu beidio mi gredaf i fod y Rhufeiniaid yn amser eu Hymerodraeth hefyd yn arbenigwyr ar y gelfyddyd o ledaenu ffaeleddau dychmygol eu gelynion. Barbariaid ac anwariaid oedd pawb nad oeddynt yn gweld pethau yn yr un ffordd â hwy. Efallai mai un o'u hymarferion mwyaf trwyadl oedd pardduo enw da'r Derwyddon cyn eu llofruddio ym Môn. A chan mai eu heiddo hwy oedd y 'wasg' i gyd y pryd hynny ni allai dim wrthsefyll eu celwyddau.

Mae'n debyg mai'r Rhufeiniaid roddodd enw drwg i Attila yr Hun hefyd. Fe alwyd Atila yn "Fflangell Duw". Mae lle i gredu nad fflangellu Duw a wnâi Attila ond fflangellu dros Dduw. Os felly nid rhyfedd ei fod yn wrthyn yng ngolwg y Rhufeiniaid. Mae sôn amdano'n rhoi aur i garcharor a'i anfon yn ôl i'w wlad.

Yn y flwyddyn 434 daeth Attila yn frenin ar liaws o dylwythau crwydrol rhwng y Donaw a Môr y Caspian. Ymosododd ar Bersia ac ar ardal y Rhine hefyd ond fe'i trechwyd ger y Marne yn Ffrainc gan y Rhufeiniaid a'u canlynwyr. Ym 452 fe ymosododd ar Rufain a dim ond deisyfiad y Pab, a pharodrwydd Attila i wrando, a arbedodd y ddinas rhag distryw. Erbyn heddiw fe ddaw'n amlwg fod Attila wedi dioddef oddi wrth bropaganda'i gyfnod ac wedi cael llawer o fai ar gam.

❖

Y BERTH YN LLOSGI

Bu llawer o ddamcaniaethu ar ddigwyddiad y berth yn llosgi. Fe ddywedodd arbenigwr ar fotaneg y Beibl, curadur y Gerddi Botanegol yn Efrog Newydd, mai *Fraxinella* oedd y planhigyn, y dditaen wen yn Gymraeg. Dyma berth tua thair troedfedd o uchder gyda chlystyrau o flodau porffor. Mae arennau bychain o olew drosto i gyd, a'r olew hwnnw yn fflamychol iawn. Pan ddeuir â thân yn agos ato fe losga'n fflam dân yn y fan.

Ond mae gŵr o'r enw Aaron Smith, awdurdod ar y Dilyw, yn dweud mai blodau cochion yr uchelwydd sydd yma, math o uchelwydd oedd yn tyfu ar goed yr *acacia* ym Mhalasteina a Seinai. Pan fyddo'r uchelwydd yma yn ei lawn blodau mae'n union fel petai ar dân.

❖

HUDOLES

Cywynnen mewn bicini,–a hen hud
Y cnawd yn ei chorddi;
Ar ei ben i drybini
Aeth Tomos o'i hachos hi.

B. T. Hopkins

❖

MANION

Dylai rhieni sy'n methu ddeall lle mae'r genhedlaeth ifanc yn mynd, gofio o ble y daeth.

Anfonodd tad lun o'r Venus de Milo i'w ferch gan ysgrifennu ar y cefn, "Dyma beth a ddigwydd i ti os na roi di'r gorau i fwyta dy ewinedd."

O adroddiad Merched y Wawr, "Rhoddodd Mrs. Rogers sgwrs ddifyr, gyda sleidiau, am Wilbert, ei babŵn dof. Dywedodd fod rhai pobl yn dychryn wrth weld y babŵn ond yr oedd hi'n teimlo'n gartrefol iawn hefo fo gan ei bod wedi treulio pymtheng mlynedd yn Affica hefo'i gŵr."

Os ewch i'ch gwely'n gynnar a chodi'n fore bydd eich cymdogion yn amheus iawn ohonoch.

❖

Y CI DEFAID

Rhwydd gamwr hawdd ei gymell,–i'r mynydd
A'r mannau anghysbell;
Hel a didol diadell
Yw camp hwn yn y cwm pell.

Thomas Richards

DISGYNNYDD

Mewn llyfr yn rhestr cofebau a godwyd yn Llundain i ferched a gyfrannodd i'w gwlad ac i'w cymdeithas, gwelir cyfeiriad at wraig o'r enw Gwen Clarke (Williams gynt) 1910-1978. Trigai Gwen yn Franciscan Road, Tooting. Priododd â'r athro Waldo Clarke a bu'r ddau yn athrawon yn yr Aifft am nifer o flynyddoedd. Arbenigai Gwen ar ddysgu rhifyddeg a daeth yn brifathrawes ddylanwadol yn Ysgol y Babanod, Tooting, ac yn ddarlithydd cydnabyddedig ar y dulliau diweddaraf o ddysgu rhifyddeg i blant bach.

Ysgrifennwyd y gyfrol gynhwysfawr, *In Our Grandmother's Footsteps* gan ei dwy ferch, Jennifer a Joanna, ac fe ymfalchïant fod eu mam, Gwen Williams, yn ddisgynnydd i William Williams, Pantycelyn.

CRICED
(Dyma ddisgrifiad o'r gêm a gofnodwyd yn Saesneg.)

Mae yna ddwy ochr, un i mewn a'r llall allan. Mae pob un sy'n yr ochr sydd i mewn, yn mynd allan a phan mae o allan mae o'n dod i mewn ac fe â'r un nesaf i mewn nes bydd o allan. Pan fydd yr ochr sydd i mewn i gyd allan, mae'r ochr sydd wedi bod i mewn yn mynd allan a cheisio cael yr ochr sy'n mynd i mewn allan i gyd. Weithiau fe gewch rai sy'n dal i mewn a heb fod allan pan fydd eu hochr i gyd allan. Pan fydd y ddwy ochr wedi bod i mewn ac allan, yn cynnwys y rhai sydd heb fod allan, – dyna ddiwedd y gêm!

Mi fuasa' hwn'na yn taflu dau ben rhaff i ddyn ar foddi.

Y GYMRAEG

Nid yw sŵn y Gymraeg, mewn sgwrs estynedig, yn sŵn annymunol.
(Dr. Samuel Johnson ym 1774)

Yn awr fe welaf fod y diafol yn deall Cymraeg.

(Shakespeare, Harri IV)

> Gwlad, gwlad, pleidiol wyf i'm gwlad
> Tra môr yn fur i'r bur hoff bau
> O bydded i'r hen iaith barhau.

Ieuan ap Iago

Yr iaith Gymraeg yw melltith Cymru. Mae ei bodolaeth, ynghyd â'r anwybodaeth o Saesneg, wedi alltudio, ac yn parhau i alltudio'r Cymry o wareiddiad ac o ddatblygiad a llwyddiant materol eu cymdogion Seisnig. Mae eu hiaith hynaflyd ac anwaraidd yn eu cadw mewn tywyllwch. I bob pwrpas, iaith farw yw'r Gymraeg.

(The Times ym 1866)

O'R GOFOD

Daeth bodolyn o'r gofod a glanio'n union o flaen garej ym Machynlleth. Wynebodd y pwmp petrol ac meddai, "Dos â fi at dy feistr."

Ailadroddodd y gorchymyn bum gwaith heb gael unrhyw ymateb. O'r diwedd collodd ei amynedd a gwaeddodd, "Tasa ti'n tynnu dy fysedd o dy glustiau mi fuaset yn clywed yn llawer iawn gwell."

Aeth mam plentyn ysgol i weld ei waith ond nid oedd yn falch iawn pan ddarllenodd ran o'i draethawd ar 'Fy Nghartref'.

"Byddaf yn deffro yn y bore pan fydd pelydrau'r haul yn cyrraedd sil y ffenestr. Gorweddaf yn fy ngwely nes byddant yn tywynnu ar y gwe pry' cop mawr yng nghornel yr ystafell, yna codaf i ymolchi a chael brecwast cyn mynd i'r ysgol."

LLAIS ANNAEAROL

'Roedd bariton yn awyddus i wybod a oedd yna eisteddfod yn y nefoedd ac aeth i ofyn i Eiry Palfrey. Dywedodd Eiry Palfrey wrtho am ddod yn ôl drannoeth am ei hateb. Drannoeth dywedodd Eiry Palfrey wrtho fod ganddi newydd da a newydd drwg iddo.

"Iawn," meddai'r bariton. "Rhowch y newydd da i mi yn gyntaf."
"Mae yna eisteddfod yn y nefoedd," meddai Eiry Palfrey. "Mae yna gadeirio, coroni, Talwrn y Beirdd, unawdau a Ruban Glas."
"Iawn," meddai'r bariton. "Yn awr beth am y newydd drwg."
"Mae gen ti ragbrawf bore Llun nesa," meddai Eiry Palfrey.

PANED O DE

Disgrifiwyd te gan O. M. Edwards fel "trwyth rhinweddol dail yr Ind," a bu llawer ffordd o'i ddisgrifio byth oddi ar hynny. Pan gâi un gŵr baned gyda gormod o siwgwr ynddi fe ddywedai fod ei de yn fwrllyd o felys. Clywid am de cryf yn cael ei gymharu â gwaed arth, a chwrw Anac, a dŵr gwair, a thriog neu'n ddigon cryf i'r llwy sefyll ynddo. Clywyd am de yn rhy wan i ddod o'r tepot, te cyn wanned â phiso bronwen neu biso cath. Unwaith erioed y clywais gyfeirio at de gwan fel 'dŵr o ddeubig', – o'r tecell i'r tepot ac o'r tepot i'r cwpan. Gellid rhoi "gylfiniad o lefrith yn ei lygaid o" a chlywais gyfeirio at de fel 'dail y dwndwr'.

AMBELL FRAWDDEG

Mae pobl ar geffylau yn edrych yn well nag ydy'nhw, a phobl mewn ceir yn edrych yn waeth nag ydyn'nhw.

'Roedd gŵr ffraeth o ochrau'r Bala yn edrych ar ddyn bychan o gorffolaeth yn gyrru anferth o gar mawr ac meddai, "Yli'r creadur yna, tydi o fel bronfraith ar ei nyth."

Canmolai gwas fferm ei wedd, erstalwm. "Mi dynnai'r greadigaeth," meddai.
"Ble byddet ti'n bachu, Twm?"
"Yng ngodre Mynydd Bodafon," oedd yr ateb.

Fy mreuddwydion, o'm gwylio, a ddywedasant, "Dyma fywyd na fu'n ffyddlon i ni."

Mae Wil yn ddyn iach iawn, tydi o ddim wedi chwythu ei drwyn ers pymtheng mlynedd.

Y ffordd orau i golli cyfaill yw dweud rhywbeth wrtho er ei les.

A dyma ddwy frawddeg gan Gwyn Jones o Lanefydd:
"Dafydd ap Huw ap Ifan a thruth stryffaglwyth o enwau tebyg."
Disgrifiai ddyn heb eillio fel "Gŵr bras ei wyneb."

TAID ANNWYL!

Fe briodais wraig weddw yr hon oedd ganddi ferch wedi tyfu i fyny. Daeth fy nhad i ymweld â ni a syrthiodd mewn cariad â'm merch yng nghyfraith a'i phriodi. Felly daeth fy nhad yn fab yng nghyfraith i mi a fy merch yng nghyfraith yn fam i mi gan ei bod yn ferch i fy nhad.

Ymhen ychydig amser ganwyd mab i fy ngwraig yr hwn oedd yn frawd yng nghyfraith i fy nhad gan ei fod yn frawd i fy mam yng nghyfraith a gwraig fy nhad. Ac yr oedd ganddi hithau fab, yr hwn oedd, wrth gwrs, yn frawd i mi ac, ar yr un pryd, yn ŵyr i mi gan ei fod yn fab i fy merch yng nghyfraith. 'Roedd fy ngwraig yn nain i mi gan ei bod yn fam i fy mam yng nghyfraith. Felly yr oeddwn yn ŵr ac yn ŵyr iddi yr un pryd.

Gan fy mod yn ŵr i fy nain 'roeddwn felly yn daid i mi fy hun.

❖

Mae'n haws maddau i'ch gelyn ar ôl i chi dalu'r pwyth yn ôl iddo.

(Olin Miller)

❖

TYNNU LLUN

Gofynnwyd i blant y dosbarth dynnu llun rhywun enwog. Tynnodd y rhan fwyaf ohonynt lun y Dywysoges Diana, Ian Rush ac eraill.

Yr oedd un plentyn yn dal ati ar ôl i bawb arall orffen a gofynnwyd iddi "Pwy yw hwn 'te?"

"Duw ydi o," meddai'r eneth fach.

"Ond wyddom ni ddim sut un ydi Duw," meddai'r athrawes.

"Mi fyddwn yn gwybod yn iawn ar ôl i mi orffen hwn," meddai'r fechan.

❖

DWÊD HYN'NA ETO!

A fedrwch chi ddim gweld y cloc am nad oes yna un. *(Murray Walker)*

Mae o wedi disgwyl trigain mlynedd i gyfarfod y brawd na wydda' fo ddim amdano. *(Gohebydd B.B.C.)*

'Ryda'ni wedi eu gorfodi nhw i weld mai rheswm sydd orau ac nid gorfodaeth. *(Jim Slater)*

Un o'r penderfyniadau mwyaf unfrydol welais i erioed. *(Owen Briscoe)*

96

Os ydych chi wedi bod yn gwrando'n gyson fe fyddwch yn gwybod bod y Nadolig wedi dod ac wedi mynd. *(Douglas Cameron)*

Mae hi ar ben naw munud wedi naw a tydi hynny ddim yn digwydd yn aml. *(Douglas Moffat)*

❖

Gofynnodd y darlithydd, "Oes yna rywun yn y gynulleidfa yma yn ystyried ei hun yn berffaith?"

Safodd dyn bach digon disylw ar ei draed ac meddai'r darlithydd, "Felly 'rydych chi yn ystyried eich hun yn berffaith?"

"Wel, nac ydw, i ddweud y gwir," meddai'r dyn bach. "Ond rydw i'n cynrychioli gŵr cyntaf y wraig acw."

❖

CÂN ADERYN YN YSTOD CYMUN

Ei sain oedd felys yno,–a'i ganig
O'i enau yn gyffro;
Yn ei iaith bu bronfraith bro
Am ennyd yn cymuno.

Robert Williams

❖

Y BWGAN BRAIN

Hen bagan ydi'r bwgan
Yn sefyll yn ei unfan,
Fel siswrn heb un asan,
Hen het Siôn a siboc Sian.

Huw Ellis, Bryn Du

❖

'Roedd defaid un hen gymeriad yn rhai garw am grwydro. Cyhuddwyd ef bod un o'i ddefaid wedi bod yn bwyta blodau yng ngardd ei gymydog.

"Sut gwyddost ti mai fi oedd piau hi?"

"Hen ddafad fawr a natur cloffi ynddi."

"O, ia. Fi piau hi. Mae hi'n gythral am chwyn."

Llafar Gwlad

❖

Mewn llyfr ar Swydd Caer mae cyfeiriad at le o'r enw Alderley Edge. Bu pobl, Brythoniaid mae'n debyg, yn byw yno cyn cyfnod y Rhufeiniaid. Mae yna lawer o chwedlau yn gysylltiedig â'r ogofeydd yn Alderley Edge a dyma un ohonynt.

'Roedd ffermwr am werthu ceffyl gwyn ac felly i ffwrdd ag ef ar draws yr 'Edge' i Macclesfield. Cyfarfu â hen ŵr mewn gwisg laes a chynigiodd hwnnw brynu'r ceffyl. Gwrthododd y ffermwr ond dywedodd yr hen ŵr na fyddai'n gwerthu ym Macclesfield ac y prynai ef y ceffyl pan ddeuai'r ffermwr yn ei ôl. Ac felly'n union y bu a dilynodd y ffermwr yr hen ŵr nes cyrraedd llecyn arbennig lle trawodd yr hen ŵr y graig â'i ffon. Ymddangosodd drws haearn a thu ôl i hwnnw cysgai nifer o filwyr yn eu harfbeisiau. Wrth gadwyni ger y mur safai nifer o geffylau ac ar y llawr 'roedd pentyrrau o emau ac aur coeth. Gwahoddwyd y ffermwr i gymryd gwerth y ceffyl o blith yr aur ac felly y bu. "Mae angen un ceffyl gwyn eto," meddai'r hen ŵr, "Ac yna fe gaiff y milwyr a'r ceffylau gysgu nes gelwir arnynt i amddiffyn eu gwlad. Gadawodd y ffermwr yr ogof, caewyd y drws ac ni welwyd yr hen ŵr, y milwyr na'r ceffylau byth mwy.

Mae'r un stori i'w chael yng Nghymru (am Arthur), yn yr Alban, Denmarc, Carthage a Granada. Credir nad yw arweinwyr mawr yn marw, a'u bod yn dychwelyd i amddiffyn eu gwlad, fel Arthur, Harold, Siarlymaen ac eraill.

❖

'Rwyf wedi gwneud sawl camgymeriad ond wnes i erioed y camgymeriad o honni na wnes i erioed gamgymeriad. *(James Gordon Bennett)*

❖

Ar raglen deledu fe ddywedodd Almaenwr, sy'n byw yn Lloegr, ei fod yn gweld ei hun wedi ei fendithio'n helaeth a chyfoethog. Gallai dynnu oddi ar ddau ddiwylliant, dau fath o hanes, dwy etifeddiaeth a dwy ffynhonnell o draddodiadau. Mae hynny'n siŵr o fod yn wir ac felly fe ddylem ninnau'r Cymry hefyd ystyried ein hunain yn bobl freintiedig yn yr hen fyd yma.

❖

HENAINT

Henaint ni ddaw ei hunan,–yn dilyn
Mae'i deulu anniddan;
Y war grom mal gŵyr gryman,
A mil o gamau mân, mân.

Ellis Owen, Cefn y Meysydd

Henaint ni ddaw ei hunan, – daw ag och
Gydag ef a chwynfan;
Ac anhunedd maith weithian,
A huno maith yn y man.

Syr John Morris Jones

❖

Yn ôl y Dr. Enid Pierce Roberts fe drodd aml i sant yn feudwy er mwyn mynd yn nes at ei Dduw ond mae lle i gredu mai dianc rhag dylanwad y Saeson yr oedd rhai ohonynt. Yn ôl traddodiad yr oedd Beuno Sant, yn ei encilfan rhwng y Fenni a Henffordd, yn y chweched ganrif, wedi clywed gŵr yn galw ar ei gi yn Saesneg. Penderfynodd droi ei gefn ar "gleciadau ansoniarus" yr iaith honno a dilynodd y ffyrdd Rhufeinig i Eifionydd lle sefydlodd ei eglwys yng Nghlynnog Fawr yn Arfon.

❖

Yn ystod ein gwanwyn ni fe gynhelir y Feria del Libro, y Ffair Lyfrau, ym Muenos Aires. Fe werthir miliwn a hanner o lyfrau yno'n flynyddol a'r Archentwyr yn cymryd rhan yn un o'r ymarferiadau deallusol mwyaf gwefreiddiol ar wyneb y ddaear. Yn ogystal a'r stondinau mae yno ddeg neuadd orlawn ar gyfer darlithoedd. Y Feria yw pennaf hanfod diwylliant y wlad, diwylliant a aeddfedwyd gan draddodiad o addysg dda ac a gafodd ei hamlochredd, yn ôl Hugh O'Shaughnessy, "gan filoedd o ymfudwyr o Gymru, o'r Eidal, o Wlad Pwyl ac, i ryw raddau, o Loegr." Fe all gweisg yr Ariannin a'i gwleidyddion fod mor wamal a di-ddal â gweisg a gwleidyddion unrhyw wlad arall ond ni ddylid diystyru cariad dwfn a pharhaol yr Archentwyr at y gair printiedig.

❖

CAU TIR COMIN

Cau tre', cau lle y llan – cau mynydd
Cau mawnog y truan;
Cau coed gwŷdd, lle ceidw gwan
Ei ddiddig fuwchig fechan.

Cymru: Ionawr 1905

❖

SA' DRAW

Fe wyddir am y term 'sa'draw' am y ffon honno i ddal pen y tarw oddi wrth y tywyswr. Ond nid pawb a ŵyr am y 'garreg sa'draw' efallai. Fe ymddengys fod y garreg 'sa'draw' i'w gweld wrth fôn cilbostiau'r pyrth ar fferm. Yr oedd wyneb allanol pob carreg yn goleddu at ganol y porth ac yn taflu olwyn y drol i ganol y llwybr. Felly nid oedd modd i foth yr olwyn daro yn erbyn y cilbost.

Mae rhai yn dweud mai carreg i bwrpas cyffelyb yw'r 'maen tramgwydd' sydd i'w gweld gan amlaf ar gornel neu dalcen tŷ.

❖

Mewn pregeth dda mae dechrau da a diwedd da a'r rheini cyn agosed i'w gilydd ag sydd modd.

❖

Bu sylwebydd ar raglen Saesneg ar y radio yn canu clodydd Andre Previn. Onid oedd wedi gwneud yn dda, wedi dringo i ben ysgol llwyddiant ac wedi disgleirio gyda'r disgleirdeb disgleiriaf yn ei ddewis faes. A'r rhyfeddod mawr ydoedd nad oedd wedi meistroli'r iaith Saesneg nes iddo gyrraedd deuddeg oed!

Wel fe allwn gofio am rai o'r un oed yn ysgolion Cymru yn ddigon cnapiog eu Saesneg llafar hefyd. Ni rwystrodd hynny i lawer ohonynt fynd ymlaen i swyddi uchel ym myd y gyfraith, addysg, morwriaeth a meddygaeth. Rhaid gofyn weithiau a ydyw'r Saeson yn sylweddoli pa mor fawr yw eu braint yn cael byw drws nesa' i genedl mor alluog!

❖

SYR T. H. PARRY WILLIAMS

Ni ddaw ei ail na'i wreiddiolach,–i'n llen
Na llais angerddolach;
Y pura o bawb, Parri Bach,
A fu enaid addfwynach?

Huw Llewelyn Williams

YN Y JWG

Mae yna bethau diddorol i'w cael yng ngwaelod ambell jwg. Mae'n debyg fod un darn bach o bapur a daeth i'r golwg yn dyddio o'r dauddegau. Sôn y mae am Elisabeth Jones, gwraig i löwr o Bontarddulais, yn rhoi tystiolaeth gerbron y Branwr Faraday. Fe ddywedodd Mr. Charles Harman, K.C., ei fod ef a'r Barnwr dan gryn anfantais gan nad oedd yr un o'r ddau yn deall Cymraeg a gofynnodd i Elisabeth Jones wneud ei gorau yn Saesneg gan ei bod yn rhugl yn y ddwy iaith. Ond dal ati yn ei mamiaith wnaeth Elisabeth ac fe alwyd ar Dr. A. F. Topham, K.C. i gyfieithu rhai o'i ddatganiadau i Saesneg.

❖

FFORDD O EDRYCH AR BETHAU

Gwanwyn yw gwanwyn ond mae yna wahanol ffyrdd o edrych arno. Gwêl plentyn y gwanwyn ar ei orau pan fo at ei fferrau mewn pwll budr.

Adar o'r unlliw a hedant i'r unlle – uwchben car sydd newydd ei lanhau.

Mae yna dri math o bobl, pobl sy'n gwneud i bethau ddigwydd, pobl sy'n gwylio pethau'n digwydd a phobl sy'n gofyn beth ddigwyddodd.

Fe ofynnwyd i blant yr Ysgol Sul beth oedd Iesu Grist ac meddai un plentyn, "Duw mewn croen."

Dyma sylw nodweddiadol Wyddelig gan un o gefnogwyr tîm o Iwerddon i godi calon rhai o hogia' Cymru. "Fe gawsoch chi lwy bren, chawsom ni ddim byd."

Waeth beth ddywedwch chi wrth eich plant, yr un fath â chi wnân' nhw.

Peth mawr yw gwastraffu'r meddwl.

Dyfod mae gwybodaeth ond oedi mae doethineb.

❖

Na phalled eich geiriau caredig
Na'ch mwynder difalais a llon,
Na choller byth berlyn o'ch coron,
Diarcholl fyth fyddo eich bron;
Cartrefed eich gwên ar eich wyneb,
Boed ysgafn, pan ddelo, eich croes,
Gwarchoded angylion eich bywyd
Yn dyner hyd derfyn eich oes.

1924 John Pierce

❖

AR LAFAR

Mae Duw yn cael cefn addas i'r llwyth.

Mae Saddam wedi tynnu ei gyrn i mewn.

Diwylliant fydd ar ôl pan fyddwch wedi anghofio popeth arall.

❖

Cafodd Jack Evans, y miliwnydd, angladd unigryw ym Mhorthmadog ym 1991. Gwariwyd chwarter miliwn o bunnau ar yr achlysur gan ddod â cherddorion, galarwyr a gwahoddedigion yno o bob rhan o'r byd.

❖

Mae Cymdeithas yr Iaith Saesneg yn gorfod ymegnïo fwyfwy bob dydd. Enw swyddogol y gymdeithas yw Cymdeithas Iaith y Frenhines. Mae angen gweithio fel lladd nadroedd i amddiffyn yr iaith Saesneg gan fod cynifer o ddylanwadau anffafriol yn ei bygwth. Ond 'does fawr o neb yn cymryd y Gymdeithas o ddifri ac yn ôl Joan Worth, ysgrifennydd y Gymdeithas, "Rydym yn brefu fel ŵyn bach colledig mewn drycin." Ond mae polisi'r Gymdeithas yn ddiddorol:

"Amcanion y Gymdeithas yw addysgu'r cyhoedd i hyrwyddo, cynnal, deall a gwerthfawrogi'r iaith Saesneg, yn dafodieithol ac yn llenyddol, a'i chadw rhag unrhyw niwed i'w bodolaeth, ei heglurdeb a'i pherseinedd."

Tân dan groen y Gymdeithas yw gweld pethau fel *'less than five items'* yn lle *'fewer than five items'* mewn siopau, a chael fod cwmni anystyriol fel y London Transport yn methu gwahaniaethu rhwng *'owing to'* a *'due to'*. Annymunol hefyd yw i rywun ddweud *'the majority of the time'* yn lle *'most of the time.'*

❖

PRIOD-DDULLIAU

Fe ddywedir mai priod-ddulliau sy'n rhoi cnawd ar esgyrn pob iaith ond weithiau fe geir trafferthion o'u defnyddio ym myd busnes. Cafodd dynion busnes yn Lloegr gyngor i roi'r gorau i'w defnyddio gan fod rhai ohonynt yn achosi miliynau o bunnau o golled. Un o'r idiomau a feiwyd oedd *"bear with me"* gan na allai gwŷr y cyfandir benderfynu ai gwahoddiad i ymuno mewn defod o ddadwisgo ydoedd, ynteu rhybudd o bresenoldeb anifail gwyllt. Priod-ddulliau eraill oedd yn peri tramgwydd oedd *"it's a tall order"* a *"get a move on."*

❖

CYMHLETHDOD

Y diwrnod o'r blaen yr oedd yna ŵr bonheddig yn bwrw golwg ar ddylanwad y fam ar y plentyn. Nid oedd gorchmynion y fam bob amser er daioni, yn wir yr oedd rhai ohonynt fel petaent wedi eu llunio i'r pwrpas uniongyrchol o gymhlethu bywyd y creadur bach. Tybed a oes gennych chi brofiad o orchmynion cyffelyb, rhai ohonynt yn gorfforol amhosibl i'w cyflawni?

"Tyd yma a phaid â symud modfedd."

"Cau dy geg a bwyta dy ginio bob tamaid."

"O ddifri, edrycha ar y baw 'ma sy'n dy glustia' di."

"Os syrthi di oddi ar y wal 'na a thorri dy goes paid ti â rhedeg at dy fam."

"Os na ddoi di adra' mi gei fynd o'ma am byth."

"Paid ag ateb yn ôl, mi ofynna' i ti un waith eto."

❖

GWRAIG

Nid hon, â chusan oer, fradychodd Grist,
Nid hon a'i gwadodd Ef un bore trist;
Hon oedd, tra crynai rhai yn llwyd eu gwedd,
Yr olaf wrth y Groes, y gyntaf wrth y bedd.

Eaton Stannard Barrett (1786-1820)

Mae gwraig o'r enw Morgan Llywelyn wedi gwneud ffilm am Brian Boru, un o arwyr cynnar Iwerddon. Mae hi hefyd yn ysgrifennu llyfr am y Celtiaid ac ymosodiad Iwl Cesar ar eu tiriogaeth yn y blynyddoedd 55 a 56. Fe gred Morgan Llywelyn na chafodd y Celtiaid ddyledus glod dros y blynyddoedd gan fod utgyrn rhai cenhedloedd eraill mor fyddarol eu seiniau. Y Celtiaid oedd sylfaen gwareiddiad Ewrop meddai hi a hwy hefyd ddarganfu sebon a sut i farchogaeth ceffylau.

Nid grym sy'n llygru: ofn ei golli sy'n llygru.

Syniciaeth yw beth sydd gan y dyn dwl yn lle deallusrwydd.

❖

AMBELL FRAWDDEG

Myfyrdod yr hen yw ieuenctid.

Cyn gynted ag y byddwch wedi gwneud y gorau o bethau, mae nhw'n diflannu.

Plentyn yw'r un sy'n medru golchi'i ddwylo heb wlychu'r sebon.

Mae dringwyr yn rhaffu un wrth y llall rhag i'r callaf fynd adref.

❖

MÔN

Llanwyd hi gynt â llwyni–o Fenai
Hyd finiog Gaergybi;
Tre'r wylan, lleian y lli
A byd oer lle bu deri.

DRWS MENAI

Ewch rhagoch O bererinion,
I deyrnas yr hen, hen fyd;
Mae drws godidog Pont Menai
Yn arwain i ynys yr hud;
Lle bu dewiniaeth y derwydd
Yn pwyso ar lwyn a dôl,
Cyn diflannu yn niwl y gorffennol
Gan adael y lledrith ar ôl.

MACHLUD MÔN

Golau'r entrych yn gwelwi–rhos a gardd
Mewn rhwysg aur yn toddi;
Fel gwisg sidan amdani
Aeth nos dros ei noethni hi.

Edwin Stanley Jones

❖

Beth ellir ei ychwanegu at ddedwyddwch dyn sy'n iach, sydd heb ddyled a chanddo gydwybod tawel? *(Adam Smith)*

Mae yna rai sy'n hollol ddedwydd ac yn dda i ddim mewn cymdeithas. *(Charles Gow)*

❖

EU GEIRIAU OLAF

BYRON: "Dwi am gysgu 'rŵan."

STANLEY: "Pedwar o'r gloch. Rhyfedd. Dyna ydi'r amser. Rhyfedd. Dyna ddigon."

ROBERT BRUCE: "Duw a'ch cadwo, fy mhlant. Cefais frecwast hefo chi ond rwyf am swpera hefo'r Arglwydd Iesu Grist."

HARRI'R WYTHFED: "Mynachod! Mynachod! Mynachod!"

ELISABETH Y CYNTAF: "Fy holl eiddo am ennyd o amser."

MARIE ANTOINETTE: (wedi baglu dros draed ei dienyddiwr) "Maddeuwch i mi, wnes i ddim gwneud hyn'na o fwriad."

NAPOLEON: "Ffrainc! Y Fyddin! Pennaeth y Fyddin! Josephine!"

NELSON: "Diolch i Dduw. Fe wnes fy nyletswydd."

ANEURIN BEVAN: "Dwi eisiau byw gan fod gen i un neu ddau o bethau i'w gwneud."

ROBERT OWEN: "Daeth ymwared."

JOHN WESLEY: "Y peth gorau yw fod Duw gyda ni."

DYLAN THOMAS: "Dwi wedi cael deunaw wisgi, mae hyn'na'n record. Wedi 39 mlynedd dyna'r cwbl dwi wedi ei wneud."

LEONARDO DA VINCI: "Troseddais yn erbyn Duw a dyn gan na chyrhaeddodd fy ngwaith y safon y dylasai fod wedi ei gyrraedd."

TONY HANCOCK: "Dim i'w adael. Dim i'w anfon ymlaen. Neb i alaru ar fy ôl. Dyna'r ergyd chwerwaf oll."

BEETHOVEN: "Caf glywed yn y nefoedd."

KARL MARX: "Ewch allan, wir. Mae geiriau olaf i ffyliaid sy ddim wedi dweud digon yn barod."

❖

TONAU

Faint o donau ellwch chi eu cofio sydd ag iddynt enwau Almaeneg? Dyma i chi rai i gychwyn:

Antwerp (J. Cruger) a genir ar y geiriau "Cofia Arglwydd dy genhadon," gan Elfed.

Austria (Haydn): "Beth yw'r ddisglair wawr sy'n torri," gan Emrys.

Bavaria (Mendelssohn): "Paid â'n gadael annwyl Iesu," gan Penllyn.

Dusseldorf (Mendelssohn): "Disgyn Iôr a rhwyga'r nefoedd," gan William Griffiths.

Grafenburg (J. Cruger): "Iesu difyrrwch f'enaid drud," gan Pantycelyn.

Hamburg (J. Schop): "Gwawriodd blwyddyn newydd eto," gan Pennar.

Hanover (W. Croft): "O, Geidwad pechadur, bydd i mi yn rhan," gan Dewi Môn.

Heidelburg (Claude Gaudimel): "Caed modd i faddau beiau," gan Mary Owen.

Heimlein (M. Herbst): "Maddau Arglwydd ofnau'r fron," gan Elfed.

Holstein (Carol Almaenig): "Disgynned y sanctaidd dywalltiad," gan Edward Jones.

Mannheim (Hans Hassler): "O Arglwydd Dduw Jehofa," gan Dafydd William.

Weimar (Lowell Mason): "Dragwyddol Hollalluog Iôr," gan R .J. Derfel.

❖

ICHTHUS

Y pysgodyn oedd emblem yr eglwys fore, symbol o'r Crist ac fe'i defnyddid i osgoi'r erledigaeth a ddioddefai'r Cristnogion cynnar. Fe'i caed yn aml ar seliau, wrnau a cherrig bedd. Ichthus yw'r gair am bysgodyn yn iaith Groeg ac fe ffurfir y gair hwnnw gan briflythrennau Ius Christos, Theou Uios, Sôter sy'n golygu Iesu Grist, Mab Duw, Gwaredwr.

❖

A feddo gof a fydd gaeth
Cyfaredd cof yw hiraeth.

T. Gwynn Jones

❖

AR WAL Y FAENOL

Ar wal y Faenol, y plas ger y Fenai fe ysgrifennodd rhywun y geiriau ALL SHALL BE WELL. Mae'r geiriau i'w gweld hefyd yng nghofiant Mary O'Hara, y gantores Wyddelig a dreuliodd gyfnod mewn cwfaint ar ôl iddi golli ei gŵr.

Gwaith Julian o Norwich ydyw. Meudwyes oedd Julian yn byw o 1343 i 1443. Fe ysgrifennodd "Un ar Bymtheg o Ddatguddiadau y Cariad Dwyfol." Rhywbeth yn debyg i hyn yw'r frawddeg sy'n cynnwys yr hyn a welir ar wal y Faenol. "Fe fydd popeth yn iawn, fe fydd popeth yn iawn ac fe fydd pob sut a modd o bopeth yn iawn."

❖

Efallai mai ti yw'r unig efengyl y mae dy gymydog yn ei darllen.

❖

Cerddodd y ddau yn dawel
Ar hyd y llwybr llwyd,
Troes hi ddau lygad arno,
Agorodd yntau'r glwyd;
Ni chafodd air o ddiolch
Na chusan ar ei foch,
'Doedd o ond mab i ffermwr tlawd
A hithau ond buwch goch.

❖

Yn Chancery Lane yn Llundain yr oedd cartref yr arwerthwyr llyfrau Hodgeson's a'r drws nesaf iddynt yr oedd swyddfa Chenhalls, – gŵr a fu, cyn y rhyfel, yn ymorol am fuddiannau actorion ac awduron.

Yr oedd Chenhalls yr un ffunud â Winston Churchill ac fe aeth i Bortugal ar fusnes yn ystod y rhyfel. Tybiai'r Almaenwyr yn y wlad honno mai Churchill ydoedd ac ar y ffordd yn ôl i Brydain fe saethwyd yr awyren i'r môr gan ladd nifer o wŷr blaenllaw, – yn eu mysg yr oedd yr actor Leslie Howard. Yn ddiweddar fe gadarnhawyd y stori gan ferch Chenhalls a chan Ronald Howard, mab Leslie Howard.

❖

LLYNNOEDD ERYRI

Y llynnau gwyrddion llonydd,–a gysgant
Mewn gwasgod o fynydd
A thynn heulwen ysblennydd
Ar len y dŵr lun y dydd.
Gwilym Cowlyd

❖

Daw dydd o brysur bwyso
Ar grefydd cyn bo hir;
Ceir gweld pwy sydd â sylwedd,
A phwy sydd heb y gwir:
O! Dduw, rho im adnabod
Ar fysbryd ôl dy law,
Cans dyna'r nod a'r ddelw
Arddelir ddydd a ddaw.
Ioan ab Gwilym (?)

❖

AMBELL FRAWDDEG

Mae daioni un yn gryfach na drygioni mil.

"Nid yw pobl yn hoffi cael eu rheoli gan bobl sy ddim yn deall eu hiaith."

Nid oes pobl ryfelgar, dim ond arweinwyr rhyfelgar.

Ym mhob parti mae yna ddau fath o bobl, – y rhai sydd eisiau mynd adref a'r rhai sydd eisiau aros. Yn aml iawn maent yn briod â'i gilydd.

CATHERINE DAVIES

Ganwyd Catherine Davies ym Miwmares, Môn, ym 1773. Priododd ei thad ddwywaith, 'roedd yn dad i 33 o blant. Yn bymtheg oed aeth Catherine i weini i Lerpwl ac fe aeth i weld ei chwaer i Lundain. Gwahoddwyd hi i fynd i Baris i warchod geneth fach ond pan ddaeth y rhyfel fe aeth at Madam Murat, chwaer Napoleon, i edrych ar ôl ei phedwar phlentyn hi. Daeth Joachim Murat a'i briod yn Frenin a Brenhines Naples a daeth Catherine i adnabod Napoleon yn dda. Symudodd Catherine i Naples pan aeth Murat hefo'r ymerawdwr i Rwsia. Cyfarfu â Thywysoges Cymru yno ym 1814. Cyfarfu hefyd â llongwr ifanc o Gaerfyrddin a chael caniatâd i fynd ag ef o gwmpas y palas. Bu'n llygad dyst i'r rhyfel rhwng Naples a Lloegr a bu rhaid iddi ffoi i Trieste. Lladdwyd y brenin yn Calabria a chafodd Catherine lawer o anturiaethau cyn dod i Fiwmares i adfer ei hiechyd ym 1818. Yn yr hunangofiant a ysgrifennodd ym 1841 mae'n diolch yn arbennig i deulu'r Bulkeley, Baron Hill, am eu caredigrwydd.

A fo doeth efo a dau,
Annoeth ni reol enau.
Tudur Aled

❖

Y DIDDYCHWEL

Ym 1991 darganfuwyd corff yn yr eira i'r de o Innsbruck ar y terfyn rhwng Awstria a'r Eidal. Trwy gyfrwng radio-carbon fe gafwyd fod y brawd wedi bod yn hela yn y mynyddoedd ar ddiwedd Oes y Cerrig, bron bum mil o flynyddoedd yn ôl, a'i fod wedi bod yn gorwedd yn yr eira byth oddi ar hynny.

Yr oedd ganddo 14 o saethau, 30 modfedd o hyd, wedi eu naddu o bren collen. Wrth ei ochr yr oedd bwa o bren ywen. Yr oedd yn ffaith fod ganddo fwyell o gopr pur, yn lle bwyell garreg, yn profi nad rhywun-rhywun oedd hwn, ac fe wisgai sgert o ledr a blew anifail yn lle llodrau. Ar ei ysgwyddau gwisgai fantell o laswellt plethedig. Efallai ei fod yn un o hynafiaid y Celtaidd a ddaethant i rym yn y parthau hynny yn ddiweddarach.

Os felly, efallai iddo ddweud mewn iaith debyg i'r Gymraeg, "Mae hi'n oer festiffol i fyny 'ma, mi fuasa'n llawer rheitiach i mi fod adref wrth y tân."

Ond yr oedd yn rhy hwyr i'r creadur bach ac fe fu rhaid i'w deulu fynd heb ginio, – a heb dad.

YR HWYR

Y nos dywell yn distewi,–caddug
Yn cuddio Eryri;
Yr haul yng ngwely'r heli
A'r lloer yn ariannu'r lli.
Gwallter Mechain.

❖

GWAREIDDIAD

Ac i feddwl fod yna wareiddiad mor ddatblygiedig yn nyffryn yr Amazon wyth mil o flynyddoedd yn ôl, gwareiddiad i'w gymharu'n ffafriol â gwareiddiad dyffrynnoedd y Nîl, yr Iwffrates, y Teigris a'r Indws, yr ochr yma i Fôr yr Iwerydd.

'Roedd yno ddinasoedd o gryn faint yr adeg honno a phobl wedi trigo ynddynt ers canrifoedd, pobl gryf a thal o gorff. Sylfaenwyd eu gwareiddiad ar bysgod a physgod cregyn ond, fil a hanner o flynyddoedd cyn Crist, dechreuasant ddibynnu ar lysiau a gwreiddiau. Yr adeg honno fe fu cyflymu yn eu datblygiad a rhoddent lawer o sylw i gynhyrchu llestri lliwgar a hardd ynghyd â phibelli i ysmygu baco.

Bum canrif cyn geni Crist 'roedd yno gymdeithas eang a chymhleth gyda gweithfeydd dŵr a threfi mawrion ar fryniau o waith dyn. Yr oedd graen ar eu celfyddyd a'u gwareiddiad yn parhau i ddatblygu hyd at ddyfodiad y dyn gwyn. Yna daeth diwedd ar bopeth a chychwyn ar gyfnod maith o lofruddio ac ysbeilio. Petai'r dyn gwyn wedi gadael i bob llwyth a chenedl ddatblygu yn eu hamser eu hunain y mae'n fwy na thebyg y buasai'r hen fyd yma heddiw yn llawer mwy cytbwys ei gyflwr.

FEL Y DYWEDODD RHYWUN

Mae'r gwleidydd yn meddwl am yr etholiad nesaf a'r gwladweinydd yn meddwl am y genhedlaeth nesaf. *(J. F. Clarke)*

Mae'n rhaid i bysgodyn, i fod yn flasus, nofio dair gwaith, – mewn dŵr, mewn menyn ac mewn gwin. *(Dihareb o Wlad Pwyl)*

Mae dyn doeth yn debyg i bin, mae ei ben yn ei gadw rhag mynd yn rhy bell.

Ceisiwch yrru car fel y bydd eich trwydded yn gorffen cyn i chi ddarfod.

Y ffordd orau i ladd amser yw ei weithio i farwolaeth.

Nid yw plant yn cofio tŷ twt ond fe gofiant stori dda.

Cydymdeimlad yw dwy galon yn codi'r un baich.

Gall adnabod eich hun fel unigolyn fod yn hawdd ond yr hyn sy'n bwysig yw adnabod bod pobl eraill yn unigolion hefyd. *(Italo Calvino)*

Y sawl a dramwy'r nos a dramgwyddo. *(Richard Jones)*

Mae un peth yn dda hefo siopio Nadolig, mae o yn eich caledu chi ar gyfer y sêls ym mis Ionawr.

Fedra i ddim dioddef pobl anoddefgar.

Mae'r ysgrif yma yn llawn o bethau sydd wedi eu gadael allan.

MEWN GLÂN BRIODAS – O'R DIWEDD

Caiff Thomas Evans, tad hirddioddefus Bethan, bleser a gollyngdod mawr wrth gyhoeddi ei fod wedi ei dadlwytho ar Geraint, unig fab (diolch am hynny) Mr. a Mrs. Morris. Ni all y ddau deulu gredu eu bod wedi cael y fath lwc.

ANODD CREDU

Fe fuasai holl ddisgynyddion un pâr o bryfed, petaent i gyd yn byw tan ddiwedd yr haf, yn creu tomen ddigon mawr i orchuddio gwlad fel yr Almaen i ddyfnder o 47 troedfedd.

Ym Mhrifysgol Yale mae yna lythyr o'r Aifft, wedi ei ysgrifennu yn y nawfed ganrif mewn Arabeg. Mae rhan o'r llythyr yn dweud, "Rydym yn iach yma ac yn gobeithio eich bod chwithau yr un fath. Cofiwch 'sgwennu."

CWM ELERI

Mor brydferth yw dy berthi–i minnau
Gwm annwyl Eleri;
Caraf dy fwyn aceri,
A thrydar dy adar di.

Huw Huws

GEIRIAU COFIADWY

Cofiaf eistedd yn y gell honno ac ymdynghedu, – dim 'difaru, dim sentiment a dim hunandosturi. *(Terry Waite)*

Ni chaem ein dysgu am ein gwroniaid. Bu rhaid i ni ddysgu am wroniaid cenhedloedd eraill. Felly y mae cenedl yn marweiddio. *(Romani o Tsiecoslofacia)*

I'r mwyafrif o Rwsiaid cyffredin 'roedd bywyd yn well dan Mr. Bredzhnev. 'Roedd ganddynt sicrwydd gwaith, cyfraith a threfn a chyflenwad cyson o fwyd o ryw fath. I bobl felly nid yw manteision rhyddid yn amlwg. Fedrwch chi ddim bwyta rhyddid nac ymfalchïo mewn pornograffi." *(George Walden)*

GWYBODAETH

Mae gwybodaeth yn difetha fy nynion ifanc i. *(Adolf Hitler)*

Y cam cyntaf i wybodaeth yw gwybod ein bod yn anwybodus. *(David Cecil)*

Rhyfeddod yn hytrach nag amheuaeth yw gwraidd gwybodaeth. *(A. J. Heschel)*

Gwaith dyn yw gwybod er mwyn cael byw ac nid byw er mwyn cael gwybod. *(Frederic Harrison)*

Gwae ni rhag ffug wybodaeth, mae'n beryclach nag anwybodaeth. *(G. B. Shaw)*

Ceisiwch wybod popeth am rywbeth a rhywbeth am bopeth. *(Yr Arglwydd Brougham)*

Mae'n well gwybod dim na rhyw fras wybod am lawer o bethau. *(F. Nietzsche)*

Mae pobl yn gofyn beth yw cyfrinach ein priodas faith a dedwydd. Mae fy ngwraig a minnau yn gwneud yn siŵr ein bod yn mynd allan i ginio o leiaf ddwywaith yr wythnos. Ymlacio'n braf a bwyta pryd da o fwyd wrth olau cannwyll, miwsig melys a thro neu ddau ar lawr y ddawns. Hyfryd. Mae fy ngwraig yn mynd ar Nos Fawrth a finnau ar Nos Wener. *(Henry Youngman)*

KILSBY JONES

James Rhys Jones oedd ei enw iawn, yn fab i weinidog ac yn enedigol o Benlan, Llanymddyfri, ym 1813. Fe fu'n weinidog ar yr Annibynwyr yn Kilsby, pentref cwta filltir o Rugby. Mae'r capel yno o hyd, yng ngrombil stad newydd o dai ac yn ei gilan ei hun o anghydffurfiaeth. Diaddurn iawn yw'r tu mewn, y cyfan yn canolbwyntio'n ddilyffethair ar y pulpud mawr lle pregethai Kilsby am ddeng mlynedd yn ei holl rym diflewyn-ar-dafod ym mhedwar degau'r ganrif ddiwethaf. 'Roedd dros ei ddwylath gyda thalcen mawr, gwallt gwyn hir a barf laes. Cariai faglog esgob saith troedfedd o hyd. Taranai yn erbyn y genadwri tân a brwmstan a chyhoeddai efengyl cariad. Gwisgai felfed neu siaced saethu, câi fwynhad o'i beint a'i bibell a chynghorai bawb i ddysgu Saesneg. Fe aeth i'r rasus ceffylau i weithredu'r egwyddor o brofi popeth a dal ar yr hyn oedd dda. Daeth i'r penderfyniad nad oedd cynnal rasus ceffylau yn beth da ac nid aeth ar eu cyfyl byth wedyn. Heddiw mae gan weinidog Kilsby ddwy eglwys arall yn ei ofalaeth ac nid yw'n pregethu'n hwy na chwarter awr. "Oes y teledu yw hi," meddai. "Tydi pobl ddim yn darllen ac y mae eistedd a gwrando yn anodd iddynt."

Yn ei farn ei hun nid oedd Kilsby yn fugail delfrydol gan na allai gymryd at bob un o'i braidd. Yr oedd yn hollol ddidderbyn-wyneb ac ni hidiai yr un ffadan beni yn neb. Ond yr oedd yn ŵr y deuai chwerthin yn hawdd a naturiol iddo. Y tro nesaf y gwelwch ei gofiant trwchus mewn siop lyfrau ail law, prynwch o.

❖

YR HELWYR

Tra oeddynt allan yn hela fe aeth Wil a Harri ar goll. "Paid a phoeni," meddai Wil. "Y cwbl sydd raid i ni ei wneud yw saethu dair gwaith i'r awyr ac y mae rhywun yn siŵr o ddod i'n hachub."

Saethwyd i'r awyr dair gwaith ond ni ddaeth neb ar eu cyfyl. Toc dyma saethu wedyn ond yn ofer. Pan benderfynasant saethu wedyn fe ddywedodd Harri, "Mae'n well i rywun ddod y tro yma, dyma'r tair saeth dweutha."

❖

Iaith yw goleuni'r meddwl. *(John Stuart Mill)*

AMBELL FRAWDDEG

Mae dwy iaith yn rhoi dwy ffenest' ar y byd. *(Roger Roberts)*

Mae pobl Llundain yn byw mewn rhyw fyd bach eu hunain.

Y fantais fawr o beidio cael plant yw eich bod yn cael parhau i feddwl eich bod yn hen foi go lew. Unwaith y cewch chi blant fe ddowch i ddeall sut y gall rhyfeloedd ddechrau.

❖

YR ERYR

Bu llythyr mewn papur newydd yn trafod y gair Saesneg 'shingles' am yr aflwydd poenus hwnnw sydd yn perthyn i frech yr ieir. Daw'r gair o'r Lladin 'cingulus' am wregys neu rwymyn. Ac y mae'r aflwydd yn tueddu i gau amdanoch hefyd. Efallai bod y gair 'cinch' wedi dod ohono hefyd, drwy'r Sbaeneg i Fecsico. Os buoch yn darllen llyfrau cowbois 'rydych yn gyfarwydd â'r dywediad *"It's a cinch"* am rywbeth wedi ei glymu'n ddiogel. Gair arall sy'n tarddu o'r un lle yw 'cengl', gair Cymraeg am yr un peth, sef y darn lledr sy'n mynd dan fol ceffyl i ddal y cyfrwy yn ei le.

A beth am y gair Cymraeg am 'shingles', – yr eryr? Gair yn golygu gwrymiau ar y croen neu ar wyneb y tir fel ym mynyddoedd Eryri. 'Roedd yna wrymiau ar dir fferm o'r enw Bryn Eryr, ym Môn, hefyd, a phetai rhywun wedi meddwl yn iawn am ystyr yr enw fe fuasent wedi cael hyd i furiau'r gaer Rufeinig odditan y gwrymau yn gynt o lawer.

❖

PONT Y BORTH

Uchelgaer uwch y weilgi – gyrr y byd
        Ei gerbydau trosti;
    Chwithau holl longau y lli
    Ewch o dan ei chadwyni.

Dewi Wyn

GWELD YMHELL: "Mae natur yn glyfar. Filiynau o flynyddoedd yn ôl wyddai hi ddim y buaswn angen sbectol ond ylwch iie rhoddodd hi 'nghlustiau i."

CYNTUN

Fyddwch chi'n cael pwl o iselder neu ddioddef oddi wrth y tyndra weithau? Fyddwch chi'n poeni am bethau, yn teimlo'r byd i gyd yn pwyso arnoch ac yn methu'n lân â rhoi eich hun i gysgu? Ond beth petaech chi'n Brif Weinidog? A beth petaech yn Brif Weinidog ar adeg rhyfel? Dawn fawr Lloyd George oedd medru rhoi ei hun i gysgu ar amrantiad fel petai. Fe allai Churchill wneud hynny hefyd ac yr oedd ganddo eithaf cynllun, fe âi i'w wely, diffodd y golau, tynnu'r dillad dros ei ben a dweud, "Bygyr efribodi."

❖

Yma y gorwedd Hannah Jên
Hen ferch dafodrydd Hafod Hen,
Siaradodd ei holl flynyddoedd gwyn
Ond chollodd hi 'rioed mo'i gwynt cyn hyn.

❖

"Ylwch, dwi'n *household name* yn 'tŷ ni." (wrth y bar)

"Fuaswn i byth wedi coelio'r stori yna am Jên oni bai i mi ei chychwyn hi fy hun." (wrth drin gwallt)

❖

JAC BETI

Dymuniad Jac Beti, y porthmon o Langefni, oedd cael ei gladdu hefo'i fam, Beti. Gofalodd ei gyfeillion ei fod yn cael ei ddymuniad a dyma'r englyn a roddwyd ar ei fedd.

O'i hirnych aeth i'w siwrnai – heb ystwr,
Heb stoc na'r un ddimai,
Hyd arch y fam a barchai,
A dyna'i glod yn ei glai.

Rolant o Fôn

❖

Yr oedd y Parchedig Billy Graham yn dweud ei hanes yn mynd i bregethu mewn tref fechan. Yr oedd ganddo lythyr i'w bostio a holodd fachgen bach ble'r oedd swyddfa'r post. Dywedodd y bachgen wrtho ac meddai'r efengylwr, "Os doi di i'r capel heno fe ddyweda'i wrthyt sut i fynd i'r nefoedd."

"Dwi ddim yn meddwl y dof i," meddai'r bychan. " Tydach chi ddim yn gwybod y ffordd i'r post heb sôn am y nefoedd."

ASAFF

Y mae archeolegwyr yn Haddom ger Dumfries yn yr Alban wedi darganfod adeilad o gerrig sydd wedi suddo i'r ddaear. Mae yno dwnel yn arwain ohono i gell danddaearol. Bernir mai un o eglwysi hynaf yr Alban ydyw ac felly'n un o'r darganfyddiadau eglwysig hynaf yn y wlad ers tro byd.

Mae'r adeilad yn perthyn i'r bumed neu'r chweched ganrif ac yn debyg o fod wedi ei godi gan esgob o'r enw Mungo Sant, neu Gyndeyrn i fod yn gywir, mab i un o dywysogesau'r Brythoniaid. Ar ôl bod yn athro ar Gymry'r Gogledd yn Ystrad Clud a chael ei erlid oddi yno, fe fu Cyndeyrn yn cadw coleg ar lan Elwy a bu Asaff, ei olynydd, yn un o'i ddisgyblion. Arferai Cyndeyrn ymdrochi yn yr afon, haf a gaeaf, ac yno adroddai ddarnau o'r Ysgrythyrau wrth sychu ei hun. Un bore yr oedd yn rhynnu cymaint fel na allai yn ei fyw adrodd yr adnodau. Anfonwyd am Asaff i nôl marwor o'r gegin i gynhesu ei gorff ac i adfer ei iechyd.

I ffwrdd ag Asaff nerth ei draed gan anghofio'r cwbl am rywbeth i ddal y marwor poeth. 'Doedd dim i'w wneud ond eu cario yn ei gasog a'u pentyrru wrth draed Cyndeyrn. 'Doedd ei gasog ddim gwaeth. Rhyfeddodd Cyndeyrn at y wyrth ond rhoddodd Asaff y clod i sancteiddrwydd Cyndeyrn. Yn y flwyddyn 575 dychwelodd Cyndeyrn i Ystrad Clud lle bu'n llafurio weddill ei oes dan yr enw Kentigern. Dyma pryd, mae'n debyg, y cododd yr eglwys yn Haddom a dyma'r adeg y cofiodd yr erlid a ddioddefodd ac ymroi i ddihalogi'r lle. Yn yr wythfed ganrif yr oedd y llecyn yn fynachlog ar ugain erw o dir ac yn ddiweddar fe ddaethpwyd o hyd i bopty, odynnau sychu ceirch, cwt mwg, ysguboriau ac ystordai.

COFIO MISTRAS

Fe naddwyd y cwpled hwn ar garreg fedd gwraig fferm ac yna fe naddwyd yr ail gwpled odditano gan un o'r gweision:

Yma y gorwedd fel mewn cell,
Mewn gobaith gweled bywyd gwell.

Hwyrach mai gweled bywyd gwaeth
"Rôl llwgu dy was ar fara llaeth.

Ac fe ddyfynnwyd y pennill canlynol gan T. J. Davies yn ei lyfr *Pridd o'r Pridd*.

Wel, cleddwch yr hen sguthan
    Yn isel yn y baw
A rhoddwch arni'n helaeth
    O ffrwyth y gaib a'r rhaw;
A rhoddwch arni feini
    A'r rheini oll dan sêl
Rhag ofn i'r gnawes godi
    I boeni'r oes a ddêl.

STWFF

Mae 'stwff' yn air rhyfedd a defnyddiol iawn. 'Rwy'n gobeithio bod
yna stwff da ar y dudalen yma, mae'n braf cael dilledyn o stwff ddeil
at 'sennau dyn ac fe fydd yna stwff siomedig ar y teledu weithiau.
Fe ddywedir bod y gair yn dod o hen air Ffrangeg 'estoffer' yn golygu
dodrefnu neu baratoi. Ac fe ddywedir hefyd iddo ddod, cyn hynny,
o'r gair 'stupho' yn iaith Groeg, yn golygu "tynnu at ei gilydd".

Mewn un geiriadur Saesneg fe ddywedir bod y gair yn cael ei
ddefnyddio am y dilledyn a wisgid gan filwr dan ei arfwisg. Yna ym
1375 am gorff neu nifer o filwyr. Tua 1420 fe'i defnyddid ynglŷn â
choginio, yna offer rhyfel, deunydd codi tŷ, cyflenwad o geirch ac yn
ddiweddarach am ddefnydd dilledyn. Yr oedd Shakespeare yn ei
ddefnyddio am adnoddau cymeriad dyn, *"Ambition should be made
of sterner stuff."* Erbyn heddiw mae'r gair wedi dirywio ac fe fuasai
William Jones wedi gallu defnyddio'r gair 'stwffia' yn lle 'cadw' wrth
awgrymu i Leusa beth i wneud hefo'r chips.

Inffliwensa, uffern dân,
Bu'r cythra'l arna'i ddwywaith o'r bla'n,
Mae arna'i eto'r trydydd tro, –
Digon â gyrru'r diawl o'i go'.

Petaem yn gwybod sut i drin hawddfyd yn iawn ni fuasai adfyd yn
dod mor aml. *(E. G. Rees)*

"Ar ôl i ti gyrraedd pen yr ysgol tyrd i lawr ffon neu ddwy er mwyn i
ti gael lle i afael."

Y nawfed dydd o Dachwedd
Disgynnodd to ei annedd,
A dyna, fel mae pethau'n mynnu bod,
Paham mae Wil Huws isod.

Ymfalchïai gwraig, hyd at syrffed, fod un o'i hynafiaid wedi bod yn ymladd ar Faes Garmon. "Ar ba ochr?" gofynnodd rhywun. "Ar ochr mam," meddai hithau.

PIANO EISTEDDFOD POWYS 1959 – Llanfyllin

Poenus oedd gweled piano – a'i heglau
Ar beryglus osgo;
Nid rhy sownd ei arias o
A hen duniau o dano.

G. R. Tilsley

❖

MWNCI

Cofiaf fod yng nghanol aml sgwrs am ddrecs ceffyl, – penffyst, tordres, tindres, cefndres, cengal ac enwau diddorol eraill. Ond yn llefnyn teimlwn nad oedd un enw'n ffitio i urddas yr enwau eraill rhywsut a'r enw *mwnci* oedd hwnnw. Teimlwn fod yna rywbeth yn ddoniol Seisnig yn yr enw.

Y mwnci yw'r haearn deuddarn a osodir am goler ceffyl ac wrth y mwnci y bachir y cadwyni neu'r tresi i dynnu'r llwyth. Wrth ddarllen hanes y Celtiaid fe sylweddolais y gallai'r enw fod yn hŷn na'r un o'r lleill. O'r Gelteg y daw y gair Gwyddelig *muince* a'r hen air Cymraeg *minci* am goler. Ac o ymgynghori â Geiriadur y Brifysgol fe gefais gadarnhad nad oedd y mwnci gymaint o fwnci ag yr oeddwn i wedi meddwl ei fod o!

❖

BETH A DÂL?

Mae ynof ryw duedd i stwna mewn siopau llyfrau, siopau llyfrau aill-law fel arfer. Codais hunangofiant actores o'r enw Eva Bartok gan fwriadu ei roi yn ôl ar y silff heb ei brynu. Ond wrth edrych ar y cyflwyniad fe newidiais fy meddwl a dod ag ef adref. Nid wyf wedi darllen y llyfr "Worth Living For," eto ond dyma'r brawddegau a gododd yr awydd arnaf i'w darllen:

118

Beth a dâl cael radio, teledu a phapurau newydd os na welwn ystyr, ystyr dychrynllyd newyddion y byd?

Beth a dâl cyraeddiadau rhyfeddol gwyddoniaeth feddygol pan fo dinistr yn cael ei le dros wyneb y ddaear?

Beth a dâl pregethu heddwch yng nghynadleddau'r byd pan fo'r sinemâu yn llawn o luniau sydd yn ein dysgu fod rhyfel yn cynhyrchu arwyr, dynion nobl, a'r math o ddioddef sydd i fod i wneud i ni deimlo'n falch?

Beth a dâl y nifer cynyddol o ddyfeisiadau i gadw'n tai, ein dillad a'n cyrff yn lân, pan fo'r ochr anweledig ohonom ymhell o fod yn lân?

Beth a dâl gwylltio os ydym am ymostwng i'r drefn. Beth a dâl gweiddi "Tân" heb chwilio am ddŵr i'w ddiffodd?

Beth a dâl dweud a dweud nad yw pethau fel y dylent fod heb chwilio yn gyntaf am y pethau allasent fod yn well?

YR ARGLWYDD CLAUGHTON

Bu farw'r Arglwydd Claughton ym 1992. Ei enw llawn oedd David Thomas Gruffydd Evans. Cyfreithiwr ydoedd a ddaeth yn Llywydd y Rhyddfrydwyr yng Nghymru. Yr oedd ei daid yn enedigol o Langoed, Môn, ac yn un o'r adeiladwyr rheini a aethant o Fôn i godi tai, strydoedd, capeli ac adeiladau eraill yn Lerpwl a Phenbedw. Cododd Gapel y Presbyteriaid yn Laird Street, Penbedw, a chodwyd ef yn flaenor yno. Yr oedd yn gyfarwyddwr chwareli Dinmor ac yn Uchel Siryf Môn ym 1933. Fe ddaeth tad Gruffydd Evans yn flaenor yn yr un capel, John Cynlais Evans oedd ei enw ac fe briododd â Nellie Euronwy Evans o Langrannog. Yr oedd yr Arglwydd Claughton yn rhugl ei Gymraeg ac yn gefnogwr brwd i bopeth yn ymwneud â'r iaiith Gymraeg.

Cyndeyrn (Kentigern) neu, fel y cyfeirid ato'n annwyl, Mungo Sant, oedd nawddsant Glasgow, neu Glas-cu, Glas-gau y pant neu lecyn glas.

Mae yna stori am y Santes Thenew, mam Cyndeyrn, hefyd. Yr oedd yn ferch i Loth, brenin y Lothiaid ac fe wrthododd briodi gŵr o ddewis ei thad oherwydd ei daliadau crefyddol. Taflwyd Thenew dros y drws i ennill ei thamaid yn bugeilio moch. Fe'i herlidwyd ac fe'i treisiwyd gan y carmon gwrthodedig. Pan glywodd ei thad ei bod yn feichiog fe orchmynnodd ei llabyddio. Fe'i taflwyd o ben clogwyn ond trwy ryw wyrth fe arbedwyd ei bywyd.

'Roedd Loth yn gyndyn iawn i faddau iddi ond ni allai ei ddynion ei lladd. Rhoddwyd hi mewn cwch a'i gollwng ar drugaredd y tonnau. Daeth haid o bysgod i dywys y cwch i ddiogelwch yn Culross. Yno y ganwyd Cyndeyrn ac fe ymgeleddwyd y fam a'i phlentyn gan Serf Sant yn y fynachlog yno. Mae'n debyg mai Tannog neu Tennoch oedd enw cywir Thenew.

Ar arfbais Cyndeyrn fe geir aderyn, coeden, cloch a physgodyn.

> Dyma'r aderyn nad ehedodd,
> Dyma'r goeden na thyfodd,
> Dyma'r gloch na chanodd
> A dyma'r pysgodyn na nofiodd.

Mae'r aderyn yn coffáu robin goch, o eiddo Serf Sant, a laddwyd trwy ddamwain yn Culross gan y mynachod gan feio Cyndeyrn. Adferwyd bywyd yr aderyn gan Gyndeyrn.

Fe gofféir digwyddiad arall gan y goeden. Un noson, Cyndeyrn oedd i warchod y tân, cysgodd yntau a diffoddodd y tân. Fodd bynnag llwyddodd i ailgynnau'r tân â brigau rhewllyd y gollen.

Tybir i Gyndeyrn gael cloch gnul gan y Pab. Nid yw'r gloch wreiddiol ar gael heddiw ond gosodwyd cloch i gymryd ei lle ym 1641.

Daliwyd pysgodyn yn afon Clud gan Gyndeyrn. Cyhuddwyd Brenhines Cadzow o ddichell gan ei gŵr am ymadael â'i modrwy. Erfyniodd hithau am gymorth Cyndeyrn. Diberfeddoddd yntau'r pysgodyn a dyna lle'r oedd y fodrwy.

❖

MEDDYLIWCH AM Y PETH

Ni allaf dderbyn bod crefydd yn rhywbeth i gytuno arno rhwng oedolion o olwg pawb. *(Archesgob Caergaint)*

Nid yw'r cynghorion moesol a roddwn i bobl yn dod oddi wrthym ni, nid ni a'u dyfeisiodd. *(Cardinal Daly)*

Mae fforestydd yn dod o flaen gwareiddiad a diffeithwch yn ei ddilyn.

Ni ddylai neb, fel aelod o fudiad, wneud unrhyw beth nad yw'n barod i'w wneud fel unigolyn.

Brys yw gelyn pennaf moesgarwch.

❖

BLODAU'R GRUG

Tlws eu tw', liaws tawel gemau teg
Gwmwd haul ac awel;
Crog glychau'r creigle uchel,
Fflur y main, ffiolau'r mêl.

Eifion Wyn

❖

Mae'n ddigon hawdd i rywun, sydd wedi rhoi'r gorau i smocio,
chwythu ei gorn ond yr oedd geiriau un o benaethiaid Cwmni
Tybaco yn ddadlennol iawn, "Fyddwn ni ddim yn smocio'r sothach,
dim ond ei werthu i'r dynion duon, y tlawd, yr ifanc a'r stiwpid."

❖

YN WIRION BOST

Mae yna lawer ffordd i bwyso a mesur ynfydrwydd. Dywedodd Oscar
Wilde nad oedd un gwir bechod ond ynfydrwydd. Meddai Schiller,
"Yn erbyn ynfydrwydd mae'r duwiau eu hunain yn ymdrechu'n
ofer." Yr oedd gan Samuel Johnson ei farn wrth gwrs ac wrth sôn
am Thomas Sheridan, y dramodydd, fe ddywedodd fod hwnnw'n
"ddwl, yn annaturiol o ddwl." Mae'n rhaid ei fod wedi mynd i gryn
drafferth i gyrraedd y fath safon o ynfydrwydd gan nad yw
gormodedd felly o wiriondeb i'w gael yn nhrefn naturiol pethau.

Dywedodd rhywun arall, "Petai dy ymennydd di i gyd yn
ddeinameit fuasai gen ti ddim digon i chwythu dy het i ffwrdd". Fe
ddywedir mai'r Arabiaid yw'r arbenigwyr ar sarhad llafar. Dyma chi
un ddigon ciaidd o'u heiddo. "Petai dy wiriondeb di i gyd yn
ddoethineb a hwnnw'n cael ei rannu'n gyfartal rhwng saith chwilen,
buasai pob un ohonynt yn gallach nag Aristoteles." Erbyn meddwl
mae eisiau rhywun go gall i ddatrys hon'na!

❖

Crwydrai dau gariad ar hyd y traeth. Edrychodd o yn freuddwydiol
i'r gorwel pell ac meddai:

> "Chwi donnau mawrion dewch
> I ddymchwel wrth fy nhraed."

Edrychodd hithau ar y môr am eiliad neu ddau ac yna syllodd ym
myw ei lygaid.

"O John," meddai'n gariadus. "Maen nhw'n gwneud hefyd."

❖

A glywyd ar y bws, "Mae ceg honn'na'n ddigon mawr i ddwy set o ddannedd."

Y CYRNOL

Mae un goes ym Mengazi–a'i glust o
Yn Gloucester, medd Wili;
A diawl, ma'i drwyn o'n Delhi,
Ne' mae o'n iawn am wn i.

Telynfab

❖

PETHAU A DDYWEDWYD WRTH WEINIDOGION AR DDIWEDD OEDFA

Wn i ddim o le 'dych chi'n cael rhywbeth i lenwi'r amser bob Sul fel hyn.

Fe aeth yn dywyll yn gynnar heno.

Waeth gen i beth ma nhw'n ddweud, mi 'rydw i yn cael rhywbeth o'ch pregethu chi.

Anghofia i byth mo'r bregeth honno gan eich brawd.

'Taswn i'n gwybod eich bod am bregethu'n dda heno mi f'aswn wedi dod â fy ffrind hefo mi.

Mae yna lawer o bregethwyr yn mynd yn athrawon y dyddiau yma.

Ddylie ni ddim gofyn i chi bregethu mor aml.

Wyddech chi fod yna 136 cwrel o wydr yn ffenestri'r capel yma?

Mae'r ardd acw wedi mynd yn sych hefyd.

❖

MÔN

Goror deg ar war y don,–hafan gynt
A fu'n gaer i'w glewion;
Nawdd roddes i dderwyddon,
Mae eu llwch yn heddwch hon.

William Morris

Canys y mae yr ynys hon yn anghymarol fwy cynhyrchiol mewn grawn gwenith na holl ardaloedd Cymru; yn gymaint felly fel ag y mae'n arfer diarhebu'n gyffredin yn yr iaith Gymraeg, "Môn, Mam Cymru." Oherwydd pan fyddo'r holl ardaloedd eraill ymhobman yn methu, y mae'r wlad hon, ar ei phen ei hun, yn arfer cynnal Cymru i gyd â'i chnwd bras a thoreithiog o ŷd. *(Gerallt Gymro)*

Henffych well Fôn, dirion dir,
Hyfrydwch pob rhyw frodir.
Goludog, ac ail Eden
Dy sut, neu Baradwys hen:
Gwiwddestl y'th gynysgaeddwyd,
Hoffter Duw Nêr a dyn wyd,
Mirain wyd ymysg moroedd,
A'r dŵr yn gan tŵr it oedd.
Eistedd ar orsedd eursail
Yr wyd, ac ni welir ail;
Ac euraid wyt bob goror,
Arglwyddes a meistres môr.

Goronwy Owen

Hudoles aeres dyli–a dwyfraich
    Y dyfroedd amdani;
    A rhoddodd y môr iddi
    Ynau llaes o ewyn lli.

Thomas Nicholson

Mi awn i weld Môn unwaith eto. Nid am fod llawer o harddwch yn ei milltiroedd gwastad di-goed. Ond am fod rhyw henaint tawel yn ei herwau. *(Islwyn Ffowc Elis)*

Brynsiencyn mae'r brain sionca',
Bryngwran mae'r brain gora',
Bryn Du mae'r brain dua'.

Bydded i'r trigolion ymdebygu i'r wlad y trigant ynddi, gwlad sy'n edrych yn waeth nag ydyw, yn llwm i bob ymddangosiad ond, mewn gwirionedd, yn ffrwythlon. *(Thomas Fuller ym 1662)*

Pwy a rif dywod Llifon,
Pwy rydd i lawr wŷr mawr Môn.

Goronwy Owen

❖

'Roedd gwraig am gael darlun olew ohoni ei hun gan arlunydd. Gofynnodd i'r arlunydd ychwanegu breichledau, modrwyau, clustlysau a gemau gwerthfawr eraill yn y darlun.

Wedi iddo wneud hynny gofynnodd yr arlunydd beth oedd y rheswm dros gynnwys yr holl emau drudfawr.

Atebodd y wraig, "Rhag ofn i mi farw o flaen y gŵr. Mae o siŵr o ailbriodi. Fe gaiff y wraig newydd waith chwilio am y gemau."

❖

PERSONIAID

'Roedd y person yn gadael ei blwyf i ymgymryd â dyletswyddau caplan mewn carchar. Testun ei bregeth olaf i'w blwyfolion oedd, "Mi a af i baratoi lle i chi."

Yr oedd person y plwyf yn gweithio ar ei gwch newydd cyn mynd ar ei wyliau. Dechreuodd bistyllu bwrw glaw, aeth y person i nôl ei gôt law a daliodd ati i weithio.

Daeth un o'i blwyfolion heibio a gofynnodd yn gynllwyngar, "Ydach chi wedi clywed rhywbeth, Ficer?"

❖

AMLWCH

Cyfuniad yw'r enw Amlwch o'r gair bach *am* yn golygu o gwmpas, o bobtu, a gair arall mwy dieithr i ni, sef *llwch*, yn golygu pwll, llaid, cors. Lluosog hwn oedd *llychau* a dyna sy'n Talyllychau, yn Nyfed, lle mae olion abaty yn ymyl dau bwll neu lynnoedd bychain. Mae'r gair *llwch* yn digwydd droeon mewn enwau lleoedd yn y De. Mae'n brinnach o lawer yn y Gogledd.

Gwelais awgrym fod y *llwch* yn Amlwch yn cyfeirio at yr hafan lle mae harbwr Porth Amlwch. 'Rwy'n amau hynny. Gwell gen i yw cymryd ei fod yn cyfeirio at ddarn o dir corsiog, lleidiog, llawn pyllau. Yn ymyl y fan honno y codwyd eglwys ac y dechreuwyd codi tai. Mae'r enw'n digwydd mewn ysgrifau mor gynnar â 1254.

Bedwyr L. Jones

❖

Y tu ôl i bob dyn mawr mae dynes heb ddim i'w wisgo.

L.Grant Glickman

❖

Gweithiwyd yr englyn hwn wrth weld y Bardd Cocos wedi ei wisgo a rhubanau a chadwyn o gocos am ei wddf, a'i glywed yn baldorddi yn Eisteddfod Bangor ym 1874:

Rhoi'n gwisgoedd am ryw hen gasgen–heb bwynt,
Gwneud bardd o gornchwiglen;
Oferedd llwyr, fe rydd llên
Gic oesol i gocysen.

Trebor Mai

Gwelwyd dyn bychan eiddil yn wylo'n hidl yn y sw. O holi deallwyd
ei fod yn wylo am fod yr eliffant wedi marw." "Mae'n rhaid ei fod yn
meddwl y byd o'r hen eliffant." "Nac oedd, y fo sydd i fod i dorri bedd
iddo fo."

❖

Mewn arwerthiant cist car gwelwyd dau neu dri o Almanaciau
Robert Roberts Caergybi. Cofiwyd am y pentwr brith pwythedig a
grogai ger y pentan ers talwm. Wrth eu proffwydoliaethau y
penderfynid adegau aredig, plannu, hau a medi, trip yr ysgol Sul,
primin a chyfarfod pregethu. Magwyd llawer ohonom yn swn
rhagolygon odledig y tywydd. A gofiwch chi

IONAWR (1930)
Tywydd tymhestlog, rhewiau rhywiog
Golwg am eira y dyddiau yma
Felly pery i'r mis derfynu.

EBRILL
Teg a thyner am beth amser,
Gwynt a glaw yma a thraw
Yr haul yn gwenu a'r gog yn canu.

AWST
Mynych gawodydd bob yn eilddydd
Tywydd llariaidd yn gyfannedd,
Hin ddymunol, pawb a'i canmol.

MEDI
Hin awelog a chymylog,
Tywydd hyfryd bery ennyd,
Oeraidd agwedd tua'r diwedd.

HYDREF
Anwadalwch ddyddiau welwch,
Cawodydd oerion, tywydd dicllon
Gwell yw'r agwedd tua'r diwedd.

Diddorol yw edrych ar enwau lleoedd wrth fynd drwy'r Alban, rhai ohonynt yn dod o'r Gaeleg a rhai ohonynt yn adleisio'r cyfnod pan siaredid Cymraeg yn yr Hen Ogledd. Yn ôl y llyfryn a brynais mae'r enw Glasgow yn dod o'r dau air 'glas' a 'gau' (pant). Gellid cyfieithu Benbecula yn Bryn Bugail, Blantyre yn Blaen Tir, Culross yn Rhos Celyn, Dalkeith yn Dolgoed, Dumbarton yn Gaer y Brythoniaid, Mull yn Moelfre, Melrose yn Rhosfoel, Peebles yn Pebyll, Penicuik yn Pen y Gog a Perth yn union fel y mae o, Perth.

❖

WILLIAM TYNDALE

Bum can mlynedd yn ôl y ganwyd William Tyndale (1494-1536). Mae gŵr o'r enw S. Johnson, D.Sc., M.A. yn dweud mai yn rhywle yng Nghymru y ganwyd ef. Dwêd awdur arall mai yn Swydd Caerloyw y daeth yr athrylith penderfynol yma i olau dydd. Fodd bynnag fe aeth i Rydychen ac ymlaen i Gaergrawnt cyn cael ei ordeinio. O 1521 ymlaen deuai'r myfyrwyr at ei gilydd i dafarn y White Horse yng Nghaergrawnt i drafod a chefnogi gwrthwynebiad yr Almaenwr Martin Luther i ddaliadau'r Pab. I ddweud y gwir fe elwid y dafarn yn 'Germany' a'r myfyrwyr yn 'Germans'.

Yr oedd Tyndale yn benderfynol o ddod ag iaith y Beibl i afael a chrebwyll 'y bachgen yn gyrru'r wedd' yn Lloegr. Gwnaethpwyd ei fywyd yn annioddefol gan yr offeiriaid Catholig a bu rhaid iddo ffoi i Cologne i wneud ei waith a gorffennodd ei gyfieithiad Saesneg o'r Testament Newydd ym 1525, a'r Pum Llyfr ym 1530. Ym 1536, yn ddeugain oed, fe'i cymerwyd i'r ddalfa yn Antwerp, ei gyhuddo o fod yn heretig, ei lindagu a'i losgi ar stanc.

Fe ddwêd llawer o ysgolheigion nad oes modd gwella ar y cyfieithiad Saesneg a luniwyd gan Tyndale. Y mae hynny, ynghyd â'i ddewrder a'i benderfyniad annorchfygol, yn ei wneud yn ŵr go arbennig ac yn gwneud i ddyn obeithio bod S. Johnson, D.Sc., M.A. yn llygad ei le!

❖

YR HEN FRENIN COEL

Yn y flwyddyn 219 fe ddechreuodd Coel Hen, Brenin Prydain, godi dinas Caer Goel i'r gogledd o Lundain. Yn 242 ganwyd ei ferch Helen. Yn 290 daeth yn frenin ar Brydain oll, dan nawdd y Rhufeiniaid, ac yn 297 bu farw. Pan ddaeth y Saeson i'r fro newidiwyd enw Caer Goel yn Colchester ond cofir am yr hen frenin o hyd:

Old King Cole was a merry old soul,
And a merry old soul was he,
He called for his pipe
And he called for his bowl
And he called for his fiddlers three.

Fe briododd ei ferch Helen â Chonstantius a dod yn fam i Gwstenin Fawr yr Ymherawdr Cristnogol cyntaf. Rhoes ei henw i Sarn Helen a Choed Helen a hi ddaeth o hyd i ddarnau o'r groes ger Bryn Calfaria lle mae eglwys yn dwyn ei henw hyd heddiw.

❖

Gwrthod cariad yw gwrthod cyfrifoldeb. *(Saunders Lewis)*

❖

Yr oedd y cyfarwyddiadau'n dweud fod eisiau golchi'r dilledyn ar wahân i'r dillad eraill. Penderfynodd gwraig y tŷ aros nes câi ddilledyn arall i'w olchi ar wahân, a golchi'r ddau hefo'i gilydd.

❖

AR FUR EGLWYS

Pan gefaist dy eni fe ddaeth dy fam â thi yma. Pan briodaist fe ddaeth dy wraig â thi yma. Pan fyddi farw fe ddaw dy gyfeillion â thi yma. Pam na ddoi di yma dy hun weithiau?

❖

Penderfynodd rhyw ŵr fynd yn fynach. Yn y fynachlog 'roedd hawl i bawb ddweud dau air bob deng mlynedd.

Ymhen deng mlynedd galwodd yr abad y mynach i'w ystafell. "Wel", meddai, "Cei ddweud dau air heddiw."

"Bwyd oer," meddai'r mynach a mynd yn ôl at ei waith.

Aeth deng mlynedd heibio. Aeth y mynach at yr abad eto.

"Gwely caled," meddai.

Ymhen deng mlynedd arall galwyd ef i ystafell yr abad drachefn.

"Rwy'n ymddiswyddo," meddai.

Ac meddai'r abad, "Dwy'n synnu dim wir, dwyt ti wedi gwneud dim byd ond cwyno er pan ddoist ti yma."

❖

Cyn i'r stampiau godi i 19c fe brynodd un wraig gant ohonynt.

BEDDARGRAFF LLABWST

Dim un rheg, dim awr segur–ond ylwch
　Ces delyn yn gysur;
Dim car swel a dim cwrw sur,
　Y Nefoedd! lle annifyr.

Telynfab

❖

Yr oedd y pregethwr yn holi plant. Ei destun oedd y golomen a cheisiai gael y plant i ddweud beth a gynrychiolid gan y golomen.

"Mae'n addfwyn," meddai un plentyn.

"Mae'n heddychol," meddai'r ail.

"Mae'n bur," meddai nesaf.

Ond meddai'r olaf, "Mae'r g'nawes yn dwyn pys Dad."

❖

Yr oedd dyn yn peintio'r tu mewn i'w garej â phaent golau yn lle'r paent tywyll oedd yno cynt.

"Fe fydd lliw golau yn siŵr o wneud i'r lle edrych yn fwy," meddai ei gymydog.

"Gobeithio wir," meddai'r peintiwr. "Rydyn'ni wedi mynd yn brin iawn o le yma."

❖

DOLFFIN

Un o gampau Lewis Morris o Bentre-eiriannell oedd yr atlas a gyhoeddodd ym 1748 yn cynnwys mapiau o'i waith ei hun o'r prif fannau ar hyd glannau môr Cymru o'r Gogarth yn y gogledd i Aberdaugleddyf yn y De. Ymhlith y mapiau 'roedd un o Draeth Dulas.

Ar un copi o'r map o Ddulas, sydd heddiw ymhlith llawysgrifau Lewis Morris yn y Llyfrgell Brydeinig yn Llundain, mae Lewis wedi ychwanegu enwau'r ffermydd a'r tyddynnod fel yr oedd ef yn eu cofio pan oedd yn llanc yn yr ardal rywdro tua 1720, ddau gant a hanner a mwy o flynyddoedd yn ôl.

Un o'r enwau yw Prysdolffin ar y darn o dir rhwng y môr a'r hen ffordd o Draeth Dulas i Lugwy, y ffordd o ochrau Amlwch a Llan-eilian am Fiwmares yn yr hen oes. Yr adeg honno 'roedd tŷ Prysdolffin yn y fan hon.

Beth yw'r enw? Mae'r elfen 'prys' yn digwydd ar ddechrau lleoedd yn Gymraeg. Dyna blasty Prysaeddfed yn ymyl Bodedern, er eng-hraifft. Ystyr y gair yw 'coed, llwyn o goed'.

A Dolffin? Coeliwch neu beidio ond yr oedd Dolffin yn enw personol ar ddyn yng Nghymru yn yr Oesoedd Canol. Mae sôn am sawl gŵr o'r enw Dolffin yn yr hen ddogfennau. 'Roedd un, Dolffin ap Carwed, yn dal tir yn Llysdulas tua 1350. Mae'n eithaf posib mai enw'r gŵr hwn sy'n aros yn yr enw Prysdolffin.

'Roedd gŵr arall o'r enw Dolffin yng nghwmwd Llifon ac ar ei ôl ef yr enwyd Treddolffin yn ymyl Bryngwran.

Tref neu gartref rhywun o'r enw Dolffin oedd Treddolffin. Llwyn o goed yn eiddo i ryw Dolffin, Dolffin ap Carwed efallai, oedd Prysdolffin yn y dechrau, o bosib tua 600 mlynedd yn ôl.

Bedwyr Lewis Jones

Rhanna dy bethau gorau,
Rhanna a thi yn dlawd;
Rhanna dy wên a'th gariad,
Rhanna dy gydymdeimlad,
Rhanna dy nefoedd frawd;
Rhyw nefoedd wael yw eiddo dyn
Sy'n cadw'i nefoedd iddo'i hun.

POBOL DDIARTH

Un bore Dydd Gwener yng nghanol Chwefror fe gawsom bobol ddiarth, a rheini'n lliwgar, i fyny â phob tric ac yn bwyta fel petai bwyd yn mynd o'r ffasiwn. Ymwelwyr o'r Alban oeddynt, yn tueddu i ddod i'r cyffiniau yma bob gaeaf medda' nhw, er na welsant yn dda i ddod i edrych amdanom ni yma o'r blaen.

Pedwar aderyn bach gwyrdd oeddynt, dipyn llai na'r llinos werdd ac yn ddigon pwysig i gael tri enw, y pila gwyrdd, y ddreiniog neu delor yr eira. Onid oes cyfoeth o enwau Cymraeg ar adar? Yn ôl yr enw Lladin, *carduelis spinus*, dreiniog yr ysgall ydyw ac fe ddaw yr enw Saesneg *siskin* o'r gair *sisschen* yn y Slafoneg. Yr oedd y ddau bâr yma yn gefndryd a chyfnitherod i'r nico, yr asgell arian a'r llinos ac, fel y teulu i gyd, yn hynod o ddeniadol. Fel y byddai Elin Wilias. 'Refail Ucha', yn dweud ers talwm am fath arall o ymwelwyr, "Mae'r adar diarth yma wedi dŵad eto 'leni." Ond yr oeddem yn falch o weld y pedwar yma ac yn gobeithio'n fawr y byddent yn galw eto'n fuan.

JEFFERSON ETO

Yr ydym wedi sôn am Thomas Jefferson unwaith neu ddwy o'r blaen ac y mae'n fwy na thebyg y darllenwch ei enw yma eto gan fod gennyf ddiddordeb mawr yn nhrydydd Arlywydd yr Unol Daleithiau. Diddorol oedd cael hyd i ddarlith a draddodwyd gan yr Americanwr, Whitelaw Reid, yn Aberystwyth ym 1912. Yn ôl ei dystiolaeth ei hun yr oedd gwreiddiau Jefferson yng Ngwynedd ac yr oedd arfbais teulu ei fam i'w gweld yn aml a chlir yn ei gartref. Yn ei ddarlith fe awgryma fod Jefferson yn ffigwr pwysicach na Llewelyn a Glyndŵr ac fe ddyfynnaf ychydig bwyntiau o'r rhestr nobl sydd ganddo o gymwynasau Jefferson i'r byd.

Fel deddfwr ifanc fe wnaeth y fasnach gaethweision yn anghyfreithlon yn ei dalaith ac yn ei benwynni, wedi dringo ysgol mawredd ei genedl, wedi treulio deugain mlynedd mewn gwasanaeth cyhoeddus gan ymgodymu â chyfrifoldebau poenus, wedi newid y byd yn ddaearyddol a llywodraethol, fe roes ei flynyddoedd olaf i sefydlu prifysgol daleithiol.

Bu'n Llywodraethwr ei dalaith ddwywaith, bu unwaith yn Ysgrifennydd Gwladol i George Washington, unwaith yn Is-Arlywydd yr Unol Daleithiau ac unwaith yn Arlywydd. Gwnaeth gyfraniad mawr i amaethyddiaeth ei wlad, dyfeisiodd beiriant gwneud cotwm. Gwyddai Ladin, Groeg a deallai Ffrangeg, Eidaleg a Sbaeneg ac anelai at ddysgu'r ieithoedd Celtaidd.

Yr oedd yn bolymath o'r un mowld â Lewis Morris a gallai ddyddio clip ar yr Haul neu'r Lleuad, syrfeio stad o dir, atal gwaed mewn rhydwelïau, cynllunio adeilad, dofi ceffyl, dawnsio minuet a chwarae ffidil. I ddweud y gwir, am ddeuddeng mlynedd o'i fywyd, fe roddai deirawr bob dydd i chwarae'r ffidil.

Thomas Jefferson a ddyfeisiodd y system degol hefyd a'r tro nesaf y byddwch yn rhoi eich llaw yn eich poced neu yn eich pwrs i dalu am rywbeth, cofiwch amdano!

❖

TEYRN ADDOLIAD

HITLER

Hugh Walpole yn cyfarfod Hitler ym1925, ar ei ryddhau o'r carchar.

"Yr oedd dagrau'n powlio i lawr ei ruddiau. Teimlais ei fod yn hollol ddiaddysg ac yn llanc o'r degfed radd, pathetig i ddweud y gwir. Teimlais yn famol tuag ato."

Gwyddeles oedd Bridget Hitler, chwaer yng nghyfraith Adolf Hitler. Pan ddaeth Hitler i Lerpwl i edrych am ei frawd Alois ym 1912 meddai Bridget amdano, "Gwelais ei fod yn ddyn gwan a diasgwrn cefn."

Pan ddaeth Hitler i Loegr i edrych am ei nai ym 1912, meddai Willie amdano: "Gŵr heddychol yw fy ewythr. Tydi o ddim yn teimlo fod rhyfel yn werth y drafferth."

"Nid wyf erioed wedi cyflwyno araith ymfflamychol." *(Hitler ym 1933)*

"Crist oedd yr ymladdwr cyntaf yn y frwydr yn erbyn yr Iddewon. Fe fyddaf i yn gorffen y gwaith a gychwynnwyd gan Iesu Grist." *(Hitler)*

'Rydym yn ennill parch rhyngwladol. *(Hitler ym1934)*

MUSSOLINI

Ym 1925 ymddangosodd y geiriau hyn yn y *Sunday Dispatch*, "Nid mewn unrhyw wlad y croesewir dihangfa Mussolini o law yr asasin yn fwy nag ym Mhrydain. Nid mewn unrhyw wlad, sef ei wlad ei hun, lle mae gan yr arweinydd Eidalaidd fwy o edmygwyr nag ym Mhrydain."

IDI AMIN

"Y Cadfridog Amin, gŵr corffol a llednais o dylwyth y Madi, mae'n esiampl perffaith o hunanddisgyblaeth, dymunaf bob lwc iddo." *(Daily Telegraph)*

"Cymeriad hyfryd tu hwnt. Gŵr bonheddig bob modfedd ohono. Mewn trafodaeth mae mor addfwyn ag oen." *(Daily Mirror)*

"Heb amheuaeth gŵr dyngarol, gonest, ymroddgar a gweithgar." *(Financial Times)*

"Teimlwn na all Uganda fforddio haelioni twymgalon y Cadfridog Amin." *(Times)*

Erbyn diwedd 1972 yr oedd Idi Amin wedi llofruddio rhwng 80,000 a 90,000 o'i gydwladwyr ond yr oedd y *Times* yn deyrngar iddo hyd yn oed ym 1973 gan ddatgan "Mae pobl Uganda yn gefnogol iawn i Idi Amin ac yn teimlo y daw ag annibyniaeth lwyr iddynt. Fe'i hedmygir gan bawb yn Affrica . . . nid yn unig mae ei lwc yn parhau ond mae'n bosibl y bydd y gwerinwr anllythrennog hwn yn ysgrifennu pennod newydd yn hanes Dwyrain Affrica."

Ym mis Ebrill 1979 fe ddywedodd Amin. "Fel Gorchfygwr yr Ymherodraeth Brydeinig yr wyf yn barod i farw i amddiffyn fy mamwlad, Uganda". Gyda hynny fe'i heglodd hi i Libya.

Trueni na fuasai rhywun wedi gwrando ar Walter Cootes, Rhaglaw olaf Uganda, a anfonodd neges o Lundain ym 1962 i ddweud, "Yr wyf yn eich rhybuddio y gallasai'r swyddog yma roi trafferth i chi yn y dyfodol."

A phawb yn gall ac yn ffôl
A ddygymydd â'i ga'mol.

MEDDYLIWCH AM Y PETH

Mae gwraig yn newid llawer ar ôl priodi – ar arferion ei gŵr fel rheol.

Nid oes neb rhy hen i deimlo'n ieuanc.

Damwain yw cael eich geni'n ŵr bonheddig ond mae marw'n ŵr bonheddig yn gamp.

Mae llawer math o wiriondeb ond dim ond un math o ddoethineb.

Cydwybod yw'r llais sydd yn dweud wrthych fod rhywun yn siŵr o gael gwybod.

Dywedodd gŵr go ddiflas wrth Oscar Wilde, "Fe es i heibio'ch tŷ chi neithiwr."
    "Diolch yn fawr," meddai Oscar Wilde.

Hen benillion a glywyd ar aelwyd Y Mynydd, Llanbedrgoch, Môn, ganrif yn ôl:

Cod o dy wely ar feddwl cael byw,
Rho ddŵr ar dy wyneb, mi altri dy liw;
Dywed dy bader cyn cael tamiad o fwyd
Rhag ofn i'r hen ddiafol dy ddal yn ei rwyd.

———

Modryb Cadi Rondol
Yn berwi uwd bob nos
Ac hefo piser budur
Yn cario dŵr o'r ffos.

———

Huwcyn a Sioncyn a dau geffyl dall
Yn cario blawd afiach i hwn ac i'r llall,
Cario'r blawd gora i dŷ Mrs. Green
A gadael Miss Morgan yn sobor o flin.

MEDDYLIWCH AM Y PETH

Ni fydd pobl byth mor barod i'ch coelio na phan fyddwch yn eich
difrïo eich hun, ac ni fyddwch chwithau byth mor siomedig na phan
fyddant yn eich coelio.

Wrth i chi roi caws mewn trap mae'n talu gadael lle i'r llygoden.

Gwyn fyd y rhai all anghofio rhoi a'r rhai sy'n cofio derbyn.

Crëir dawn mewn unigrwydd a chymeriad ym merw'r byd.

Hanfodion dedwyddwch yw rhywbeth i'w wneud, rhywun i'w garu a
rhywbeth i obeithio amdano.

Ffrwd fechan yn y meddwl yw pryder. Os caiff le fe dry'n ffos ddofn
i'r hon y treigla'r meddyliau eraill i gyd.

AMSER GWELL

Daw gwynnach byd y gwanwyn–a daw haf,
    Wedi hin anhyfwyn,
    I roi lifrai ar lafrwyn,
A bonet aur ar ben twyn.

Isnant

NODYN A ADAWYD I DDYN LLEFRITH YM MANGOR

Mae'n ddrwg gan Mr. a Mrs. Williams o'r cyfeiriad hwn eich hysbysu
na fydd arnynt angen llefrith heddiw. A fuasech garediced â
sicrhau'r gwartheg nad yw'r penderfyniad yma yn adlewyrchu mewn
unrhyw ddull na modd ar ansawdd eu cynnyrch.

DIPLOMATIG

Haldiodd horwth o ddyn mawr at gownter siop ffrwythau.

"Dyro hanner rwdan i mi," meddai.

"Dim ond rwdan gyfa' 'da ni'n werthu," meddai'r bachgen.

"Dwi ddim eisio rwdan gyfa," meddai'r mawr. "Hanner rwdan dwi isio, wyt ti am werthu hanner rwdan i mi?"

"Arhoswch am funud," meddai'r bachgen. "Mi af i ofyn i'r bos."

Aeth y gwas i'r cefn at y perchennog ac meddai, "Mae'na labwst mawr yn y siop eisio i mi werthu hanner rwdan iddo fo, 'well i mi ddweud wrth y crymffast gwirion am fynd i ganu?"

Yna sylwodd y bachgen fod y perchennog yn syllu dros ei ysgwydd ar rywun y tu ôl iddo. O droi gwelood y gwas fod y cwsmer mawr wedi ei ddilyn ac yn gwrando ar bob gair. Trodd yn ôl at y perchennog ac meddai,

"Ac mae'r gŵr bonheddig yma eisio'r hanner arall."

CYMRU

Wrth glywed sôn am Gymru fach
  'Rwy'n sicrach, sicrach beunydd
Nad oes man arall is y rhod
  I Gymro fod yn ddedwydd.

Pan af ymhell o wlad y gân
  A theithio mewn anialwch,
Hiraethu 'rwyf am fynd yn ôl
  I deimlo ei thynerwch.

Os Duw a'i myn fe ddaw y dydd
  Caf weld ei bröydd gwylltion
A theimlo gwres ei chroeso pur
  Rydd gysur yn fy nghalon.

Elwyn Williams, Surrey

Gwelwyd ar ffenestr siop, "Rydym yn siarad Cymraeg a Saesneg ac yn deall arian."

Hysbysodd gwerthwr ceir yn Connecticut fod ganddo gar modur ar werth am '1,395 bananas' yn golygu 1,395 o ddoleri.

Daeth gwraig ato a chynnig ernes o 25 banana a phan wrthododd

134

y gwerthwr ei chynnig aeth ag ef o flaen ei well gan ei gyhuddo o gamhysbysebu. Enillodd y wraig ei hachos. Rhoddodd weddill y bananas, sef 1370, i'r gwerthwr ac i ffwrdd â hi adref yn y car.

Menter yn dwyn ffrwyth neu ffrwyth yn dwyn Metro?

Y CYMRY

Mae'r Cymry yn hollol wahanol yn eu cenedl, eu hiaith, eu cyfreithiau, eu harferion a'u traddodiadau.*(Esgob Tyddewi mewn llythyr i'r Pab yn y ddeuddegfed ganrif)*

Eu Nêr a folant
Eu hiaith a gadwant,
Eu tir a gollant,
Ond gwyllt Walia.

Hen Odl o Lyfr Taliesin.

Arwydd godidocaf ein darostyngiad. *(Thomas Pennant am Gastell Caernarfon)*

Cymru fach i mi
  Bro y llus a'r llynnoedd,
Corlan y mynyddoedd,
  Hawdd ei charu hi.

Cymru fach i mi–
  Cartre crwth a thelyn,
Cysegr salm ac emyn,
  Porth y Nef yw hi.   *Eifion Wyn*

Yr oedd D. W. Griffith o dras Cymreig ac y mae'r Cymry o waedoliaeth neilltuol – yn farddonol, yn anrhagweladwy, yn bellennig ac yn ffyrnig o annibynnol. *(Anita Loos yn sôn am y cyfarwyddwr ffilmiau, D. W. Griffith)*

Duw faddeuo i mi. *(ar fedd Robert Crawshay ym Merthyr Tudful)*

I Gymro peth i bwyso arni am sgwrs yw ffens, i Sais mae'n rhoi preifatrwydd. *(Trevor Fishlock 1976)*

Cymry yw'r Gwyddelod na allent nofio.

Yr oedd milwyr Lloegr wedi arfer byw ar fara ac ni allent wneud hebddo yng Nghymru, lle nad oedd ar eu cyfer ond y cig neu fwyd llefrith a fwyteid gan drigolion ffyrnig y wlad honno. *(Thomas Wykes ym 1265)*

❖

Gwyliai merch fach ei brawd yn dringo i ben coeden uchel. Wrth iddo ddiflannu o'i golwg gwaeddodd, "Tyrd i lawr, Gareth, rhag ofn i ti fethu."

❖

CHWARAE HEFO GEIRIAU

Tydw i ddim yn beio unigolion, dwi'n rhoi'r bai arna' i fy hun. *(Joe Royle)*

Mae Nottinghan Forest yn gwneud yn wael, ma'nhw wedi colli chwe gêm rŵan heb ennill. *(David Coleman)*

Ei gryfder o ydi fy ngwendid i a'm gwendid i yw ei gryfder o. *(John Bond)*

Gêm o sgil ydi pêl-droed, mi gicio ni dipyn arnyn' nhw ac mi gicio nhw dipyn arna'ni. *(Graham Roberts)*

Dyma Brian Flynn, ei daldra swyddogol ydi pum troedfedd a phum modfedd ac yn wir tydi o ddim yn edrych fawr fwy na hynny chwaith. *(Alan Green)*

CYFWELYDD: Yn eich llyfr newydd 'dach chi wedi rhoi pennod gyfan i Jimmy Greaves.
PAT JENNINGS: Wel, do wir ond dyna fo, be fedrwch chi ddeud am Jimmy 'te?

DICKIE DAVIES: Be' mae o'n mynd i ddweud wrth ei dîm ar hanner amser, Dennis?
DENNIS LAW: Mae o'n bownd o ddweud fod yna 45 munud i fynd.

Wel, a sôn am Ian Rush, mae o'n berffaith ffit, hynny ydi, ar wahân i'w iechyd felly. *(Mike England)*

Tydw i ddim am wneud targed o'r peth ond mae o'n rhywbeth i anelu ato. *(Steve Coppell)*

Y gôls wnaeth y gwahaniaeth i'r gêm yma. *(John Motson)*

Mi fyddwn ni'n rhoi morthwyl yn arch Luton. *(Ray Wilkins)*

Mi ddwedais i ym mis Awst y buasai Celtic yn mynd i'r ffeinal. Ar y noson cyn y ffeinal rydw' i'n dal at be' ddeudais i. *(J. Sanderson)*

❖

Bu farw ymherawdwr o Rufain
Yn XXXIX,
'Roedd yn erbyn pob sant
Ac anfonodd D
I'r gogoniant cyn cyrraedd ei XX.

❖

MEDDYLIWCH AM Y PETH

Nid yw brolio yn creu hapusrwydd. Ar y llaw arall, nid â neb, a ddaliodd bysgodyn mawr, adref trwy'r lôn gefn.

Nid yw'r atebion i gyd gan y gwleidyddion, nes daw'n amser iddynt ysgrifennu hunangofiant.

Ni fydd neb yn eich amau pan ddywedwch fod 300,000 o filiynau o sêr yn y bydysawd. Ond pe dywedech fod y drws newydd gael ei beintio fe fuasai'n rhaid i rywun roi ei fys arno cyn eich coelio.

Mae dwy iaith dda, o'u cymysgu, yn gwneud un iaith wael.

❖

Byddai Mrs. Ann Elin Parry, Moelfre, Ynys Môn, yn adrodd y pennill hwn yn aml cyn iddi farw yn 95 mlwydd oed:

> Ti Fynydd Bodafon anwylaf
> Wyt angel gwarcheidiol y lle,
> Fe dreuliais flynyddoedd fy mebyd
> Yn ddifyr dan adain y ne';
> Er cael fy chwyrn daflu gan donnau
> Y byd, O Dduw, gwrando fy nghri,
> Rho fedd yn y diwedd i orffwys
> Wrth droed yr hen fynydd, i mi.
>
> *Hugh Hughes*

❖

Arferai gwraig mewn oed groesi'r ffin i wlad arall bob dydd ar ei moto-beic gyda sachaid o dywod ar y tu ôl. Yr oedd swyddog y tollau yn ddrwgdybus iawn a gofynnodd iddi, "Beth sydd gen ti yn y sach yna?"

"Dim ond tywod, Syr."

Gwagiodd y swyddog y sach a chanfod nad oedd ynddi ond tywod. Felly y bu pethau am fis neu fwy ac un bore dywedodd y swyddog wrth yr hen wraig, "Wna i ddim dy gymryd i fyny na dweud dim wrth yr heddlu ond dwêd i mi, a wyt ti'n smyglo?

"Ydw," oedd yr ateb.

"Beth wyt ti'n smyglo, felly?"

"Moto-beics."

❖

Gofynnodd plentyn i ymwelydd "Fedrwch chi ddod yn ôl yr wythnos nesa', mae mam ar y ffôn?"

❖

KING KONG

Tyrrai pobl i weld 'King Kong', Mike Towell, yn ei wisg gorila. Bu sioe Mike yn atyniad mawr mewn llawer o bentrefi ond trawodd ddeuddeg yn Huddersfield pan blygodd farrau ei gell a llamu i'r dorf. Dychrynodd un o'r gynulleidfa gymaint nes gafael mewn sbaner a tharo Mike ar ochr ei ben a rhedeg o'r babell mewn braw. Cludwyd Mike i'r ysbyty i gael chwech o bwythau a rhywbeth at y cur yn ei ben. Monkey wrench?

❖

HOLI AC ATEB

D.Litt ond yn dal ati,–dôi heibio
Yn ddoctor dwbl harti;
Oes perygl Thomas Parry
Y dôi i daith yn D.D.?
Derwyn Jones

Nid prifysgol trwy arholi–a rydd
Y radd honno imi;
I ddyn a wna ddaioni
Rhodd Duw Dad yw gradd D.D.
Thomas Parry

❖

TRI PHETH

Gwyn ei fyd y dyn sy'n rhy brysur i bryderu yn ystod y dydd ac yn rhy gysglyd i boeni yn ystod y nos.

Mae dyn mawr yn gwneud i ddynion eraill deimlo'n fawr.

Nid yw cant o gyfeillion yn ormod ond mae un gelyn yn ormod.

O'R GYMRAEG

Ychydig o eiriau Cymraeg a ddefnyddir yn Saesneg ond yr oedd y
gair *diodail* yn cael ei ddefnyddio yng nghanolbarth Lloegr am gwrw
cartref, yn ôl H. E. Bates. Fe fuasech yn meddwl mai gair felly oedd
'flummery' yn dod o'r gair Cymraeg 'llymru'. Ond wrth ddarllen llyfr
am arferion cefn gwlad Norfolk *I Walked By Night*, wedi ei olygu gan
Lilias, merch Rider Haggard, fe welir mai eu gair hwy am geirch wedi
ei ferwi hefo sinemon a siwgwr oedd *frummety* yn dod o'r gair Lladin
'frumentum' am geirch. A ddaeth y gair llymru o'r gair Lladin hefyd
tybed?

❖

BEDDARGRAFF GWLEIDYDD

Ddarllenydd tro dy lygaid lleithion
I weld y wers sydd yma'r awron,
Ni fuasai'r bedd a gudd fy meiau
Yn dal prin chwarter fy areithiau.

❖

GWELEDIGAETH

'Roedd cyfeillion Aled yn methu'n lân â deall sut yr oedd yn cael
cystal hwyl ar gael y peli golff i mewn i'r tyllau yn enwedig gan ei fod
yn gwisgo sbectol dwydrem (*bifocal*).
    Un bore braf dyma ofyn iddo beth oedd y gyfrinach.
    "Wel," meddai Aled, "Fel hyn mae hi. Ydach chi wedi sylwi fel y
bydda' i yn rhoi rhyw dro ar fy sbectol cyn taro'r bêl? Wel, mi fydda'
i yn codi gwydr un ochr a gostwng y llall nes bydda' i yn gweld dwy
bêl, un fawr ac un fach, a dau dwll, un mawr ac un bach. Mae hi'n
hawdd wedyn, mi fydda' i'n taro'r bel fach i'r twll mawr."

❖

CYFARWYDDYD Y PARCHEDIG LLEWELYN C. LLOYD
I'R PARCHEDIG T. H. SMITH AR EI DDYFODIAD I FÔN

'Rydw i am siarad yn blaen hefo chi. Rydych chi wedi dod i le
rhyfedd wrth ddod i Sir Fôn ac at bobl ryfedd, pobl wahanol i bobl
pob man arall yn y wlad. Mi fydd un o ddau beth yn digwydd; un ai
mi fyddwch chi'n teimlo'n gartrefol yma ymhen mis, neu fyddwch
chi byth yn hapus; un ai mi fydd y bobl yn eich hoffi chi ar unwaith
ac mi fyddwch chi yn eu hoffi nhw, neu chymera' nhw byth atoch

chi a ddeallwch chi byth mohonyn' nhwtha'. Un ai mi ddowch i deimlo ar unwaith eich bod chi'n perthyn i'r Sir neu mi fyddwch yn teimlo'n ddyn diarth yma am byth. Cofiwch chi, hen bobl iawn ydyn'nhw ond mae ganddyn'nhw ffyrdd rhyfedd; ma'nhw'n ffeind iawn ond dydy'nhw ddim yn hawdd eu deall. Mi rydw i'n gobeithio y byddwch chi mor hapus ag yr ydw i wedi bod yma, rydw i'n teimlo ers talwm fy mod i'n un ohonyn'nhw. Mi fentra' i broffwydo hyn – un ai y byddwch chi'n hel eich pac i fynd oddi yma o hyn i ben blwyddyn, neu mi fyddwch yn diweddu eich oes yma fel yr ydw' i yn gobeithio cael gwneud.

❖

DEINTYDD BEIBLAIDD

'Roedd deintydd wedi agor busnes a bu mewn dipyn o benbleth pan fynegodd ei fam ei bwriad o frodio adnod a'i gosod mewn ffrâm yn yr ystafell ddisgwyl. Mynnai ei fam y buasai'n hoffi adnod 10 yn Salm 81, "Lled dy safn a mi a'i llanwaf."

❖

Rhyw yrru ar i waered–mae nyddiau
Mae'n weddus ystyried;
Yr wyf innau ar fyned, fel hen gi;
Rhy hen i gorddi, rhy wan i gerdded.

Gwilym Deudraeth

❖

CUSAN

Ac yna er mwyn gwneud argraff
Gofynnais a gawn i gusan
Ac i'r wasg a ni ac yn wir i chi
Argraffasom gyfres gyfan.

❖

BARNWR A GWLEIDYDD

Yn hogyn ysgol y cofiaf fynd hefo mam i Goleg Bangor hefyd i wrando ar y Barnwr Edmund Birkett yn darlithio, a dotio at ei Saesneg coeth, a oedd, fel Saesneg Churchill, heb yr un gair dros hanner modfedd o hyd. Safai ar ganol y llwyfan heb ddarn o bapur ar ei gyfyl a'r gynulleidfa fel finnau, ar gledr ei law. Mae'n debyg mai yno y plannwyd fy edmygedd o ddarlithydd da.

Erbyn hyn 'rwyf wedi darllen cofiant Edmund Birkett ddwy waith os nad tair ac yn sgil hynny wedi dod i fwynhau rhagor o lyfrau'r awdur Montgomery Hyde. Llyfrau am gyfreithwyr ydynt gan amlaf a'r diwethaf i mi ei ddarllen yw cofiant Rufus Isaacs, gŵr a ddaeth yn y man yn Ardalydd Reading.

Yn y llyfr hwnnw fe geir ambell stori am un o gyfeillion pennaf Isaacs, cyn iddynt ymbellhau, sef David Lloyd George.

Gwrandawai Lloyd George am oriau bwy gilydd ar ddisgrifiadau Rufus Isaac o'i achosion llys, a'u gwerthfawrogi'n fawr. Ond yr oedd yna wahaniaeth mawr rhwng y ddau ŵr. Pan fyddai Lloyd George yn dechrau sôn am bregethwyr Cymru, ni allai Isaac yn ei fyw ddeall pam yr oedd ganddo gymaint o ddiddordeb ynddynt. I Isaacs yr oedd pethau felly yn hollol chwerthinllyd. Rhyfeddol oedd clywed Lloyd George ac Isaacs yn trafod y Ddeddf Yswiriant. Tueddai Lloyd George farnu popeth wrth ei brofiad ef ei hun yng Nghymru. Yn naturiol wyddai Isaacs fawr ddim am bethau felly.

Ar daith foduro i Avignon cafwyd digwyddiad nodweddiadol mewn gwesty. Yr oedd chwaraewyr teithiol yn perfformio yno, yr arweinydd yn ŵr mewn oed yn canu'r ffidil i gyfeiliant telyn. Ni chymerai neb lawer o sylw ond yr oedd Lloyd George, oedd fel y mwyafrif o Gymry yn hoff o fiwsig, yn cymeradwyo'n frwd. Yr oedd yr hen ŵr wrth ei fodd ac aeth i chwilota ymysg ei bapurau nes cael hyd i *Llwyn Onn*. Yr oedd Lloyd George ar ben ei ddigon ac wedi i'r hen ŵr orffen gofynnodd i Isaacs roi canmoliaeth i'r offerynnwr a'i wahodd i chware'r *Marseillaise*. Gwnaeth yr offerynnwr hynny gyda chymaint o asbri nes denu'r gweision a'r morynion at y drws i wrando. "Y dôn orau yn y byd," meddai Lloyd George. Ar y bwrdd nesaf yr oedd dau Sais a chafodd bwrdd Lloyd George gryn ddifyrrwch o wrando ar eu sgwrs. "Beth oedd hwn'na?" gofynnodd un wrth glywed yr Anthem Genedlaethol. "O," meddai'r llall, "Rhyw gân fach o Ffrainc, dwi'n meddwl."

PLISMONA

Stopiwyd car gan blismon a dywedodd wrth y gyrrwr fod ei olau blaen wedi diffodd. Rhoddodd y gyrrwr gic i'r lamp a daeth y golau yn ôl.

"Rŵan," meddai'r plismon. "Rho gic i'r winsgrin, mae'r leisians wedi gorffen."

Cafodd gyrrwr car ei stopio gan blismon am ei fod yn goryrru.

"I ble'r ewch chi ar gymaint o frys?" gofynnodd y plismon.

"I wrando ar bregeth," meddai'r gyrrwr.

"Ble mae'r bregeth," holai'r plismon.

Rhoddodd y gyrrwr yr un cyfeiriad ag oedd ar ei drwydded.

"A phwy sy'n traddodi'r bregeth?" gofynnodd y plismon.

"Y wraig," meddai'r gyrrwr.

❖

Yr oedd Otto Klemperer, yr arweinydd cerddorfa enwog, yn arwain gwaith modern nad oedd yn hidio fawr amdano. Cododd un o'r gynulleidfa ar hanner y cyngerdd a cherdded allan. Trodd Klemperer at y gynulleidfa ac meddai, "Diolch i'r drefn fod rhywun wedi ei ddeall o."

❖

AMSER

Yn y flwyddyn ddwyfol, dirion
Mae deunaw mil o oriau tirion
A saith gant a thrigain hefyd
A thair awr a phedwar munud.

❖

MEDDYLIWCH AM Y PETH

Fel arfer mae'r dyn, sydd yn llwyddo i gael dynes i wrando arno, yn siarad hefo rhywun arall.

'Does dim yn gwneud mwy o ddrwg i blentyn na bod yn blentyn i gymydog.

Mewn darlith fe gosbir un pen er mwyn y llall.

Athro gorau moesgarwch yw dedwyddwch.

Mae'n braf gwneud dim a gorffwys wedyn.

Yn lle boddi eu helbulon fe ddaw rhai pobl â hwynt i'r wyneb a'u dysgu i nofio.

❖

FFARWEL I FÔN

Ffarwel i blwy' Llanfaelog,
Ffarwel i Ynys Môn,
I'r aur ym mhorth Trecastell
A'r hedd ar draeth Pen-Lôn;
Ffarwel i'r dyrfa radlon,
Fy hen gyfeillion cu;
A hwythau'r praidd a gerais gynt,
Sy'n gorffwys ym Mryn-du.

Rwy'n mynd yn nechrau Chwefror,
Bydd min y gwynt fel cŷn,
A bydd y môr ewynnog
A'i gesig ar ddi-hun;
Pwy fedrai ado'r Ynys
Ac awel Mai'n ei thraeth?
Trywenwch fi, chwi wyntoedd llym,
Ni byddaf damaid gwaeth.

'Rwy'n mynd am Aberconwy
A'i chastell ger y don,
A llawer gwers ac atgof
Yn llechu dan fy mron;
I'r hiraeth yn fy mynwes
Ni bydd na thro na thrai;
Os wyf yn fab y creigiau gwyllt
Ni charaf Fôn ddim llai.

Y Parchedig William Morris

❖

DARLLEN

Camgymeriad yw darllen gormod o lyfrau yng nghyfnod ieuenctid.
Dywedodd gŵr wrthyf unwaith ei fod wedi darllen pob llyfr o bwys.
O'i holi fe ddeallais ei fod wedi darllen nifer helaeth ond nad oeddynt
wedi gadael argraff ddofn arno. Faint o'u cynnwys a ddeallodd?
Faint o'u cynnwys a ddylanwadodd ar ei deithi meddwl? Faint
ohonynt a forthwyliwyd ar eingion ei ymennydd a'u gosod yn rhesi
cyfleus o arfau glân?

Annoeth yw darllen llyfr yn rhy fuan mewn bywyd. Yr argraff
gyntaf sy'n bwysig ac os argraff ysgafn fydd honno hawdd yw credu

nad oes mwy i'w ddisgwyl. Mae yna berygl i'r ail ddarlleniad nogio ar dalcen caled y darlleniad anaeddfed cyntaf. Mae darllen i'r ifanc fel bwyta i'r oedrannus, ni ddylent gymryd gormod o damaid ac fe ddylid ei gnoi yn dda.

Syr Winston Churchill

❖

CEMAIS

Mae mwy nag un Cemais yng Nghymru. Heblaw Cemais ar Ynys Môn, mae pentref yn dwyn yr enw yn yr hen Sir Drefaldwyn, rhwng Mallwyd a Machynlleth, yn ymyl maes Eisteddfod Genedlaethol 1981. 'Roedd cantref Cemais yn Nyfed, sef rhan ogleddol yr hen Sir Benfro. Ac y mae yna Gemais yng Ngwent.

Cemaes yw'r ffordd arferol o ygrifennu'r enwau hyn, ac eithrio'r un yng Ngwent - Kemeys mewn gwisg Seisnigaidd a arferir yno. Ond mewn gwirionedd ffurf anghywir yw Cemaes gydag *ae*. Cemais gydag *ai* yw'r ffurf iawn. A honno sy'n esbonio'r enw.

Hen air camas sydd yma. 'Roedd yna ffurf arall cemais ar y gair hwn. Ei ystyr oedd tro neu blygiad mewn afon, neu gongl neu gilfach ar yr arfordir. Y gwyro a'r troi yn afon Dyfi a roddodd i Gemais, Maldwyn ei enw; y troelli a'r dolennu yn afon Wysg a barodd enwi man arbennig yn Gemais yng Ngwent. Ond ym Môn, fel yn Nyfed, natur gilfachog y glannau a roddodd fod i'r enw. Edrychwch ar fap o fae Cemais, mae'n gilfachau i gyd, yn llawn cemais.

Bedwyr L. Jones

❖

Cyrhaeddodd Tomi yr ysgol am ddeg o'r gloch. Cododd yr athro ei ben a gofyn iddo'n sydyn, "Rŵan oeddat ti'n codi, Tomi?"

"Nage," meddai Tomi. "Nage, Syr, 'roeddwn i wedi codi cyn cychwyn."

❖

"Mae dynes yn siŵr o ddweud yn groes i ddyn," meddai'r gŵr.

"Lol i gyd," meddai'r wraig.

❖

Twf yw'r unig dystiolaeth o fywyd. *(Cardinal Newman)*

❖

144

Mae yna lawer sgil i gael Wil i'w wely. Fe ddywedir bod rhoi dipyn o bupur ar ddail y bresych yn cadw'r glöyn gwyn rhag dodwy arnynt. Dywedir hefyd fod tyllu'r dail â thyllwr papur yn twyllo'r glöyn byw a pheri iddo feddwl fod y dail rheini yn nythfa eisoes! A wnaiff o ddim dodwy ei wyau ar y ddeilen agosaf i'r ddeilen a dyllwyd chwaith!

❖

"Rwy'n deall fod y banc yn chwilio am reolwr. 'Roeddwn yn meddwl eu bod wedi rhoi'r swydd i rywun fis yn ôl."
"Chwilio amdano fo 'ma'nhw."

❖

MEDDYLIWCH AM Y PETH

Y dyn doethaf y gwn i amdano yw'r un sy'n gofyn i mi am gyngor.

Y ffordd orau i gael dros unrhyw anhawster yw mynd trwyddo.

Nid oes dim byd tristach na gweld anwybodaeth ar waith.

Collwch awr yn y bore ac fe dreuliwch ddiwrnod cyfan yn chwilio amdani.

Mae canmoliaeth yn gwneud dynion da yn well a dynion drwg yn waeth.

Nid yw ddim gwahaniaeth lle'r ydym yn byw, dim ond i ni fyw lle'r ydym.

Mae'n haws edrych i lawr ar bobl eraill nag edrych i lawr arnom ni ein hunain.

Mae pechod yn deffro haneswyr ond fe gaiff daioni gysgu'n dawel.

Ni ellir agor drws gwirionedd ag allwedd rhagfarn.

Byddwch yn ddoethach na phobl eraill os oes modd ond peidiwch â dweud hynny wrthynt.

❖

AMSER

Cymer amser i feddwl, mewn meddwl mae nerth,
Cymer amser i chwarae, dyna gyfrinach ieuengrwydd,
Cymer amser i ddarllen, dyna ffynhonnell doethineb,
Cymer amser i weithio, dyna bris pob llwyddiant,
Cymer amser i garu ac i dderbyn cariad, dyna fraint a rhodd Duw,
Cymer amser i roi, mae bywyd yn rhy fyr i hunanoldeb,
Cymer amser i chwerthin, dyna fiwsig yr enaid,
Cymer amser i weddïo, gweddi yw grym mwyaf ein daear.

Pan ddechreuodd seiciatrydd ar ei waith daeth merch ifanc ddeniadol i'w ystafell. Gwahoddodd y seiciatrydd hi i orwedd ar y soffa. Nid oedd y ferch ieuanc yn fodlon gwneud hynny cyn i'r seiciatrydd ei sicrhau mai dyna oedd yr arferiad. Wedi iddi orwedd ar y soffa tynnodd ei gwisg yn dynn amdani a dechrau ymollwng dipyn. "Wel," gofynnodd y seiciatrydd. "Sut dechreuodd y trwbl?" "Fel hyn," meddai'r ferch ifanc.

RHYWBETH O'I LE

Tua mis yn ôl afonwyd nionyn i mi gan ddarllenydd yr un faint â rwdan.

Dirwywyd P. Morris am frathu ci. Cyfaddefodd Morris nad oedd yn adnabod y ci.

Dywedodd y gŵr wrthyf am fynd i'r diawl. A oes gen i hawl gyfreithiol i fynd â'r plant hefo mi?

'Roeddynt wedi meddwl ei fod yn 99 ond erbyn hyn maent yn credu'n sicr ei fod yn ganwriad.

DIM

Hen hosan a'i choes yn eisiau–ei brig
Heb erioed ei dechre,
A'i throed heb bwyth o'r ede,
Hynny yw 'Dim', onid e'?
Gwydderig

❖

146

Closiodd merch brydweddol at y dramodydd Bernard Shaw a dweud, "Mr. Shaw, oni fuasem yn gallu cenhedlu plentyn anghyffredin, un a'm pryferthwch i a'ch gallu meddyliol chi?"

"Posibl iawn," meddai Shaw. "Ond rhad arno pe câi fy mhrydferthwch i a'ch gallu meddyliol chi."

Fedrwch chi ddim dinistrio dyn heb ei ddeall o yn gyntaf. A phe byddech yn ei ddeall mae'n debyg na fuasech yn teimlo fel ei ddinistrio. *(C. K. Chesterton)*

'Run deunydd sydd i ni ag i freuddwydion,
Ac fe ddaw'n heinioes fer i ben mewn cwsg.
(Eglwys St. Paul, Covent Garden)

Adwaen dda pan êl, adwaen ddrwg pan ddêl.

BENTHYCA

Mae geiriau'n sicr o fod yn bethau diddorol a da hynny gan fod yna gynifer ohonynt. Cymerwch y gair *plug* a ddaeth o'r gair Germaneg am swch haearn. Oni bai i ni fod, fel pob cenedl arall, yn chwannog i fenthyca geiriau, ac oni bai i ni fyw a bod y drws nesaf i un o ieithoedd grymusaf y byd, efallai mai swch fyddai ein gair ninnau am y teclyn bach tryferog hwnnw sydd ar y pen arall i gynllyfan yr haearn smwddio. Efallai mai o'r gair *plug* y daeth y gair Saesneg am yr aradr hefyd. Mae'n ddiddorol hefyd fel yr aeth cynifer o eiriau'r Gelteg i'r Lladin ac yna i'r Saesneg ac yna'n ôl i'r Gymraeg. O'r Gelteg y daeth y geiriau Saesneg *cat, braces, carpenter* a llawer mwy.

DIM TWYLL

Dywedodd ffermwr o Sir Gaer, "Fe alla' i eich twyllo chi ac fe allwch chithe fy nhwyllo inne ond ni all yr un ohonom dwyllo'r ddaear."

ENGLYN CATHREULIG!

Cath fraith, cath ddiffaeth, cath ddu,–cath lygod
　　Cath Loegr a Chymru;
　　Cath, cath, ei bath ni bu
　　Cath y fall, cei wyth felly.

O gof Ted Hughes, Rhosgoch

❖

Gofynnodd plentyn i'w fam, "Ydi o'n wir ein bod ni'n dŵad o'r llwch ac yn mynd yn ôl i'r llwch?"

"Ydi, ngwas i," meddai ei fam.

"Wel," meddai'r bychan. "Dwi'n meddwl fod yna rhywun dan y gwely yn y llofft ffrynt ond fedra'i ddim dweud os mai mynd 'ta dŵad mae o."

❖

Fe benodir swyddogion gwael gan ddinasyddion da sy ddim yn pleidleisio. (George Nathan)

❖

Y BISWYDDEN

Y llysieuydd Hugh Davies oedd y cyntaf i gofnodi'r biswydden yn tyfu ar Ynys Môn yn y flwyddyn 1813. Oddi ar hynny fe'i cofnodwyd yn tyfu mewn wyth llecyn. Yn nwyrain Môn fe'i gwelir hi yng Nghoed y Gell, Coed Llugwy ac yn Llaneugrad.

Ni thyf yn llawer uwch na chwe troedfedd, mae ei rhisgl yn wyrdd a cheir sglein ar y dail er eu bod yn disgyn yn y gaeaf. Blodeua tua mis Ebrill ac mae i'r blodau mân, gwyrdd golau, arogl chwerw braidd yn annymunol. Yn yr hydref mae'r biswydden yn ei gogoniant gyda chnwd o ffrwythau pinc llachar. Ym mhob ffrwyth ceir rhwng tri a phump hedyn. Wrth aeddfedu bydd y cas pinc yn agor fel blodyn gan ddangos yr had y tu mewn a'r rheini wedi eu gorchuddio â haenen liwgar felen neu oren.

Rhybuddiodd Hugh Davies fod y goeden yma'n angeuol i ddefaid ond cymeradwyodd falu'r grawn a'i daenu ar y gwallt i ladd llau! Mae'n wir fod pob rhan o'r goeden yn wenwynig ond serch hynny arferai'r Eifftiaid fwyta mesur o'r dail gwyrdd am fod eu cynnwys yn eu gwneud yn fwy gwyliadwrus. Credent hefyd y câi'r sawl a gariai sbrigyn o biswydden ei arbed rhag pla.

Mae'n bren caled iawn ac yn gwneud golosg arlunio ardderchog.

Fe'i defnyddid i wneud gwerthyd i nyddu yn ogystal â'r sgiwar neu'r waell. Dyna, mae'n debyg, pam y gelwir y goeden yn *'spindle tree'* yn Saesneg.

Mair Williams

❖

YN EISIAU GWRAIG

'Rwyf am gymar, fyddar, fud,–wen, fwyn, ddoeth
    Fain, ddethe, hardd, ddiwyd;
    Os ca' i un–yn bres i gyd,
    Mi af â'i mam hi hefyd.

Dic Jones

YN EISIAU GWRAIG

O rhowch i mi ferch y Mans,–un weddus
    I eiddil fanc balans;
    Un â steil, yn weddol stans,
    Un neis heb fod yn niwsans.

A. D. Jones

YN EISIAU - GWEINIDOG

Yn eisiau'n Ebeneser–gweinidog,
    Un hudol, llawn amser;
    Mwy na dim, mwyn ei dymer
    A'i bregeth frys, felys, fer.

E. Cadfan Jones

DIOGYN

Digiaf wrth weld diogyn,–pell y bo
    Pwy all byth ei dderbyn?
    Ni rydd ffrwyth rhyw ddiffrwyth ddyn
    Gadwraeth i gyw deryn.

Llwydfryn Hwfa

❖

BAGAD GOFALON BRENIN

Un diwrnod, mewn coedwig yn Nepal, lle'r oedd y llywodraethwr rhanbarthol wedi cynnull 10,000 o'r brodorion fel gweision a churwyr, fe saethodd chwe theigr o ddiogelwch yr *howdah*, "rhai ohonynt yn ffyrnig iawn" fel y dywedodd wrth ei feibion, "A dau ohonynt wedi llarpio dynion." Dro arall fe saethodd eliffant ac anafu dau arall yn ddifrifol. Fe dybiodd ar un adeg ei fod wedi lladd un o'r rhai clwyfedig gan i hwnnw hefyd syrthio i'r llawr. Torrodd gynffon yr eliffant i ffwrdd, yn ôl yr arfer, tra dawnsiai'r Arglwydd Beresford yn nwyfus ar ei gefn. Ond yn sydyn cododd yr eliffant ar ei draed yn fawreddog a chamu'n dalog i'r goedwig. Dygwyd y gynffon yn ôl i Loegr ynghyd ag amrywiaeth anghyffredin o laddedigion eraill, yn cynnwys saith llewpart, pum teigr, pedwar eliffant, arth, cheetah, dau afrewig, tri estrys, nifer amhenodol o bennau, crwyn, cyrn, tegeirian a planhigion prin eraill, nifer dirifedi o roddion gan dywysogion yr India, gemau, breichledau, mwclis, sioliau, carpedi a drylliau hynafol, cogydd cyri, dau swyddog o'r fyddin ac, i'r frenhines Victoria, copi o'i *Leaves from the Journal of My Life in the Highlands*, wedi ei gyfieithu i'r Hindwstaneg a'i glorio mewn marmor cain.

Portread o Edward VII (Christopher Hibbert)

BETH?

Pa beth sydd yn ein bro
Haeddai gael ei ddwyn ar go'?
Mae'n uwch na cheffyl
Ac yn lletach na llo,
Mae i'w weld bron ym mhobman;
Gwelwyd ef yn y nefoedd lân,
Clywais dd'wedyd gan fy mam
Iddo gael ei grogi yn *Newcastle* ar gam.

Hugh Jones, Pant Glas, Cadog
[Drws]

CHWYN

Cafwyd trafodaeth rhwng dau ar y modd y mae planhigion yn ymateb i garedigrwydd a gofal tyner. Nid oedd un ohonynt yn cydfynd â'r gred honno ac meddai:

"Mwya'n y byd 'rydw i'n casáu'r chwyn acw, mwya'n y byd ma'nhw'n tyfu."

'Roedd gŵr a gwraig yn edrych ar eu gardd.

"Mae holl chwyn y greadigaeth wedi dod i'r ardd 'ma," meddai'r gŵr.

"Does dim rhyfedd," meddai'r wraig. "Ma'nhw'n gwybod eu bod nhw'n saff yn fan'ma."

YN UN O BAPURAU IWERDDON

Dywedwyd yn y llys fod Mulligan wedi poeri yn wyneb O'Flaherty cyn gynted ag yr aethant i mewn i'r dafarn a'i alw'n ogleddwr anghynnes. Rhoddodd O'Flaherty glustan i Mulligan a thrawodd Rourke ef â photel. Ciciodd Mulligan O'Flaherty yn ei stumog a thaflu peint o gwrw i wyneb Rourke. Cododd hyn dipyn o ddrwgdeimlad rhyngddynt ac fe ddechreuodd y tri gwffio!

MEDDYLIWCH AM Y PETH

Mae dyn sy'n adnabod pobl eraill yn alluog ond mae dyn sy'n adnabod ei hun yn oleuedig.

Mae dwylo parod yn sancteiddiach na gweddi barod.

Galluocaf yr athronydd, anoddaf yw ganddo ateb cwestiynau'r dyn cyffredin.

Rhoddir aml i gam gwag wrth sefyll yn llonydd.

Nid oes yr un ofn fel ofn bod ofn.

Dylai bawb a gred ei fod yn anhepgor roi ei fys yn y dŵr a sylwi ar faint y twll wedi iddo ei dynnu allan.

Ni ellwch osgoi genedigaeth na marwolaeth ond gellwch fwynhau yr hyn sydd rhyngddynt.

Nid oes yr un dyn mawr nad yw'n teimlo'n fychan. Y dyn sydd byth yn teimlo'n fychan yw'r lleiaf fel arfer.

Mae pobl yn unig am eu bod yn codi muriau yn lle pontydd.

BRYS

Mae'n ddrwg gen i fy mod wedi ysgrifennu llythyr mor faith atoch ond nid oedd gennyf ddigon o amser i ysgrifennu un byr. *(Oscar Wilde)*

151

BEDDARGRAFF Y GOF

Llonydd yw pob cynllunio–dim miwsig
　　Dim mesur nac asio;
　　Dim gwên na dim megino,
　　Dim sŵn gwaith, dim Siôn y Go'.

Anad

❖

FFYDD PLENTYN

Yr oedd y gweinidog yn holi'r plant cyn y bregeth.　　"Beth sydd yn goch, hefo cynffon flewog ac yn hel cnau yn yr hydref?"

　Ac meddai un o'r plant, wedi dwys fyfyrio, "Mi wn mai Iesu Grist ydi'r ateb ond i mi mae'n debyg iawn i wiwer."

❖

DOES DIM TEBYG I. . .

ystwyrian yn hir ac ymestyn yn braf.

gwybod yr ateb i gwestiwn mewn cwis a rhywun arall yno i wrando.

clywed rhywun yn eich dyfynnu.

ticed parcio hefo deng munud ar ôl arno.

clywed chwerthin y peth cyntaf yn y bore.

rhywbeth yn cosi a hwnnw mewn cyrraedd.

awyr las ar ddiwrnod taith.

mynd i barti a chael eich bod yn teimlo'n gartrefol.

❖

GWYBOD

Gwybu groes a gwybu graith,–gwybu hwyl
　　Gwybu helynt eilwaith;
　　Gwybu dirf fywyd hirfaith
　　A gwybu'n deg ben y daith.

Huw Roberts

❖

DEWRDER TOMI

Mae'n rhaid edmygu dewrder boed yn ddewrder moesol neu ddewrder corfforol. Cadfridog enwog o Seland Newydd ddywedodd (ac fe ddylwn gofio'i enw), pe bai mewn cyfyngder y buasai'n dymuno cael milwyr o Seland Newydd neu o Gymru yn gefn iddo. 'Doedd yna neb tebyg i'r Cymry am beidio rhoi 'fyny, medda' fo. Meddwl am hynny yr oeddwn wrth ddarllen hanes Tomi Bevan o Abertawe yn y *Western Mail.* Ni bu Tomi fawr ddim mwy na milwr cyffredin yn y fyddin ond mae'n debyg mai Tomi oedd un o dywysogion y dihangwyr oll.

Fe'i daliwyd yn Creta a'i roi mewn carchar yn Salonica. 'Roedd un tap dŵr rhwng 10,000 o filwyr a disgwylid iddynt fyw ar lond lletwad o haidd wedi ei ferwi. Tyrchiodd Tomi a'i gyfeillion dan y wifren ond fe'u bradychwyd a'u dal. Yna fe aeth pethau'n ddrwg. Fe'i rhoddwyd yn y 'gwersyll angau' a'u cosb gyntaf oedd sefyll trwy'r dydd heb fwyd na diod yn yr haul crasboeth.

Fe sticiodd Tomi a'i gyfeillion wrth eu stondin gan wrthod datgelu manylion eu dihangfa. Yr oedd gan yr Is-gapten Hoffman ei ddull ei hun o rwystro dynion rhag meddwl am ddianc, byddai'n saethu rhai milwyr a gadael eu cyrff i bydru ar y gwifrau.

Penderfynodd Tomi Bevan ei fod am ei mentro hi a neidiodd i mewn i bwll carffosiaeth a chropian trwy bibell led ei gorff, a dod allan, yn drewi, yn mygu ac yn hanner marw, y pen arall. Disgrifiai ei hun fel un yn "drewi fel ffwlbart" ond cafodd noddfa a sgwrfa gan ŵr a gwraig o Wlad Twrci. Yna cafodd bapurau 'swyddogol' gan swyddogion o Wlad Groeg, papurau yn ei ddisgrifio fel un mud a byddar.

Yn fuan cafodd Tomi afael ar ffoaduriaid eraill, lladrata cwch a rhwyfo ar draws Môr yr Aegean am ddau ddiwrnod. Er iddynt weld rhai o ynysoedd Gwlad Groeg cyn hynny penderfynasant rwyfo i Wlad Twrci, 30 o filltiroedd ymhellach. Teithiasant â chymorth y sêr gyda Tomi yn gwneud llawer o'r gwaith caled gan weithio ochr yn ochr â milwr o Seland Newydd oedd wedi rhwyfo dros ei wlad yn y Gemau Olympaidd ym 1936. Wedi llawer mwy o anturiaethau fe ddaeth Tomi adref a dilynodd ei waith fel töwr yn Abertawe hyd nes y bu farw ym 1993. Mae medalau Tomi Bevan i'w gweld yng Nghastell Caerdydd.

❖

153

Gwynt ar fôr a haul ar fynydd,
Cerrig llwydion yn lle coedydd,
A gwylanod yn lle dynion;
Och Dduw! pa fodd na thorrai 'nghalon

FFORDD Y GWYDDEL O DDWEUD

Mae gair yng nghlust Gwen yn uwch na gwaedd o gopa'r mynydd.

Nid ysgyrnyga'r ci o'i daro ag asgwrn.

Rho Gymro ar gigwain ac fe ddaw dau arall i'w droi.

Hir yw pwyth teiliwr diog.

Bywyd yw'r gwir hanesydd.

Heb deulu, heb gariad.

Gwell moesgar na golygus.

Ni ddaw dim o law gaeedig.

Dafad yw oen maes o law.

O garreg i garreg y codir castell.

❖

"Pam na fuasech wedi dechrau gwisgo sbectol cyn hyn?"
gofynnai'r meddyg i wraig oedrannus.

Meddai hithau, "Gan fy mod wedi cyrraedd yr oed pryd mae
chwilfrydedd yn gryfach na balchder."

❖

HIRAETH

Os llwyd gan bellter Ynys Môn
  A'r afon ar ei glannau,
Ac er bod swyn yng nghartre'r myllt
  A bywyd gwyllt y glannau.
Mae nghalon i wrth droed yr allt,
  A'r wendon hallt yn ffromi
Neu'n wylo'n ddistaw ar y main
  Fel rhiain wedi ei siomi.

'Rwy'n cofio gynt y rhodio rhydd
    Yng nglas y dydd wrth Menai,
Y dail sibrydai wrth fy mhen
    A'r heulwen aur a wenai;
A chofio oriau tawel hwyr
    A wŷr rhyw drist galonnau,
A'r haul yn marw ar fron y môr
    A'i waed yn lliwio'r tonnau.

A chofio Môn tu draw i'r dŵr
    Heb gynnwr ar ei bronnydd,
A chwch sigledig ar y don
    A gwylan wenfron lonydd,
A chofio mynych, mynych hynt
    Hyd lwybrau gynt a'm denai;
Gwyn fyd na chawn i rodio'n rhydd
    Bob dydd ar lannau Menai.

(Syr) Thomas Parry, 1924

DWÊD HYN'NA ETO

Ma'nhw'n siarad holl ieithoedd yr enfys yn y fan honno. *(Jackie Stewart)*

'Roedde'ni'n unfrydol, i ddweud y gwir 'roedd pawb yn unfrydol. *(Joe Elliot)*

'Roedd hi fel y chwedegau ond nid y chwedegau oedd hi. 1969 oedd hi. *(Jimmy Saville)*

Fe adawodd Stuart Sutcliffe y Beatles pan fu o farw. *(Philip Norman)*

Miwsig y Beatles oedd popeth o ganol dydd tan ddeuddeg o'r gloch y pnawn. *(Mike Smith)*

A fedrwch chi ddim mynd yn nes at y deg ucha' na rhif deuddeg. *(Jimmy Saville)*

Dwi'n siŵr y daw hyn ag atgofion i bawb, hyd yn oed y rhai sydd wedi anghofio. *(Mark Ellen)*

Dyma eu record sengl gyntaf a'r orau sydd ganddyn' nhw hyd yn hyn. *(Mark Curry)*

Heblaw eich bod yn ei 'nabod o fuasech chi ddim yn gwybod pwy ydi o. *(Nigel Starmer-Smith)*

Rhuthrodd golffiwr at y bar a gweiddi ar ei hyfforddwr. "Mae yna rywbeth ofnadwy wedi digwydd. Mi drawais y bêl yn gam a tharo dyn ar gefn moto-beic. Fe aeth yn erbyn car ac aeth hwnnw dros y clawdd. Mae yna chwech o bobl yn gorwedd ar ochr y ffordd. Be' wna' i?

Meddyliodd yr hyfforddwr am eilad neu ddau ac meddai, "Mae'n rhaid i ti ddal dy law dde yn uwch ar goes y clwb."

❖

MEDDYLIWCH AM Y PETH

Os byddwch yn edrych fel y llun ar eich pasport mae angen gwyliau arnoch.

Cadwch eich tymer. Does ar neb arall ei angen.

Mae pryder fel cadair siglo . . . Mae'n rhoi rhywbeth i chi ei wneud heb fynd â chi i unlle.

Peidiwch â dadlau hefo ffŵl, fedr pobl sy'n gwylio ddim dweud pwy yw pwy.

Un o ddirgelion bywyd yw sut y gall dyn oedd ddim yn ddigon da i briodi eich merch fod yn dad i'r ŵyr gorau yn y byd.

Fel arfer mae gan ben bach geg fawr.

Mae penderfyniad yn rhinwedd ynom ni ac yn bengaledwch ym mhawb arall.

Gwên yw'r ffordd rataf i harddu'r wyneb.

Yn lle rhoi pobl eraill yn eu lle rhowch eich hun yn eu lle nhw.

Gwnewch yn siŵr fod eich meddwl ar waith cyn rhoi eich tafod mewn gêr.

Fedrwch chi ddim bod yn frwdfrydig ac yn ddigalon yr un pryd.

Mae'n well i chi frathu'ch tafod na gadael iddi frathu rhywun arall.

Gwraig mewn archfarchnad, "Mae mhres i gyd yn mynd ar fwyd. Fwytith y dyn acw ddim byd arall."

Dyn yn cyrraedd â'i wynt yn ei ddwrn ac yn gofyn, "Ydi'r bws nesa' wedi mynd?"

Dyn yn ffonio Ysgol Goronwy Owen, Ynys Môn. "Ga' i siarad hefo Goronwy Owen os gwelwch yn dda?"

ARWYDDION GLAW

Gwenoliaid hyd y ddaear,
A thwrw'r trên o bell
A'r jac-y-do yn clegar
Yng nghreigiau Coed y Gell.

Llew Llwyfo

❖

Gŵr mewn gwely yn yr ysbyty yn egluro wrth ei gyfaill:
"Mi ddywedais i wrth y wraig na fuasai ceffyl gwyllt yn fy nhynnu oddi wrth *Match of the Day*. Lle cafodd hi afael ar un, wn i ddim."

❖

CRAFU

Yn fuan wedi symud i'r Tŷ Gwyn gwahoddodd yr Arlywydd Calvin Coolidge nifer o gyfeillion yno i ginio. Gan iddynt deimlo braidd yn ansicr mewn lle mor ddieithr tueddai rhai ohonynt i ddynwared pob symudiad o eiddo'r Arlywydd. Tywalltodd Mr. Coolidge ei goffi i'r soser a gwnaethant hwythau yr un fath. Ychwanegodd yr Arlywydd siwgwr a hufen a gwnaethant hwythau yr un modd. Yna rhoddodd Coolidge y soser ar y llawr i'r gath.

❖

Y POWDWR GOLCHI

Lluniwyd posteri drudfawr i hysbysebu powdr golchi arbennig yn Arabia. Ar y chwith ceid dilledyn pygddu a di-raen. Yn y canol dangoswyd ei roi mewn llond twb o drochion sebon. Ar y dde wele'r dilledyn yn ymddangos yn glaerwyn a difrycheulyd. Ymhen ychydig wythnosau gwelwyd fod gwerthiant y powdr golchi wedi lleihau yn arw. Yna fe sylweddolwyd y rheswm pam, mae'r Arabiaid yn darllen o'r dde i'r chwith!

❖

Y BANC

Derbyniodd rheolwr banc lythyr wedi ei eirio braidd yn anffodus, "Os gellwch roi'r benthyciad yma i mi fe fyddaf yn eich dyled am byth."

Ac fe dderbyniodd cwsmer lythyr gan reolwr banc. "Buaswn yn ddiolchgar iawn pe gallem fynd yn ôl i'r hen drefn, sef eich bod chi yn bancio hefo ni ac nid y ni hefo chi."

157

GWEDDI'R INDIAID

Gweddi angladdol o eiddo llwyth y Makah yn Nhalaith Washington. Nid oes ond mil o'r llwyth ar ôl erbyn heddiw a bu rhaid iddynt fabwysiadu enwau Saesneg i gadw llyfrau'r dreth yn daclus. Darllenwyd y weddi yn angladd John Wayne ac yn arwyl y pum gofotwr a laddwyd ym 1986.

> Nac wylwch yma wrth y bedd,
> Nid dyma'r fan lle rhoed im hedd;
> Myfi yw'r gwynt sy'n mynd a dod,
> Y gemau fyrdd ar wynder od,
> Myfi yw'r heulwen ar y grawn
> Neu gawod Fai ar wych brynhawn;
> Myfi yw'r gwlith ar fore gwyn,
> Myfi yw'r awel iach a fyn
> I'r wylan droi ar adain wen,
> Myfi yw'r sêr sy'n harddu'r nen:
> Nac wylwch yma wrth y bedd
> Nid dyma'r fan lle rhoed im hedd.

❖

AMBELL FRAWDDEG

Meddai cyfaill wrth y Dr. Johnson, "Fe wnes fy ngorau glas i fod yn athronydd ond 'roedd rhyw hen ysgafnder yn mynnu gwthio'i big i mewn."

Cyngor buddiol mam i'w phlentyn wrth iddo gychwyn i'r ysgol. "Gwranda i ti gael gweld."

Mi fuasa' hon'na'n medru gwneud tôst wrth chwythu arno fo."

A dyma frawddeg fuasai'n gwneud i'r Bwrdd Iaith alw pwyllgor brys, "Mae'r Gymraeg yn mynd o *strength i strength.*"

❖

GWEDDI

> Dduw annwyl, o'th ddaioni,–dyro ras,
> Dyro rym im' godi
> Drwy ganol pob drygioni,
> Eto y Tad, atat Ti.
>
> *Llew Llwyfo*

❖

Yr oedd bardd wedi mynd am dro yng nghefn gwlad a chyfarfu â ffermwr. "O," meddai'r bardd, "Efallai eich bod chwithau wedi gweld bysedd eurgoch y wawr yn tramwyo gororau'r dwyrain, ynysoedd hud y machlud yn nofio yng ngwin y gorllewin a chymylau carpiog y nos yn cuddio wyneb rhewllyd y lloer."

"Wel, naddo wir," meddai'r ffermwr. "Dydw i ddim wedi cyffwrdd diferyn ers blwyddyn."

IAITH GOETH

Mae yna rai yn meddwl, am nad oedd ganddynt iaith ysgrifenedig, mai geirfa elfennol iawn oedd gan yr Indiaid Cochion. Mewn gwirionedd yr oedd eu geirfa'n gyfoethocach na Saesneg a Ffrangeg eu goresgynwyr. Cymharwch chi'r gair Saesneg *friend* hefo gair yr Indiaid Cochion, yr-un-sy'n-dwyn-fy-meichiau-ar-ei-gefn.

Mae pobl yn barod i gydnabod gallu dyn ar ôl iddo gyrraedd ei nod. *(Bob Edwards)*

Ni fyddaf yn darllen hysbysebion neu mi fuaswn yn treulio 'mywyd yn chwennych pethau. *(Archesgob Caergaint)*

Mae gan y rhan fwyaf o bobl ryw fath o grefydd o leiaf maent yn gwybod pa eglwys maen nhw'n peidio mynd iddi. *(John Erskine)*

Anffyddiwr yw dyn sy'n meddwl mai damwain ydoedd. *(Francis Thompson)*

ATGO

Dim ond lleuad borffor
Ar fin y mynydd llwm,
A swn hen afon Prysor
Yn canu yn y cwm.
Hedd Wyn

Glywsoch chi am ddagrau deinasor erioed? Fe gynhyrchir ambr pan fyddai sudd pinwydd yn caregeiddio dros filiynau o flynyddoedd. Weithiau fe ddelid pryfed yn yr ambr cyn iddo galedu a heddiw fe ddeuir o hyd iddynt wedi eu cadw bron fel newydd yn y garreg felen werthfawr. A phetai hynny ddim yn ddigon, mae yna wyddonydd o

Ganada wedi sylweddoli bod un o'r pryfed yma wedi sugno gwaed deinosor cyn iddo gael ei ddal. Y cam nesaf, meddai Dr. Art Borkent, yw tynnu'r gwaed deinosor o gorff y pryfyn ac astudio'i gynnwys DNA. Rhydd hyn bob math o wybodaeth am yr anghenfilod a fu'n crwydro'r hen fyd ymâ am 120 miliwn o flynyddoedd.

BYWYD

Yn y man fe fyddaf wedi ymadael o'ch plith, i ble ni wn. Fe ddaethom o rywle ac i rywle yr awn. Beth yw bywyd? Fflach ydyw o dân bach diniwed yn y gwyll, anadliad bual ar fore o aeaf, cysgod sy'n rhedeg ar draws y borfa i ymgolli yn y machlud. *(Geiriau olaf Isapwo Mukiska Crowfoot, pennaeth yr Indiaid, a fu farw ym 1850.)*

NYTH

Ni fu saer na'i fesuriad–yn rhoi graen
Ar ei grefft a'i drwsiad,
Dim ond adar mewn cariad
Yn gwneud tŷ heb ganiatâd.
Roger Jones

GWLAD Y MEDRA

Pan fyddai pobl Sir Fôn yn mynd i chwilio am waith yn chwareli Sir Gaernarfon 'roedd yn rhaid iddynt ateb "Medra" i bob cwestiwn neu lwgu. Dyna sydd wrth wraidd y dywediad 'Gwlad y Medra' am Sir Fôn. Fe ddywedodd Theadore Roosevelt rywbeth yn debyg, "Os gofynnir i chi a fedrwch chi wneud rhywbeth dywedwch eich bod yn medru ac wedyn mynd ati fel lladd nadroedd i gael gwybod sut".

CYMRU

Ac nid unrhyw genedl arall, fel y barnaf i, amgen na hon o'r Cymry, nac unrhyw iaith arall ar Ddydd y Farn dostlem gerbron y Barnwr Goruchaf pa beth bynnag a ddigwyddo i'r gweddill mwyaf ohoni, a fydd yn ateb dros y gongl fach hon o'r ddaear. *(Yr Hen Wr o Bencader wrth Harri'r Ail)*

Mae'n hawdd caru Cymru pan fyddoch ymhell ohoni yn gwneud ffortiwn yn Lloegr. *(W. J. Gruffydd ym 1931)*

Dwg, os oes modd, fy mharchedig gyfaill, un haf o frys oer dy fasnach, a thyrd i Gymru. *(Shelley ym 1812)*

Fe gerddais i fyny'r Wyddfa deirgwaith, gwaith llawer haws na cherdded ar dir gwastad. *(Tennyson ym 1844)*

Waeth pryd y bûm yng Nghymru, ni phrofais ond caredigrwydd a lletygarwch, a phan ddychwelaf i'm gwlad fy hun ni fyddaf yn brin o ddweud hynny. *(George Borrow ym l862)*

> O! Gymru'r gweundir gwrm a'r garn'
> Magwrfa annibyniaeth barn,
> Saif dy gadernid uwch y sarn
> O oes i oes.
>
> *Waldo*

Mae'n debyg mai'r doethineb hynaf yng Nghymru yw'r doethineb hynaf a'r doethaf o bob doethineb dynol, sef ei bod yng ngrym yr ewyllys a'r dychymyg i ddinistrio ac ail-greu y byd. *(John Cowper Powys ym 1934)*

Yr Eisteddfod Genedlaethol – anoddefgarwch hiliol wedi ei osod i fiwsig. *(Ian Skidmore 1986)*

Swm yr hyn a ddywedwyd ydyw fod y genedl, fel y teulu, yn gysegredig; a'i bod, fel y teulu, wedi ei hordeinio gan Dduw i ddysgu dyn. *(Emrys ap Iwan 1895)*

SAITH CAMP GWR BONHEDDIG

> Bod yn fardd ar ei fwrdd
> Bod yn oen yn ei ystafell
> Bod yn feudwy yn ei eglwys,
> Bod yn baun ar yr heol,
> Bod yn ddoeth yn ei ddadl,
> Bod yn llew ar y maes,
> Bod yn athro yn ei dŷ.
>
> *Dyfynnwyd gan Owie Jones o hen ysgrif Gymraeg*

"Mae'n ddrwg gen i fod yn hwyr," meddai'r plymar. "Sut mae pethau erbyn hyn?"

"Dim yn rhy ddrwg," meddai gwraig y tŷ. "Tra oeddwn yn disgwyl amdanoch mi ddysgais i'r plant nofio."

Y ffordd orau i wneud mwy i'ch plant yw gwneud llai.

Mwya'n y byd wnewch chi mwya'n y byd ydych chi.

Un o'r beichiau trymaf yw pwrs bach.

Y dynion mae merched yn dygymod orau â hwynt yw'r dynion sy'n medru dygymod orau heb ferched.

Mae un 'hwda' yn well na dau 'mi gei'.

Gŵr bonheddig yw'r un sy'n agor y drws i'r wraig ddod â'r bag neges i'r tŷ.

Cadw frigyn ir yn dy galon ac fe ddaw'r adar yn ôl i ganu.

Rhyw dro yr oedd yna bedwar o'r enw Pawb, Rhywun, Unrhyw Un a Neb. 'Roedd yna waith pwysig i'w wneud ac yr oedd Pawb yn meddwl y buasai Rhywun yn siŵr o'i wneud o. Mewn gwirionedd fe fuasai Unrhyw Un wedi medru ei wneud ond wnaeth Neb mohono. Gwylltiodd Rhywun gan fod Pawb i fod i'w wneud o. 'Roedd Pawb yn meddwl y gallasai Unrhyw Un fod wedi ei wneud ond yna fe sylweddolodd Rhywun nad oedd Neb wedi ei wneud o. Yn y diwedd 'roedd Pawb yn beio Rhywun am nad oedd Neb wedi gwneud y gwaith y gallasai Unrhyw Un fod wedi ei wneud.

Mae'r ebychiad "Rachlod Fawr' yn dal mewn bri er nad yw'n taro cyn amled ar y glust erbyn hyn. Ystyr achlod yw gwarthrudd neu gywilydd ac fe'i defnyddiwyd fel ebychiad gan Richard Morris, Pentre-eiriannell ym 1718. Fe'i clywid hyd yn ddiweddar ym Mro'r Morrisiaid. Ebychiad arall fyddai "Wel wir ddusw annwyl" neu "Duchos annwyl" - ffordd sgilgar o beidio â defnyddio enw'r Bod Mawr. Mae 'cebystr', o'r Lladin 'capistrum', yn air arall am benffyst neu benffrwyn ac fe ddefnyddid hwnnw mewn sgwrs hefyd, "Be' gebyst' wyt ti'n wneud?" Dywediad arall y gellir ei olrhain i fro'r Morrisiaid yw 'Hei Gancar' a ddefnyddir pe digwydd tro ffadin.

Yr oedd ar ffermwr awydd mynd i fyny mewn awyren ac eisiau mynd â'i wraig gydag ef am yr un bris.

"Iawn," meddai'r peilot. "Ond os dywedwch un gair o'ch pen fe ddyblir y pris."

Cyflawnodd y peilot bob math o driciau cymhleth a brawychus yn yr awyr, digon i godi gwallt pen unrhyw un ond ni ddaeth siw na miw o'r cefn.

"Diolch yn fawr," meddai'r ffermwr ar ôl glanio. "Ond 'roedd hi'n galed arna'i ar un adeg."

"Pa bryd oedd hynny?" gofynnodd y peilot.

"Pan syrthiodd y wraig allan," oedd yr ateb.

MEDDYLIWCH AM Y PETH

Peidiwch â phriodi am arian, mae'n rhatach benthyca.

Yr unig feirniadaeth sy'n brifo yw'r un a haeddwn.

Un o broffwydi gorau'r dyfodol yw'r gorffennol.

Caredigrwydd yw'r iaith a glywir gan y byddar ac a ddarllenir gan y dall.

Nid ydym yn gweld pethau fel yr ydynt ond fel yr ydym ni.

Aeth Modryb Martha i ddysgu gyrru car. Ar ei siwrnai olaf llwyddodd i osgoi bws wrth groen ei dannedd ac aeth dros y clawdd i'r cae. Eisteddodd yn dawel yn disgwyl i'r hyfforddwr ffrwydro, ond meddai hwnnw, "Trueni na fuasem wedi dod â brechdana' hefo ni."

MISS WORLD

Nid af i weled cwafars–na gynau
   Y genod difanars;
   Er eu steil un fwy na'r stars
   Yw nacw yn ei nicars.

J.W.

Dywedodd George Bernard Shaw fod saith cyfnod i fywyd gwraig – Baban, Plentyn, Geneth, Merch Ieuanc, Merch Ieuanc, Merch Ieuanc, Merch Ieuanc.

EIRLYSIAU

Cawsom heddiw, o'r diwedd, y newydd
I'r gaeaf o'i lesgedd
Garw farw ac ar ei fedd
Wele fale gorfoledd.

T. Arfon Williams

❖

AMBELL FRAWDDEG

Nid oes feddyginiaeth i enedigaeth na marwolaeth, dim ond mwynhau yr hyn sydd rhyngddynt. *(George Santanaya)*

Dim ond yr arwynebol sy'n adnabod ei hun. *(Oscar Wilde)*

'Rwyf bron yn saith troedfedd. Mae fy mhen-blwydd yn cymryd tridiau. *(Darryl Dawkins)*

Petawn yn gwybod fy mod am fyw cyhyd mi fuaswn wedi edrych ar ôl fy hun yn well. *(Anad)*

Os ydych yn debyg i'r llun ar eich pasport, 'Dych chi ddim digon iach i deithio. *(Will Kommen)*

❖

EHEDYDD IÂL
(ar ôl prynu sbectol hanner coron)

Gwelaf uwchlaw disgwyliad–y mynydd
A'r manion heb eithriad;
A chŵn lu a chwain y wlad,
A llau dan olau lleuad.

(Beddargraff ar gyfer gweddw cwsmer dyledus)

Mae rhyw hiraeth yn fy nghôl
Ar ôl fy annwyl briod,
Fe aeth i'r nef o gam i gam
Heb dalu am ei ddiod.

❖

Gwnewch i chi gyfeillion o lyfrau, fel pan eloch yn hen y bo gennych rywrai i'ch derbyn pan fo llawer yn eich gwrthod. *(Emrys ap Iwan)*

❖

Cyrhaeddodd dieithryn Orsaf Benllech lawer blwyddyn yn ôl.
    "Faint o ffordd sydd yna i'r pentref?" gofynnodd i un o'r brodorion.
    "Milltir" oedd yr ateb.
    "Oni fuasai'n well i chi godi gorsaf yn ymyl y pentref?" gofynnodd y dieithryn.
    "Fe fuom yn meddwl am hynny hefyd," meddai'r brodor, "Ond fe ddaethom i'r penderfyniad mai gwell oedd ei chodi yn ymyl y rheilffordd."

❖

CYNLLUN YN MYND I'R WAL

Wedi wythnosau o gynllunio gofalus methodd 75 o garcharorion ddianc o garchar Saltillo yng Ngogledd Mecsico. Ym mis Tachwedd 1975 dechreusant gloddio twnel fuasai'n dod â hwy i'r wyneb yr ochr arall i fur y carchar.
Ar Ebrill 18, 1976, wedi misoedd o chwys ac athrylith daethant i olau dydd trwy lawr y llys barn lle traddodwyd hwy i garchar yn y lle cyntaf.

❖

Bûm yn astudio bywydau gwŷr mawr a gwragedd enwog a gweld mai'r dynion a'r merched oedd yn cyrraedd y brig oedd y rhai oedd yn cyflawni'r gwaith dan sylw gyda chymaint ag oedd modd o egni, brwdfrydedd a diwydrwydd. *(Harry S.Truman)*

❖

BLODAU'R EITHIN

Hen flodau distadla'r cread
    Carpiog eu gwisg a di-sawr;
Preswylwyr y rhostir digysgod
    A chiliau y moelydd mawr;
'Does arddwr a fynn eu trafod
    Na'u cwmni ger y llwybr troed;
Ni chlywais am neb yn eu harddel
    Mewn angladd na phriodas erioed.

Pan gyfyd yr haf ei bebyll
A ffoi am hyfrytach ffin
A'i falch bendefigion yn nychu
Dan gernod y stormydd blin,
Daw'r hen werinwyr diarffordd
Bryd hynny yn wyn eu byd,
Cans eiddynt hwy fydd y deyrnas
A hwy gaiff yr aur i gyd.

Huw Owen

❖

Yr oedd hen wraig wedi cyrraedd ei chant oed a gofynnodd rhywun iddi sut y teimlai wrth gychwyn ar ei hail ganrif.

"Wel," meddai'r hen wraig. "Rydw i yn llawer saffach ar fy nhraed nag yr oeddwn pan ddechreuais i ar y gyntaf."

❖

HAPUSRWYDD

Hapusrwydd yw corff di-boen a meddwl dibryder. *(Thomas Jefferson)*

❖

Trawodd golffiwr gwael ei bêl ar ei phen i ganol anferth o fyncar.

"Pa glwb fydd orau 'rŵan?" gofynnodd i'r cadi.

"Paid â phoeni am glwb," meddai hwnnw. "Dim ond i ti ymorol am ddigon o fwyd a diod."

❖

EI GLYWED AR Y BWS

Mae o y math o wleidydd fuasai'n torri coeden i lawr a sefyll ar ei boncyff i siarad dros gadwraeth.

Mi gafodd gic yn ei ben gan ful a byth er hynny mae o'n coelio popeth mae o'n ddarllen yn y papurau.

❖

O GWMPAS Y TŶ

I gadw'ch platiau gorau'n ddilychwin rhowch blatiau papur rhyngddynt wrth eu cadw.

Fe gewch fwy o sudd o'r lemwn o'i roi mewn dŵr poeth am chwarter awr.

Os bydd y sosban wedi llosgi rhowch "gabinet soda" ynddi gyda digon o ddŵr i'w fwydo, a'i gadael am ychydig oriau.

Rhwbiwch y lloriau neu'r farnish ar waith coed, hefo te oer.

I lanhau sbectol heb adael olion rhwbio, defnyddied diferyn o finger, neu fodca.

Cyn rhoi siampŵ i'r carped rhowch fagiau plastig am goesau'r dodrefn rhag iddynt adael olion rhwd.

Aeth dau gyfaill i wrando ar bregethwr ifanc yn pregethu yng Nghapel Methodistiaid Benllech. Dewisiodd bregethu ar lythrennau enw'r pentref – B am boneddigeiddrwydd, E am elusengarwch, N am nerth, LL am llawenydd, E am efengyl ac CH am chwaeth.

Sylwodd un cyfaill fod y llall wedi mynd ar ei liniau ar ddiwedd pregeth go faith.

"Paham yr wyt ar dy liniau cyhyd? Ydi'r bregeth wedi cael gafael arnat ti?"

"Nac ydi," oedd yr ateb. "Diolch oeddwn i nad oedd y pregethwr 'ma yn gwybod ein bod ni'n byw ym mhlwy' Llanfair Mathafarn Eithaf."

Yr oedd Tomos Wilias yn hen ŵr cwrtais iawn. Trawodd bachgen ifanc gwyllt yn ei erbyn ar y grisiau un diwrnod. "Mwnci Gwirion," meddai'r llanc. "Tomos Wilias," meddai'r hen ŵr.

❖

BOREUBRYD

Ymwelodd cyfaill Bardd Du Môn ag ef pan oedd yn ddrwg ei hwyl ac wrth ei weld wrth ei frecwast gofynnodd iddo beth oedd ganddo.

Diferyn fel hyn o laeth–a bara
Hwyr a bore'n lluniaeth;
Hyn, wele, yn gynhaliaeth,
Ydyw fy mwyd a fy maeth.

❖

167

Mae haearn yn gryf ond fe'i toddir gan dân,
Mae tân yn gryf ond fe'i diffoddir gan ddŵr,
Mae dŵr yn gryf ond fe'i sugnir gan y cymylau,
Mae'r cymylau'n gryf ond fe'u gyrrir gan y gwynt,
Mae'r gwynt yn gryf ond fe'i harneisir gan ddyn,
Mae dyn yn gryf ond fe'i lethir gan ofn,
Mae ofn yn gryf ond fe'i lleddfir gan gwsg,
Mae cwsg yn gryf ond fe'i disodlir gan angau,
Mae angau'n gryf ond fe'i gorchfygir gan gariad.

❖

Yr oedd Sais a Chymro wedi mentro i berfeddion yr Affrig ac wedi dod wyneb yn wyneb â llew rheibus. Cythrodd y Cymro am ei esgidiau dal adar a'u rhoi am ei draed.

"Dwyt ti 'rioed yn meddwl y medri di redeg yn gynt na'r llew," meddai'r Sais.

Ac meddai'r Cymro, "Does dim rhaid i mi redeg yn gynt na'r llew, dim ond rhedeg yn gynt na chdi."

❖

ENWAU TAI

Mae rhywun yn cymryd at ambell enw tŷ. Nid oedd yr enw Tyddyn Wisgi (Caeathro) yn apelio cymaint â hynny chwaith ond os oedd yr enw'n ymwneud â'r gair 'gwisgi' (sionc, heini) yr oedd pethau'n gwella. Wedi deall mai Tyddyn Rhwysgwynt oedd yr enw gwreiddiol yr oedd modd closio ato'n arw. Yn union fel yr oedd yr enw Sbort y Gwynt, ger Benllech, yn cosi'r dychymyg ers talwm. Da yw deall fod West View, Llangristiolus, wedi newid yn ôl i'r enw gwreiddiol, Bawd y Ddyrnol, dyna i chi delyneg o enw.

❖

Yn ei ail wers Gymraeg cyfieithodd y bachgen *"Come here,"* yn llwyddiannus fel "Tyrd yma."

Gofynnwyd iddo gyfieithu *"Go over there,"* ac atebodd y buasai'n mynd yno ei hun a dweud "Tyrd yma."

❖

MEDDYLIWCH AM Y PETH

Nid cyrraedd yw priodas ond taith.

'Does neb yn hen nes bydd ei fam wedi gorffen poeni yn ei gylch.

Gwaith yw'r peth gorau yn y byd ac felly fe ddylem gadw tipyn ohono tan yfory.

Heblaw am y munud dwetha' fe fuasai yna lawer o bethau heb eu gwneud.

Mae Duw yn cuddio pethau weithiau trwy eu rhoi o dan ein trwynau.

Mae anghyfiawnder yn unrhyw le yn fygythiad i gyfiawnder ym mhobman.

Un o fanteision aflerwch yw fod dyn yn dod ar draws pethau difyr o hyd.

❖

Hyd y gwelaf i yr unig ffordd i gadw'n iach yw bwyta bwyd nad wyf yn ei hoffi, yfed diod nad oes arnaf ddim o'i heisiau a gwneud pethau nad oes gennyf yr awydd lleiaf i'w gwneud.

❖

YR ANGHENFIL

Fe ddywedodd Mrs. Menna Jones, Rhiwlas, wrthyf ei bod wedi datrys cyfrinach anghenfil Loch Ness. Ac i brofi'r pwynt megis fe ddangosodd i mi baragraff o'r gyfrol *Traethawd ar Ddaearyddiaeth*, cyfrol o 370 o dudalennau yn cynnwys casgliad o "weithiau yr awduron enwocaf a diweddaraf" gan Thomas Jones, Amlwch. Argraffwyd y llyfr yn Ninbych gan Thomas Gee ym 1844. A dyma i chi'r paragraff dadlennol o hanes Norwy:

"Ond y creadur rhyfeddaf sydd yn preswylio yn y moroedd hyn, fel y dywed pysgotwyr y wlad, ydyw y cracen. Barnant fod hwn oddeutu milltir a hanner o amgylchiad, a'r olwg arno yn debyg i fân ynysoedd pan fyddo'n codi i wyneb y dwfr. Ac y mae llysiau'r môr yn tyfu arno a llawer o fân bysgod yn magu ynddynt, ar y rhai y mae yn ymborthi drwy eu tynnu i'w fol â math o bibellau sydd yn codi o'i gefn, y rhai, pan y mae efe yn eu hestyn allan, ydynt mor uchel â hwylbren llong gyffredin.

Y morwyr ar gyffiniau Norwy a dybiant eu bod yn deall, wrth fesur dyfnder y dwfr, pan fyddo'r cracen o danynt, a phan y tybiant ei fod yn codi i'r wyneb, hwy a rwyfant eu llestri ymaith mor fuan ag y gallont. Pan fyddo'r creadur hwn yn ymollwng i'r dyfnder drachefn, dywedant fod y fath lynclyn alaethus yn ei ganlyn, digon i suddo llong. Ond dywed teithwyr diweddar mai dychmygion di-sail y pysgotwyr yn unig ydyw'r hanesion hyn amdano, nad oes ac na fu y fath bysgodyn."

Garmon, Garmon,
Gwinllan a roddwyd i'm gofal yw Cymru fy ngwlad,
I'w thraddodi i'm plant
Ac i blant fy mhlant
Yn dreftadaeth dragwyddol;
Ac wele'r moch yn rhuthro arni i'w maeddu,
Minnau yn awr, galwaf ar fy nghyfeillion,
Cyffredin ac ysgolhaig,
Deuwch ataf i'r adwy,
Sefwch gyda mi yn y bwlch,
Fel y cadwer i'r oesoedd a ddêl y glendid a fu.

Buchedd Garmon   *Saunders Lewis*

Dywedodd gŵr o Gaerdydd unwaith nad oedd gan y Cymry Cymraeg fawr o eirfa wrth law i fwrw sen ar eu cyd-ddynion, dim dawn damio a sincio felly. Synnwn i fawr nad yw'r gwr hwnnw'n ffodus na fentrodd i'r gogledd ar un o ddyddiau cicio'r cŵn ynteu fe gâi sylweddoli'n fuan iawn fod ambell Gog yn ddigon crefftus i allu dilorni cymeriad unrhyw un i gryn ddyfnder o fewn canllath yn erbyn y gwynt. Gallaf feddwl am gryn gawod o eiriau dethol a fuasai'n debyg o ddisgyn o gwmpas ei glustiau, y snichyn, y snelgi, y llymbar, yr ewach, y sgothyn, y lob, yr hulpyn, y shinach, y llo gwlyb, y llo cors, y jolpyn, y crymffast, y tinllach bach, y lembo, y llegach, y llyman, y penci, y lleban, y sleprog, y cyw maliffwt, - i wyntyllu ond ychydig.

Mae yna rywbeth yn anorchfygol yn hanes y gŵr hwnnw a ymadawodd â'i swydd. Gofynnwyd iddo beth ddaeth dros ei ben o i wneud hynny ac meddai, "Fe roddais y gorau iddi am fod y bos yn defnyddio hen iaith atgas ac annymunol."
    "Beth ddywedodd o felly?"
    "Dos am y lôn 'na."

170

O GWMPAS Y TŶ

Y tro nesaf y byddwch yn berwi wy rhowch y dŵr i'ch planhigion.

I ymestyn coesau planhigion byrion rhowch y coesau mewn gwellt yfed cyn eu rhoi yn y llestr.

I dynnu *chewing gum* oddi ar ddillad rhowch y dilledyn mewn bag plastig a'i roi yn y rhewgell, fe ddaw i ffwrdd yn rhwydd wedyn.

Os yw'r sip yn glynu rhwbiwch o â phensel.

Os ydych am ddiogelu botymau rhowch gyffyrddiad o farnais ewinedd ar yr edau yn eu canolau.

I sychu esgidiau crogwch nhw ar ffyn cadair.

EFALLAI'N WIR

Y ffordd orau i rieni gael sylw plentyn yw eistedd i lawr ac edrych yn gyffyrddus.

Pobl broffesiynol adeiladodd y Titanic ac amaturiaid adeiladodd Arch Noah.

Cerwch eich gelynion – 'does yna ddim yn eu gwylltio'n fwy.

Clywyd dyn yn dweud, "Rwyf yn dda iawn ag ystyried fy oed. Byddaf yn cyffwrdd blaenau fy 'sgidiau hanner cant o weithiau bob bore ac os byddaf yn teimlo'n o lew wedyn mi godaf o 'ngwely a gwisgo amdanaf."

FFORDD Y GWYDDEL O DDWEUD

Amser ac amynedd aiff â malwen i Rufain.
Gwell cael ychydig na chwennych llawer.
Gwell ci byw na llew marw.
Â'r tlawd i'r môr a'r goludog i'r mynydd.
Canmoled y maes melyn ac nid yr egin gwyrdd.
Canmoled rhyd o'r ochr draw.
Cadwed y dŵr budr nes cael dŵr glân.

CRYTHOR Y PENTRE
(Efelychiad o *"The Fiddler of Dooney"* gan W. B. Yeats)

Pan ganaf fy nghrwth yn y pentre
Dawnsia pawb megis tonnau'r môr,
Fy mrawd yw offeiriad yr ardal
A'm cefnder sy'n arwain y côr.

Fy nghefnder a'm brawd a ddarllenant
Lyfr gweddi yn ddifrif eu gwedd
A minnau ddarllenaf lyfr cerddi
A brynais yn ffair Llanerch'medd.

Pan ddeuwn yn niwedd amser
At Bedr wrth ddrws y ne'
Bydd iddo ef wenu arnom
Ond geilw fi gyntaf i'r lle.

Mae'r da bob amser yn llawen,
Oddieithr y daw ansiawns
Ac mae'r llawen bob amser yn hoffi'r crwth
Ac mae'r llawen yn hoffi dawns.

Pan welir fi yn y Wynfa
Daw tyrfa o'm cylch ger y ddôr,
"Wel, dyma hen grythor y pentre,"
A dawnsiant fel tonnau'r môr.

Percy Ogwen Jones

'Roedd pregethwr yn cael ei orweithio ac aelodau ei gapel yn disgwyl iddo fod ar gael byth a beunydd. Weithiau gwrandawai'r gweinidog ar gyngor ei wraig a mynd i chwarae golff. Ar adegau felly dywedai hithau wrth ei braidd ei fod wedi mynd ar gwrs.

Cwynai'r gŵr, "Mewn saith mlynedd o fywyd priodasol 'dwyt ti ddim wedi cydweld hefo dim dwi wedi'i ddweud."

"Do 'tad," meddai'r wraig. "Pum mlynedd sydd 'na cariad."

DIOGI

Popty yw'r isymwybod lle mae syniadau'n crasu pan fyddwn yn diogi. Diogi oedd Newton pan deimlodd yr afal yn disgyn ac felly'n rhoi'r syniad o dynfa'r ddaear iddo. Diogi oedd Galileo pan welodd

172

lamp grog yn siglo o ochr i ochr a meddwl am y pendil. Ymollwng yn y gegin yr oedd Watt pan welodd yr ager yn codi caead y tecell ac yntau wedyn yn dyfeisio peiriant stêm. Yn aml fe geir mwy o syniadau mewn awr o ddiogi creadigol nag mewn wyth awr o lafur caled. *(Wilfred Peterson)*

❖

Mae dylanwad fel cyfrif banc – lleiaf yn y byd ddefnyddiwch chi arno fo, mwyaf yn y byd fydd gennych chi.

❖

YSGWYD LLAW

Mae dwylo yn siarad cyfrolau. Mae cyffyrddiad ambell law yn ddigywilydd. 'Rwyf wedi cyfarfod pobl sydd mor ddieithr i wir lawenydd nes i gyffyrddiad eu-bysedd roi'r teimlad o ysgwyd llaw a gwynt y dwyrain. Mae yna bobl eraill â phelydrau'r haul yn eu dwylo a gwasgiad eu llaw yn cynhesu'r galon. *(Helen Keller)*

> Y ddeufys na oddefwch,–ond mewn llaw
> Dwym, yn llon gafaelwch;
> Llaw cyfaill yw hi–cofiwch
> Ysgwyd llaw nes codi llwch.
>
> *Gwilym Deudraeth*

❖

GŴR A GWRAIG

Gŵr yn dweud wrth ei gyfaill yn ystod cyfnod rhewllyd, "Mi fuasai'n werth i ti weld fy winsgrin i y bore 'ma, 'roedd hi fel gwydr."

Gwraig yn gweld hers hardd a drudfawr yn mynd heibio mewn angladd ac yn dweud, "Dyna ti, fel'na mae byw."

❖

HEB DDAL DIG

'Roedd merch wedi priodi Sais ac aethant i fyw ar derfyn hen ŵr nad oedd ganddo fawr o grap ar y Saesneg. Un bore ceisiodd y Sais glosio at ei gymydog gan ei gyfarch yn llawen ond nid oedd dim yn tycio a daliai'r hen ŵr i balu ym mhenbleth ei unieithrwydd godidog. Erbyn hyn 'roedd y ddau am y clawdd â'i gilydd a phenderfynodd y Sais roi un cynnig arall arni a gofynnodd *"Still digging?"*

"No," meddai'r hen fachgen, wedi dwys ystyried, *"Not digging. Friends now."*

❖

Clywyd disgrifiad o siaradwr hirwyntog a disylwedd fel "Llawer o gorddi ac ychydig iawn o fenyn." A bu cyngor i'r gwrthwyneb hefyd, cyngor i ddarpar siaradwr mewn cyfarfod go feichus, "Min go dda ar lafn go fyr 'rŵan."

❖

Had maip Môn,
Plannwch nhw'n gynnar mi ddôn',
Os na ddôn nhw, ddôn nhw ddim,
Had maip Môn.

❖

Fe ŵyr y meddygon y gyfrinach fawr sydd ynghudd oddi wrth y bobl gyffredin, sef bod y rhan fwyaf o anhwylderau'n gwella ohonynt eu hunain. I ddweud y gwir mae llawer ohonynt yn well erbyn y bore. *(Dr. Lewis Thomas)*

❖

Mae yna un peth prinnach na gallu, sef y gallu i adnabod gallu. *(Robert Half)*

Gwnewch beth fedrwch chi, hefo beth sydd gennych chi yn y lle'r ydych chi. *(Theodore Roosevelt)*

❖

PLANT

Yr oedd dwy chwaer yn edrych ar lyfr o luniau crefyddol a gwelsant ddarlun o Mair a'r baban Iesu.
    "Ylwch," meddai'r chwaer hynaf, "Dyna'r Iesu a'i fam."
    "Lle mae ei dad o?" gofynnodd y chwaer ieuengaf.
    Meddyliodd ei chwaer fawr am ennyd ac yna atebodd. "O, y fo sy'n tynnu'r lun."

Yr oedd bachgen bach o'r wlad yn ymweld â'i fodryb yn y dref. Gwyliai mewn syndod fel y mwythai ac y cosai ei phwdl pedigri yn gariadus.
    Toc, yn llawn balchder, dywedodd. "Mae ein ci ni yn gwybod sut i grafu ei hun."

❖

CARIAD

Dyma gariad, pwy a'i traetha?
  Anchwiliadwy ydyw ef;
Dyma gariad, i'w ddyfnderoedd
  Byth ni threiddia nef y nef;
Dyma gariad gwyd fy enaid
  Uwch holl bethau gwael y llawr;
Dyma gariad wna im ganu
  Yn y bythol wynfyd mawr.

Ymlochesaf yn ei glwyfau,
  Ymgysgodaf dan ei groes,
Ymddigrifaf yn ei gariad –
  Cariad mwy na hwn nid oes;
Cariad lletach yw na'r moroedd,
  Uwch na'r nefoedd hefyd yw;
Ymddiriedaf yn dragwyddol
  Yn anfeidrol gariad Duw.

Mary Owen

Y NADOLIG

Diolch mewn ambell dywydd–am y nos
  Ac am nawdd aelwydydd;
Am Nadolig, ddiddig ddydd
A Gŵyl i gofio'n gilydd.

John Owen, Bodffordd

Yn ôl y *Guinness Book of Records*, y drws mwyaf ym Mhrydain, ar ddau golyn, (neu ddau getyn drws) yw drws buarth Gwesty'r 'Bull' yn nhref Biwmares. Mae'r drws hwnnw dros un droedfedd ar ddeg o led, dros dair troedfedd ar ddeg o uchder.

Unwaith yr oedd ceffyl a gychwynnai ar y geiriau "Diolch i'r Drefn," a stopio ar y gair "Amen." Ni thyciai yr un gorchymyn arall.

Gwerthwyd y ceffyl. Yr oedd ei feistr newydd yn benderfynol o newid pethau a neidiodd ar gefn y ceffyl. Carlamodd y ceffyl yn gyflymach ac yn gyflymach nes y bu rhaid i'r marchog weiddi, "We, We, We," nerth ei ben. Ond daliai'r ceffyl i fynd. O'r diwedd ildiodd y

175

marchog a gweiddi 'Amen' pan oedd y ceffyl o fewn ychydig fodfeddi i ddibyn anferth.

Sychodd y perchennog y chwys oer oddi ar ei dalcen ac meddai'n ddwys, "Diolch i'r drefn."

❖

Yn ôl Ghandi dyma'r pethau sydd yn mynd i ddifetha dynoliaeth.

> Gwlad heb egwyddor.
> Pleser heb gydwybod.
> Cyfoeth heb lafur.
> Gwybodaeth heb gymeriad.
> Masnach heb foesoldeb.
> Gwyddoniaeth heb ddyngarwch.
> Addoliad heb aberth.

❖

Ysgrifennodd Twm at ei gariad bob dydd am dair blynedd. Yna fe briododd ei gariad, – hefo'r postmon!

❖

Dyn yn dod o'r capel.

"Pregeth ardderchog heddiw. Am unwaith 'roeddwn yn teimlo nad fi oedd yn ei chael hi."

❖

Gwraig yn dweud wrth ei gŵr.

"Fe wnest dy hun rêl ffwl. Gobeithio nad oedd neb wedi sylweddoli dy fod yn sobor."

❖

UN O FÔN

Un tro fe ddaeth angel i'r byd i wneuthur daioni. Ehedodd dros Gymru i chwilio am bobl drist. Yn y man daeth at wraig yn wylo ar fin y ffordd.

"Paham yr wyt yn wylo?" gofynnodd yr angel gan sefyll yn ei hymyl.

"Mae fy mwthyn wedi llosgi i'r llawr," ebe'r wraig yn drist.

"Cyfod ac na bydd aflawen," ebe'r angel yn llon. "Dos adref a thi a weli dy fwthyn ar ei draed yn union fel y bu."

Ymaith â'r wraig yn llawen gan adael yr angel i wenu ar ei hôl.

Cyn hir daeth yr angel at foneddwr pendrist yn wylo ar fin y ffordd. Aeth ato a gofyn, – "Paham yr wyt yn wylo?"

"Bu gennyf wraig a phlant ond y maent i gyd wedi fy ngadael," ebe'r bonheddwr yn alarus.

"Dos yn ôl i'th blas," ebe'r angel, "A thi a weli dy deulu bach yn barod i'th groesawu."

Prysurodd y bonheddwr tuag adref gan adael yr angel i chwerthin ar ei ôl.

Yn llawn awyddfryd pur i greu rhagor o lawenydd ymysg meibion dynion prysurodd yr angel ar ei daith nes cyrraedd pentref bychan ar lan y Fenai ac yno, ar fin y ffordd, gwelodd ddyn yn beichio wylo a'i wyneb cythryblus yn ei ddwylo.

"Pwy wyt ti a pham yr wyli," gofynnodd yr angel yn garedig.

"Gŵr o Fôn wyf fi" oedd yr ateb trist. "Y mae fy modur wedi torri i lawr ac nid allaf gyrraedd adref tan yfory."

A'r angel a eisteddodd ac a wylodd gydag ef.

❖

MEDDYLIWCH AM Y PETH

Petai pawb yn 'sgubo y tu allan i'w ddrws ei hun fe fuasai'r byd i gyd yn lân.

Fe ddewch i sylweddoli maint yr anhawster o greu byd newydd pan ewch ati i dwtio'r garej.

Mae deg o esgusion yn wannach nag un.

Fe fethodd y gaeaf lawer gwaith ond ni fethodd y gwanwyn erioed.

Optimist wyf. Nid yw'n werth bod yn ddim arall.

Athroniaeth yw synnwyr cyffredin mewn dillad parch.

Prin yw'r ganmoliaeth a gawn am yr hyn y bwriadwn ei wneud yfory.

Un o nodweddion rhyddid yw sŵn chwerthin.

Arlunio yw'r grefft o fynd â llinell am dro.

GWEDDI'R GOEDEN

Tydi sy'n mynd heibio ac yn mynnu codi dy law i'm herbyn,
gwrando cyn peri i mi niwed.
Myfi wyf wres dy aelwyd ar noson oer o aeaf,
dy gysgod rhag pelydrau heulwen haf.
Fy ffrwythau a'th ddisychedant yn felys ar dy daith.
Myfi yw'r traws a ddeil dy dŷ, estyll dy fwrdd,
coed dy gwch a deunydd y gwely ar yr hwn y gorweddi;
Myfi wyf goes dy raw, carn dy gŷn a drws dy gartref,
'Rwyf goedyn dy grud a chawell dy weryd.
Myfi wyf rodd Duw a chyfaill dyn.
Tydi sy'n mynd heibio, clyw fy ngweddi ac na wna i mi niwed.

❖

O GWMPAS Y TŶ

Os nad yw'r sos yn dod o'r botel yn rhwydd gwthiwch welltyn i'w
ganol er mwyn i'r aer ei gychwyn ar ei ffordd.

Os bydd eich beiro wedi clogio rhowch dro neu ddau i'w blaen mewn
ffilter sigarét.

Os bydd 'styllennod y llawr yn gwichian rhowch dipyn o bowdwr
babi rhyngddynt.

Os byddwch yn methu agor caead tywalltwch ddŵr berwedig arno
neu ei droi hefo papur tywod.

❖

Mewn llawer tŷ yn hanner cyntaf y ganrif fe lunid croesau hefo dail
tafol ar y teils ger y drws cefn. Hen arfer oedd hwnnw, meddir, wedi
ei wreiddio'n ddwfn yn y cyfnod Pabyddol yng Nghymru. Fe barhawn
ninnau i gyffwrdd pren (pren y groes) pan ddeisyfwn gael ein cadw
rhag anffawd. Rhyfeddol yw cof yr hil ddynol.

❖

Bydded i chi fyw holl ddyddiau eich bywyd. *(Jonathan Swift)*

❖

WYDDECH CHI?

Fod yr haul yn cynhyrchu mwy o egni mewn eiliad nag a ddefnyddiwyd gan ddynion erioed.

Fod tad yr actores enwog Gwen Ffrancon Davies wedi bod yn giwrad yn Llanaelhaearn. Yr oedd yn gerddor da ac fe ddysgodd dad R. L. Gapper i ganu'r organ. *(O Bentref Llanaelhaearn i Ddinas Llundain; Syr D. Hughes Parry)*

Mai FURAM IOSAL a ddywedir am fainc isel yng Ngaeleg yr Alban, FURAM MOR am fainc neu ffwrwm fawr a FURAM BEAG am fainc fach.

Fod Syr Winston Churchill yn perthyn o bell i Richard Wilson R.A. *(Rhwng Dau Fyd; Iorwerth C. Peate)*

Fod teulu Winston Churchill yn hanu o Dre-wyn yng Ngwent.

> Hen gymoedd a hen gwmni,–o'm cyrraedd
> Mi a'u caraf serch hynny;
> Rhowch heulwen bro fy ngeni
> Gwlad rydd y mynydd i mi.
>
> *Ll. Jones*

Diddorol yw'r disgrifiad o'r gof diog fel un oedd wedi gloywi mwy ar ei eingion â thin ei drowsus nag a wnaeth â'i forthwyl.

A beth am y gŵr hwnnw o Lanbedrgoch a ddaeth adref o Fangor ac yn clandro safonau ei barchusrwydd fel hyn, "Mr. Elis ym Mangor, William Elis yn y Borth a Wil y Gors ym Mhentraeth."

Er i Nain edrych yn bur ifanc 'roedd Guto bach yn awyddus iawn i wybod a oedd yn cofio'r rhyfel.
    "Ydwyf yn iawn," meddai ei nain.
    "Geneth fach oeddech chi, Nain?"
    "Wel na, 'oeddwn yn ferch ifanc 'y ngwas i."
    "Ond 'doeddach chi dim yn mynd allan ar eich pen eich hun oeddech chi, Nain?"
    "Wel, oeddwn weithiau, machgen i."
    "Ond, ew, Nain, 'doedd arnoch chi ddim ofn deinasors?"

Yr enaid yw'r cwmpawd yn y galon sy'n pwyntio at Dduw.

❖

"Yr oedd o gymaint o gybydd nes i'r frenhines gau ei llygaid pan ddeuai â phapur punt i olau dydd."

❖

MUCH WENLOCK

Mae llawer i'w weld yn ardal Much Wenlock yn Swydd Amwythig, yn enwedig olion y fynachlog enfawr a drowyd yn chwarel gerrig gan Harri'r Wythfed. Gellir cyfieithu Wenlock yn Gwynllwg. Daw'r 'llog' sydd yn y gair mynachlog o'r Lladin 'locus'. Ohono y lluniwyd llogail, yr hen air am 'mynachlog', a'r un 'ail' sydd yn adeilad. Felly mae gwyn a llog yn rhoi Wenlock erbyn heddiw. Fe saif y pentref ar wrym enfawr o garreg galch a ffurfiwyd o gwrel filiynau o flynyddoedd yn ôl, a'r garreg wen honno a ddefnyddiwyd i adeiladu'r fynachlog mae'n debyg.

❖

MEDDYLIWCH AM Y PETH

Ni ddiflanna ffaith wrth ei hanwybyddu.

Hunan-barch yw sylfaen moesgarwch.

Pinacl gallu yw cuddio gallu.

Dechrau doethineb yw ei amau.

❖

HEN A NEWYDD

Nid pawb a ddygymydd â phethau newydd. Clywsom sôn am hen ŵr yn rhoi ei lantar baraffîn o dan ei got i'w chadw rhag y gwynt a dod i'r penderfyniad nad oedd y pethau newydd yma yn dda i ddim. Clywyd am hen ŵr o Fynydd Hiraethog oedd wedi arfer cario tail fesul tipyn mewn car llusg. Pan fentrodd ei feibion i'r oes fodern a'i gario mewn trol fe fu rhaid iddynt fynd ag o'n ôl i'r domen i gyd gan fod ei bentyrru felly, yn ôl yr hen fachgen, yn sicr o ddifetha'r tir.

❖

CYBUDD

Yma dan y maen ynghudd
Mae'r cybydd main yn huno,
Bu farw hwn cyn hanner dydd
I arbed cost ei ginio.

❖

Atebodd plismyn Texas alwad gan wraig tŷ. Mynnai eu bod yn mynd â'i gŵr i'r ddalfa. 'Roedd y creadur hwnnw yn y tŷ, yn feddw gaib. Pan ddywedodd y plismyn wrth y wraig fod ganddo berffaith hawl i fod yn feddw yn ei dŷ ei hun fe afaelodd hithau yn ei gŵr a'i lusgo i'r stryd. Yna fe aeth y plismyn ag ef i'r ddalfa.

❖

BARDDONIAETH

Dylai darn o farddoniaeth ddechrau mewn hyfrydwch a gorffen mewn doethineb. *(Robert Frost)*

Barddoniaeth yw'r gelfyddyd o uno pleser a gwirionedd. *(Samuel Johnson)*

Gwelaf ddarn da o farddoniaeth fel un sy'n hollol synhwyrol, yn dweud yr hyn sydd ganddo i'w ddweud yn gofiadwy a chynnil ac wedi ei ysgrifennu am resymau barddonol a dim rheswm arall. *(Robert Graves)*

Ni allwch weld barddoniaeth yn unlle heb ddod ag ychydig hefo chi. *(Joseph Joubert)*

Y tu mewn i bob dyn mae bardd sydd wedi marw'n ifanc. *(Stefan Kanfer)*

Mae ysgrifennu vers libre fel chwarae tennis heb rwyd. *(Robert Frost)*

❖

RHYWBETH O'I LE

Aeth Mr. a Miss Evans i Bournemouth am fis er lles Mrs. Evans.

Ymwelwyd â'r castell a thynnwyd lluniau o'r adfeilion yn cynnwys rhai o aelodau'r Gymdeithas.

Enillwyd y gystadleuaeth taflu 'rolling pin' gan Mrs. Haydn gydag ymdrech o 67 troedfedd. Mr. Haydn enillodd y ras ganllath i wŷr priod.

MAM

Arwain di dy fam yn dyner
I lawr y grisiau serth,
Gynt fe roes ei braich i'th gynnal,
Heddiw ti yw'r nerth;
Gweli ar ei hwyneb serchog
Rychau dyfnion gofal mam,
Cofia mai ei gofal drosot
Roes y pryder yn ei cham.

❖

FEL HYN MAEN NHW'N DWEUD

Gwnewch ddaioni yn y byd ac fe wna fyd o ddaioni i chi.

Na thrafodwch eich bwriadau da, cyflawnwch hwynt a gadael i bobl eraill eu trafod.

Fedrwch chi ddim byw yn hir heb fynd yn hen.

Mae baban yn rhynnu pan fo menyn yn toddi.

Yn y byd yma mae'r anwybodus yn siŵr o'i bethau a'r deallus yn llawn amheuon.

Fedrwch chi ddim dringo hefo'ch dwylo yn eich pocedi. Gwell clustan onest na chusan ffug.

Ni all bawb berfformio ond fe all pawb gymeradwyo.

Gwell golau cannwyll na rhegi'r tywyllwch.

❖

Yr oedd gyrrwr lori wedi galw mewn caffi am blatiad o sglodion, paned o goffi a darn o deisen. Daeth tri gŵr mewn dillad lledr i mewn. Aeth un â'r platiad sglodion, yfodd y llall y coffi a bwytaodd y trydydd y deisen. Ddywedodd y gyrrwr lori ddim gair o'i ben, talodd ei ddyled, rhoddodd ei gôt amdano ac aeth allan.

"Doedd hwn'na ddim llawer o ddyn, oedd o?" meddai un o'r beicwyr wrth y wraig y tu ôl i'r ddesg.

"Doedd o ddim llawer o yrrwr lori chwaith," meddai hithau. "Mae o a'i lori newydd fynd dros dri motor-beic."

❖

Un o Amlwch oedd John Evans ond nid oes sicrwydd ynglŷn â dyddiadau ei eni a'i farw. Yn Llyfr Emynau'r Methodistiaid fe gyfeirir ato fel John Evans yr Ieuengaf 1795-1825, ond yn y llyfr *Dechrau Canu* gan E. Wyn James, fe roddir y dyddiadau 1791-1809 ac fe'm sicrheir iddo farw'n ddeunaw oed tra bu ei dad farw'n 95 oed. Ond y bachgen galluog hwn a gyfansoddodd y pennill:

O! angau, pa le mae dy golyn?
  O! uffern ti gollaist y dydd!
Y Baban a anwyd ym Methlem
  Orchfygodd bob gelyn y sydd;
Ni raid i blant Seion ddim ofni
  Mynd adref, dan ganu, tua'u gwlad;
Mae eu ffordd hwy yn rhydd tuag yno,
  A honno agorwyd â gwaed.

Daeth plentyn adref o'r ysgol yn wepdrist. Gofynnodd ei fam iddo beth oedd o'i le ac meddai yntau, "Dyma hi'n fis Rhagfyr a finna' ond newydd orffen dysgu sillafu Tachwedd."

Anfonodd un o bwyllgorau'r llywodraeth at Swyddfa'r Tywydd yn Bracknell i ofyn iddynt pryd yn union yr oedd y gaeaf yn dechrau ac yn gorffen. Disgwylient ateb fyddai'n rhoi'r ateb i'r union ddiwrnod os nad yr union awr. Yr ateb a gawsant oedd, "Mae'r gaeaf yn dechrau pan fydd y dail i gyd wedi disgyn oddi ar y coed ac yn gorffen pan fydd yr eirlysiau yn dangos eu pennau."

Yr hen enw ar aber afon Dulas ym Mhenrhosllugwy, Ynys Môn, oedd Machwy Dulas. Mae lle i gredu bod yr enw 'Llugwy' yn dod o'r gair Celteg am ddisgleirio, fel yn y gair llygad a golwg. Rhoddodd enw i Lugos, un o'r duwiau Celtaidd, hefyd. Mae'n debyg mai tylwyth oedd y Llugwy yn addoli Lugos. Mae yna afon o'r enw Lugg yn Swydd Henffordd. Fe fuasai'r hen Dduw Celtaidd yn troi ar ei bedestl pe gwyddai fod yr awdurdodau yn ei gymryd yn ysgafn trwy ei alw'n Lig wrth sôn am Benrhoslligwy. Mae'n iawn i bawb gael ei enw!

Yr ynfyd a'r marw yw'r unig rai sy ddim yn newid eu meddwl. *(James Russell Lowell)*

THOMAS CHARLES WILLIAMS

Mae straeon am ffraethineb y Dr .Thomas Charles Williams, Gwalchmai, yn boblogaidd. Yr oedd o a'r Parchedig John Williams, Brynsiencyn, i bregethu yn yr un oedfa, a John Williams, yn ôl ei arfer, yn hwyr yn cyrraedd er mwyn cael pregethu'n olaf. Gofynnwyd i Thomas Charles Williams a fuasai'n fodlon pregethu gyntaf. Cydsyniodd y Doethor ac meddai, "I ddechrau'r oedfa fe ganwn ni Mae Duw yn llond pob lle, presennol ym mhob man nes daw John Williams."

Dro arall, ar ymweliad â'r De cyfarfu â gŵr a fu'n gwerthu *ginger beer* ym Mhorthaethwy ac yn un o'i ddiadell yno. Deallodd y Doctor ei fod yn hapus yn ei waith fel porter yn Llandeilo ac meddai T. C. Williams, "Fe glywais am yr Iesu'n troi dŵr yn win ond chlywais i erioed am neb yn troi ginger beer yn borter."

Cyfarfu hefyd â'r Parchedig Easter Ellis. Wedi deall bod y gŵr hwnnw wedi ei eni ar Ddydd Gwener Groglith fe'i llongyfarchwyd gan y Doctor Williams am fod yn ddigon ffodus i beidio cael ei eni ar Ddydd Mercher Lludw.

❖

Yr oedd bachgen ifanc yn awyddus i gael swydd gydag S4C.

"Beth fedri di wneud," gofynnodd Huw Jones.

"Dynwared adar," oedd yr ateb.

Mae gennym ddigon fedr wneud hynny," meddai Huw Jones.

"O wel, dyna chi 'ta," meddai'r bachgen ac ehedodd allan drwy'r ffenest'.

❖

SYMUD GWAS YN LLŶN

Yr oedd yn arferiad i was symud o fferm i fferm ar Ddydd Pentymor. Arferai gŵr o'r enw Amos gario nwyddau o Bwllheli ar ddyddiau marchnad. Amos gafodd y gwaith o symud certmon, ei deulu a'i holl ddodrefn o Fodnithior i Blas Nanhoron. Y diwrnod hwnnw yr oedd ganddo lwyth trwm ar ei lori geffyl. Y drwg oedd fod yr hen gono wedi cael gormod i'w yfed ac er i fynedfa'r Plas fod yn lletach nag ydyw heddiw yr oedd Amos yn mynnu taro'r dodrefn yn erbyn y ciliau er iddo geisio anelu'r porth ddwywaith neu dair. Trwy hyn oll sgwrsiai'n ddi-ball â'i geffyl gan ddweud, "Tydi o ddim yn llwyth trwm ond ei fod yn llwyth â gofal arno." Digwyddai cwningwr fod yn gwrando am y clawdd ag ef a heb gymorth y cwningwr hwnnw mae'n fwy na thebyg mai heb ei wely y buasai'r certmon y noson honno. *(Owen Williams)*

❖

Aeth postmon yn ôl i'r swyddfa â'i drowsus yn llyfrau.

"Ci wedi fy mrathu yn fy nghoes," meddai.

"Roesoch chi rywbeth arni?" gofynnodd y postfeistr.

"Naddo," meddai'r postmon. "Fe'i cymerodd fel 'roedd hi."

AMWYS

Daeth yr achos i ben, ac mae'r Barnwr wedi'i yrru i ysbyty meddwl.

PE MEDDWN AUR PERIW

Ceir dau bennill o'r emyn yma yn y Llawlyfr Moliant, tri phennill yn y Caniedydd ond ni welir yr emyn yn llyfr emynau'r Methodistiaid. Mae'r emyn yn enghraifft dda o ganu syml a naturiol William Lewis, y gŵr a gyfansoddodd 'Cof am y Cyfiawn Iesu' ac 'Aed Grym Efengyl Crist'.

Gwehydd oedd William Lewis a gwehydd crefftus iawn hefyd. Bedyddiwr ydoedd a diacon yn eglwys Llangloffan. Ym 1786 cyhoeddodd y gyfrol o emynau Galar a Gorfoledd ac atodiad i'r gyfrol honno ym 1788. Ym 1798 cyhoeddwyd *Hymnau Newyddion* a daeth 'Y Durtur' o'r wasg tua dechrau'r ganrif ddiwethaf. Bu farw'r emynydd ym 1794.

Pe meddwn aur Periw
　A pherlau'r India bell,
Mae gronyn bach o ras fy Nuw
　Yn drysor canmil gwell.

Pob pleser is y rhod
　A dderfydd maes o law ;
Ar bleser uwch y mae fy nod,
　Yn nhir y bywyd draw.

Dymunwn ado'n lân
　Holl wag deganau'r llawr,
A phenderfynu mynd ymlaen
　Ar ôl fy Mhrynwr mawr.

Pe cawn y ddaear gron,
　A'i holl bleserau hi,
Mae heddwch Duw o dan fy mron
　Yn ganmil gwell i mi.

Dywedodd glaslanc wrth ei dad a oedd yn darllen y papur newydd.

"Mi wn yn iawn eich bod yn gwrando Dad, mae'ch migyrnau wedi troi'n wyn."

❖

Peidiwch â dweud wrthyf i fod y broblem yn un anodd, petasai hi ddim yn un anodd fuasai hi ddim yn broblem. *(Marshal Foch)*

❖

Yn Tsiecoslofacia yr oedd calon Vera Czermak ar dorri pan glywodd am anffyddlondeb ei gŵr. Taflodd ei hun trwy ffenestr y llofft ar y trydydd llawr. Digwyddai Mr. Czermak fod yn cerdded ar y palmant oddi tanodd. Disgynnodd Vera ar ei gefn. Bu Mr. Czermak farw ond fe ddaeth Vera at ei hun.

❖

"Piti bod Siôn Corn yn gorfod dod i lawr simdde fudr ynte, Nain."
"Ie, Llinos."
"Fuoch chi i lawr y simdde rywdro, Nain?"

❖

'Roedd twrnai yng nghanol y wlad yn gwneud ei orau gydag achos digon bregus pan dorrodd y barnwr ar ei draws unwaith yn rhagor ar fater cyfraith.

'Rwy'n cymryd fod eich *clients* yn gyfarwydd ag athrawiaeth y 'de minimus non curat lex', meddai'r barnwr yn ddiamynedd.

Ac meddai'r twrnai, "Eich Anrhydedd, gallaf eich sicrhau mai dyna, yn y dyffryn anghysbell lle mae fy nghyfeillion tlawd ac anllythrennog yn ceisio crafu bywoliaeth oddi ar groen tenau eu tyddyn llwm, yw prif destun y sgwrs o fore gwyn tan nos."

❖

RHIGWM AM HOWELL HARRIS

Howell Harris ar ei hors
O Lannerch-y-medd i Lan y Gors
Ac oddi yno i'r Garreglefn
A baich o ddiawliaid ar ei gefn.

❖

Yr oedd mam go ffyslyd wedi gadael ei mab gartref ar ei ben ei hun am y tro cyntaf ac yn awyddus iawn iddo gael prydau bwyd cyson a chytbwys. Ymhen wythnos ffoniodd i ofyn iddo:

"Wyt ti'n dal i fwyta'r pethau gwyrdd, Nigel?"

"Dim ond y bara," meddai Nigel.

GWEDDI

Sôn am weddïo yr oedd y dosbarth Ysgol Sul ac meddai'r hen athro, "Cofia di bod 'Na' yn ateb hefyd."

FFORDD Y GWYDDEL O DDWEUD

Fel haul ar fryn ond fel ysgallen ar aelwyd.

Mae modfedd yn llawer mewn trwyn.

Mae iâr ddu yn dodwy wyau gwynion.

Cyn boethed â phentan uffern.

Cyn gamed â chorn maharen.

Cyn arafed â chinio diweddar.

Ceg geirios a chalon celyn.

Mae dau ben gan bob dafad sydd ganddo *(ymffrostiwr)*.

Bydded i ti weld wyneb newyddion da a chefn newyddion drwg.

Mae helbulon o flaen yr ifanc a'r pleserau o'r tu ôl i'r hen.

EI GLYWED AR Y BWS

Geneth Ifanc: Pan mae o'n dawnsio mae o'n draed i gyd a phan mae o'n stopio mae o'n ddwylo i gyd.

Sut mai dim ond un Comisiwn Monopoli sydd yna?

Mae hi'n wats aur ddigon o ryfeddodd. Mae hi yn y teulu ers blynyddoedd. Dwi'n meddwl y byd ohoni. Fy nhad gwerthodd hi i mi ar ei wely angau.

Mi briodais hefo fy llygaid wedi cau; mi gaeodd ei thad hi un ac mi gauodd ei brawd y llall.

Wyddwn i ddim beth oedd gwir hapusrwydd nes i mi briodi, wedyn 'roedd hi'n rhy hwyr.

Pan ddaw hi'n amser talu y fo ydi'r cynta' i roi ei law yn ei boced, a'r dwetha i'w thynnu hi allan.

Mae ein dyled yn fawr i Thomas Eddison, heblaw amdano fo fe fuasai'n rhaid ni wylio'r teledu wrth olau cannwyll.

'Dach chi'n mynd i oed pan fydd y canhwyllau'n ddrutach na'r deisen.

AR FLAENAU EI FYSEDD

Credai'r dihiryn John Dillinger y gallai newid ffurf ei olion-bysedd i dwyllo'r heddlu. Dowciodd flaenau ei fysedd mewn soseraid o asid a dioddefodd cryn boen cyn i'r doluriau wella. Rhoddodd Dillinger ei olion-bysedd newydd ar brawf a chael eu bod yr un fath yn union â'r hen rai.

> Fe fwytaodd dyn bach o Drewynt
> Rhyw ddeugain o wyau am bunt,
>   Â'i wyneb yn wyn
>   Sibrydodd fel hyn
> Dwi'm cystal ag oeddwn i gynt.

MEDDYLIWCH AM Y PETH

Efallai nad yw'r gallu i weithio'n galed yn ddawn ond fe wnaiff yn iawn yn ei lle yn amlach na pheidio.

Y ffordd orau i wireddu breuddwyd yw deffro.

Mae mwy o waith trin ar arferion pobl eraill bob amser.

Twnnel i fynd trwyddo yw trwbl ac nid mur i daro'r pen ynddo.

Gwaith caled yw pentwr o waith hawdd wedi ei adael heb ei wneud.

Wyneb cyfaill yw'r drych gorau.

Mae priodas hapus fel sgwrs hir sydd bob amser yn ymddangos yn rhy fyr.

Y drwg hefo prydlondeb ydyw nad oes neb yno i'w werthfawrogi.

Y TYMHORAU

Daw'r gair 'gwanwyn' o'r ddau air 'gwae' ac 'annwyn' (anhiriondeb). Mae'r geiriau 'hydd' a 'bref' yn rhoi hydref i ni, yr adeg y brefa'r hydd am ei gymar. Yn ôl *Datblygiad yr Iaith Gymraeg* gan Henry Lewis fe ddaeth y ddau air 'haf' a 'gaeaf' i'r Gymraeg o'r Frythoneg.

GWEDDI MEWN CYLCH CINIO

O Arglwydd, rho dy fendith
  Ar y gwmnïaeth hon.
Rho lewyrch ar ei geiriau
  A sail i'w horiau llon;
Rho luniaeth corff ac ysbryd,
  Amgylcha ni'n gytûn
Yn enw ac yn haeddiant
  Dy annwyl Fab dy hun. Amen.

COSBEDIGAETHAU

Yn fuan ar ôl codi Ysgol Marian-glas ym 1845, i ddilyn William Jones, Tyddyn Rhedyn, daeth Gwyddel o'r enw Daniel O'Connel yn brifathro arni, un o'r ysgolfeistri galluocaf yn y wlad yn ei ddydd, gŵr o wybodaeth gyffredinol helaeth, a thalent neilltuol ganddo i gyfrannu dysgeidiaeth i eraill. Profodd llwyddiant amlwg cynifer o'i ddisgyblion yng ngwahanol ganghennau dysgeidiaeth y byd ei fod yn feistr teilwng mewn hyfforddiant. Bu llu mawr ohonynt yn golofnau anrhydeddus, yn mynegi i'r byd werthfawredd addysg hen ysgol Marian-glas, – yn weinidogion yr efengyl, ysgolfeistri, capteiniaid llongau a doctoriaid. Ymddangosai O'Connell yn ddyn caruaidd a thyner mewn cymdeithas; dichon ei fod, gyda dynion mewn oed ond yr oedd ei gosbedigaethau ar y plant a droseddai yn ofnadwy o greulon. Yr oedd ganddo wahanol offerynnau tuag at guro yn ôl pwysigrwydd y drosedd. Cansen gref oedd y gyntaf, *mahogany ruler* wyth sgwâr oddeutu modfedd o drwch oedd yr ail. Ond y drydedd oedd yn ofnadwy, y *shillelagh*, darn o bren caled tebyg o ran maint a ffurf i law ddynol gyda rhyw chwe modfedd o goes iddo. Wedi bod o dan oruchwyliaeth hwn byddai y llaw i gyd yn brifo am oriau. Byddai ganddo amryw o gosbedigaethau eraill braidd yn fwy enbyd na'r curo, megis dal cerrig trymion ar hyd y breichiau i fyny am awr neu ddwy fel bo'r drosedd. Cafodd hi yn enbyd unwaith gyda'r oruchwyliaeth hon; tra'n codi breichiau y bachgen a ddaliai y cerrig yn uwch gollyngodd un ohonynt a disgynnodd o'r uchder ar gefn ei droed. Cafodd y gwaethaf y tro hwnw ei hunan. Bryd arall canfu ddau o'r bechgyn yn ymladd adeg yr ysgol, rhwymodd eu dwylo y tu ôl iddynt gan eu rhoddi i sefyll ar fainc a *phointer* hir yn eu cyplysu, pen yng ngheg bob un. Ond pan drodd yr athro ei gefn rhoddodd yr un ag ydoedd y pen ffurf yn ei geg ysgytiad sydyn â'i ben ac anafodd blaen main y *pointer* daflod ceg y llall, a bu cynnwrf mawr, gweiddi a gwaedu fel mochyn newydd ei sticio. Wrth gwrs gollyngwyd hwnnw yn rhydd a chosbwyd y llall hyd eithaf y gyfraith trwy ei godi ar flaenau ei draed ar fainc, lledu ei freichiau gan rwymo ei fysedd â llinyn main wrth hoelion a ddaliai gapiau'r plant, a bu yn y cyflwr hwnnw am awr o leiaf. Mi gredwn na bu y bachgen hwnnw byth yn yr hen ysgoldy ar unrhyw achlysur na chofiai fan y croeshoeliad.

John Jones, Ysgubor Fadog.

❖

Y *waiter* wrth y cwsmer. "Os oeddet ti ar gymaint o frys ddylet ti ddim bod wedi gofyn am falwod."

❖

LLEW LLWYFO

Ganwyd Llew Llwyfo, – Lewis William Lewis am 11.30 ar Fawrth 31, 1831, – o fewn hanner awr i fod yn ffŵl, medda' fo.

Bu Lewis yn cadw siop ym Mhenysarn, Ynys Môn. Un diwrnod yr oedd o a'i gyfeillion yn canu yn yr ystafell gefn pan ddaeth gwraig i mewn i ymofyn pwys o driog. Aeth Llew Llwyfo i estyn triog iddi gan ruthro yn ei ôl i ailymuno yn y gân. Dim ond wrth fynd i'w wely y cofiodd nad oedd wedi rhoi'r plwg yn ôl yn y gasgen. Rhuthrodd i lawr i'r siop a chael ei hun at ei fferrau mewn triog. Dro arall yr oedd y Llew a'i gyfeillion yn llymeitian yn y llofft pan gyrhaeddodd rhyw foneddiges yn annisgwyl. Yn dilyn esiampl y Llew rhoddodd pob un ei het dros ei beint a mynd i weddi.

Ym 1848 cododd y Cyfarfod Misol a'r Sasiwn yn erbyn cynnal Eisteddfod Fawr Aberffraw gan atal eu haelodau rhag cystadlu na thywyllu porth y babell. Ysgrifennodd Llew Llwyfo i'r wasg i gondemnio "culni'r Methodistiaid" a dyna oedd cychwyn ei yrfa newyddiadurol. Derbyniodd Llew Llwyfo dâl am ganu bas yn yr eisteddfod honno.

Mewn eisteddfod yn Wrecsam fe enillodd Llew Llwyfo ar yr awdl ond daeth gwrthdystiad o'r gynulleidfa. Cymerodd y Llew arno ei fod wedi ffromi'n aruthr a gwrthododd y wobr gan fynnu bod y pwyllgor yn rhoi'r anrhydedd i'r awdl ail orau. Yn erbyn eu hewyllys cydsyniodd y pwyllgor a gwaeddodd yr arweinydd ar i "Bethlemiad" amlygu ei hun. Aeth y gynulleidfa yn un chwys o lawenydd a balchder pan lamodd Llew Llwyfo i'r llwyfan drachefn.

❖

'Roedd prentis yn cael ei wers gyntaf fel mecanydd gan berchennog y garej. "Y peth cyntaf i'w ddysgu yw sut i agor y bonet ac ysgwyd dy ben."

❖

Y CHWYLDRO FFRENGIG

Ar Orffennaf 14, 1789, cafodd gwerin Ffrainc lond bol ar greulonderau'r frenhiniaeth a dechreuodd y Chwyldro Ffrengig o ddifrif pan ymosodwyd ar y Bastille fel y gelwid Castell St. Antoine ym Mharis. Dim ond saith o garcharorion oedd yn y Bastille ar y pryd ond fe laddwyd y gwarchodlu bron i gyd a llosgi'r gaer, y gaer a dderbyniasai aml i lwyth trwmbal o westeion 'Madame Guillotine' y gyllell drymlafnog a'i sisial didrugaredd. Dienyddwyd Louis XVI yr adeg honno a'r Conte de Paris yw etifedd y frenhiniaeth erbyn hyn ond dim ond un gobaith mewn pump sydd ganddo o eistedd ar orsedd Ffrainc. Fe ddietifeddwyd ei fab hynaf am iddo adael ei wraig a phriodi Sbaenes. Y Tywysog Jean D'orleans yw ei etifedd ac fe fuasai'n gryn newid byd arno yntau i fod yn frenin yn lle trafeiliwr pethau da.

❖

TAMAID I BROFI

Dyma rigwm blêr a herciog am ryw fwydydd oedd mewn ffasiwn
Pan oedd pawb yn mynd yn selog am y capel ac i'r sasiwn:–
Maidd yr iâr a brywas menyn, bara llefrith ac uwd cennin;
Potas pys a thatws pobi, bara ceirch a phincws Mali;
Teisen gri a photen 'fala, pice ar y maen a manna,
Bara llaeth a theisen deulu, bara lawr a hefyd lymru,
Bara planc a bara pumbys, bara carwa a thorth felys;
Pennog ffres o'r môr 'di ffrïo neu'n y popty wedi piclo;
Tost a wya' wedi' berwi gawn i frecwast cyn bod miwsli,
Ffa 'di stwnshio hefo tatan a llaeth o'r deri yn y bowlan,
Sgotyn, bwdran, ffest y cybydd, ffrindia'n galw heb ddim rhybudd,
Rhai yn galw bob yn eilddydd, croeso i bawb yn 'Refail Newydd.
Sgleisen o gig moch a thatan a phwdin reis 'di wneud mewn sosban;
Berwi 'nionyn, dyna ffefryn, bwyta hwnnw hefo menyn,
Rwdan wedi'i berwi'n ysgafn, honno i swper hefo brechdan,
Barod am y gwely wedyn a chloi'r drysau yn y bwthyn.
O mi 'roedd hi'n braf erstalwm, bwyta bwyd a hwnnw'n iachus,
Boliad iawn a symud botwm, neb yn slimio, pawb yn hapus.

Menna Jones, Rhiwlas.

❖

CERDD YR HENWR (detholiad)

Y ddeilen hon, neus cynired gwynt,
  Gwae hi o'i thynged!
Hi hen; eleni ganed.

o Ganu Llywarch Hen

❖

CEINIOGWERTH

Daeth Jâms y Chweched, brenin yr Alban, yn frenin Lloegr wedi
marw Elisabeth, cyfnither ei fam. Fel pob brenin arall yr oedd
ganddo ei ffefrynnau yn y llys ac fe aeth â nhw gydag ef pan
symudodd i Lundain. Yr oedd ei ddeiliaid yn wyllt gandryll pan
glywsant am y breintiau a gâi gwŷr y llys gan y brenin, yn enwedig
yr Iarll Stirling a gafodd holl diroedd Canada ganddo ar rent o
geiniog y flwyddyn.

❖

'Roedd gŵr yn canmol ei gymorth clywed.

"Gallaf glywed deilen yn disgyn ganllath i ffwrdd," meddai. "Mae diferyn o law fel ffrwydriad a gallaf eu clywed yn rhoi menyn ar y bara yn y tŷ nesaf. Gen i mae'r cymorth clywed gorau yn y byd."

"Faint dalaist ti amdano?" gofynnodd ei gyfaill.

"Mae'n chwarter i naw," meddai yntau.

ENWAU LLUNDAIN

Mae yna enwau diddorol tua Llundain. Meddyliwch am y gair 'Cockney'. Yn wreiddiol golygai blentyn wedi ei dinpwl, ei faldodi neu ei ddifetha. O hynny daeth i olygu rhywun yn byw mewn tref, rhai mursennaidd ac egwan o gorff yn ôl pobl y wlad. Yna daeth i olygu Llundeiniwr, yna rhywun wedi ei eni yn sŵn clychau plwyf Bow ac yn olaf unrhyw un sy'n siarad tafodiaith Llundain.

A dyna Charing Cross wedyn. 'Chore' yn Saesneg yw swydd ysgafn yn yr ystyr o droi llaw at rywbeth llai pwysig na dyrnu neu godi plant. Yn yr Hen Saesneg ei ystyr oedd twrn o waith. Ceir yr un gair yn 'char' ac yn 'charlady'. Daw'r gair 'ajar' o'r un cyfeiriad hefyd, pan fo drws wedi rhoi rhyw dro ar ei golfachau.

DAU BENNILL Y DIWYGIAD

Pechodau fel y porffor
  Neu fel ysgarlad liw
A wneir yn lân fel eira
  Trwy rad drugaredd Duw;
Mae'n maddau'r pum can ceiniog
  Mor rhwydd â'r hanner cant,
Gwnaeth Saul, erlidiwr creulon
  Trwy ras, yn un o'r plant.

———

Haws fuasai i'r brithyll bychan
  Lyncu Môr y De'n ei ddig,
Haws fuasai i'r deryn egwan
  Gario'r Andes yn ei big;
Haws fuasai i'r morgrugyn
  Yrru'r Alps o'i flaen i'r môr
Nag i ddyfais dyn na diafol
  Ddadymchwelyd arfaeth Iôr.

193

Ffoniodd cyfaill Spike Milligan ond nid oedd yn hollol siŵr mai Spike a atebai.

"Pwy sy'n siarad?" gofynnodd.

"Ti sy'n siarad, y ffŵl gwirion," meddai Spike.

AR UN O LYFRAU P. G. WODEHOUSE

"Cyflwynedig i fy merch. Oni bai am ei chydymdeimlad diwarafun hi a'i chefnogaeth cyson fe fuasai'r llyfr hwn wedi ei gyhoeddi yn gynt o lawer."

CAM-DDWEUD

Dywedodd Miss Lloyd eu bod wedi gweld 26 o geirw yn dod at y llyn i yfed ac ychwanegodd eu bod yn gwisgo dillad cynnes ar y pryd.

Ar wahân i'w gŵr, sydd yn brifathro, hi oedd yr unig ddynes ar y bws.

Oherwydd prinder tanwydd gofynnir i'r swyddogion fanteisio ar eu hysgrifenyddesau rhwng hanner dydd a dau.

'Roedd geneth fach sionc o Gaerludd
Yn teithio'n gyflymach na'r dydd,
Cychwynnodd un pnawn
A chyn cyrraedd yn iawn
Dychwelodd i'r union le bydd.

SÊR O GYMRU

O gyff Cymreig y tarddai Alan Jones, Bette Davies, Billy De Wolfe, Ray Milland, Glen Ford a Myrna Loy. Ffermwr o Gastell-nedd, David Thomas Williams, oedd taid Myrna Loy ac fe briododd ag Ann Morgan Davis. Miss Williams fyddai Richard Burton ac Emlyn Williams yn ei galw bob amser.

Y ni yw gorffennol yfory. *(Mary Webb)*

❖

Meddai meistr wrth ei was,

"Rwyt ti'n gweithio'n ara'deg, rwyt ti'n cerdded yn ara'deg ac rwyt ti'n ara'deg yn deall pob dim. Oes yna rywbeth y gelli di ei wneud yn sydyn?"

"Oes," meddai'r gwas. "Blino."

❖

HOGYN DRWG

Yn ei lyfr *Ymyl y Ddalen* mae R. T. Jenkins yn sôn am gymeriad o'r enw Dafydd Evans yn mynd dros ben llestri mewn cyfarfod o Gymdeithas y Cymreigyddion mewn tafarn ger Pont Llundain.

Ymdddengys i Ddafydd Ifan ryw noson "fyned oddi amgylch y 'stafell fel dyn brwysgedig a phenfeddw, a darfod iddo ddangos ei hun yn farus a rheibus annychmygol. Fe yfodd ddiod pobl a rhoddodd y potiau gweigion o'u blaenau a pheri iddynt alw am 'chwaneg os mynnent, ac a frysgipiodd ac a ddifrododd lawer mwy o dybaco nag oedd yn rhaid wrtho a gwnaeth alanastra mawr ymhlith y pibellau, a'r peth mwyaf gresynus i feddwl amdano oedd iddo ddychryn amryw o'r cyfeillion wrth lygadrythu, gweflgamu, trwynfyngu, crych dalcennu, croes fochgernu, safnrythu a ffroenchwythu."

❖

Mae ambell sŵn yn cario'n well na sŵn arall. Mae'r geiriau 'hufen iâ' yn cario'n well na'r geiriau 'amser gwely'.

Y ffordd orau i ddod o hyd i rywbeth yw prynu un arall yn ei le.

❖

Aeth lleian am dro yn ei char ond aeth y car yn sych o betrol. Cerddodd y lleian i'r garej agosaf a chafodd ychydig o betrol mewn 'llestr dan gwely'. Dychwelodd at y car a dechreuodd dywallt y petrol i'r tanc. Daeth gweinidog yr Hen Gorff heibio, edrychodd yn syn ac meddai:

"Chwaer annwyl, does gen i ddim i'w ddweud wrth y'ch crefydd chi ond wir, mae'n rhaid i mi edmygu'ch ffydd."

❖

195

'Roedd gwraig, o le dwi'm yn siŵr,
Cyn deneued â rasal ei gŵr,
Fe foddodd 'rwy'n credu
Tra'n ymddisychedu
Trwy lithro trwy'r gwelltyn i'r dŵr.

❖

DWED HYN'NA ETO

PETER POWELL: Fe anwyd eich mab ar yr union ddiwrnod y cychwynnodd Radio Un?

DYN AR Y FFÔN: Do. Fe'i ganwyd o bymtheng mlynedd yn ôl.

PETER POWELL: Faint ydi oed y mab 'rŵan?

Mae'n debyg eich bod yn gwneud rhywbeth heblaw rhoi pedair awr ar hugain y dydd i ddawnsio. *(Mike Read)*

'Doeddwn i ddim eisiau iddo fo fod y math o ddyn sydd erioed wedi cerdded ar hyd y traeth a theimlo'r glaswellt dan wadnau ei draed. *(Bruce Forsyth)*

Dydw i ddim yn meddwl ei fod o'n llai pwysig am nad ydi o yn wirioneddol bwysig. *(Patrick Keighley)*

❖

YR 'HEDYDD

Rai blynyddoedd yn ôl gwahoddwyd y Dr. Bruce Griffiths i eistedd mewn cylch ysbrydegol yn Rhydychen. Cynigiodd y cyfryngwr gyfathrebu ag unrhyw Gymro enwog a dewisiwyd Owain Glyndŵr. O'i holi dywedodd y tywysog iddo farw ar fin ei gledd ei hun yng nghyffiniau Mynwy. Llosgwyd ei gorff gan ei ddilynwyr fel na ddiffoddid fflam gobaith ei gyd-Gymry am Gymru rydd.

Yn ôl traddodiad mae'r hen bennill canlynol yn cyfeirio at y digwyddiad:

Mi a glywais fod yr 'hedydd
Wedi marw ar y mynydd,
Pe gwyddwn i mai gwir y geiria'
Awn â gyr o wŷr ag arfa'
I gyrchu corff yr 'hedydd adra'.

❖

196

Mae sgwrsiwr straegar yn siarad am bobl eraill, mae sgwrsiwr diflas yn siarad amdano'i hun ond mae sgwrsiwr difyr yn sôn amdanoch chi.

Yn ystod gêm griced yn un o gymoedd y De 'roedd un o dîm yr ymwelwyr byth a hefyd yn taro'r ddaear o flaen y wiced â wyneb y bat. Ni allai un o'r gwylwyr ddioddef llawer mwy o hynny a gwaeddodd, "Gan bwyll gw'boi, mae 'ne ddynion yn gwitho dan ddaear yn y fan yne."

❖

GAIR YN EI LE

Calon crefydd yw crefydd yn y galon. *(T. Glyn Thomas)*

Y da yn aml yw prif elyn y gorau. *(T. Glyn Thomas)*

Y ffordd orau i ddweud rhywbeth yw gwneud rhywbeth. *(Dyfynnwyd gan y Parchedig Emlyn Richards)*

Duw a greodd ffynnon, dyn a dorrodd bydewau. *(T. Glyn Thomas)*

Cariad ar waith yw maddeuant. *(T. Glyn Thomas)*

Yr wyf yn bensal i Dduw, pwt o bensal â'r hon y mae Duw yn ysgrifennu yr hyn a fyn. Mae Duw yn ysgrifennu trwom ni a pha mor amherffaith bynnag y bôm fel offerynnau, mae ysgrifen Duw yn berffaith. *(Y Fam Teresa)*

Wnaeth trachwant ddim ond llwgu pob daioni. *(Emlyn Richards)*

❖

Y PASG ELENI

Disgwyliai'n hir dan fondo'r
  Archfarchnad un prynhawn,
Ei wallt yn sgydu'n hirllaes
  A'i lygaid craff yn llawn.

Ysgeintiai'r dŵr o'r gwter
  Yn oriog dros ei draed
Heb olchi dim o ddolur
  Y teithio blin a'r gwaed.

Canai Tom Jones neu rywun
  Am gariad nerth ei ben
Tra sathrai'r dorf odreon
  Y wisg ddiwnïad wen.

Gwerinwr athrylithgar oedd Wil Ifan o Fôn, y saer maen o'r Traeth Coch a gafodd radd D.Litt. er anrhydedd gan Brifysgol Ryngwladol Paris ym 1947. Yr oedd Wil Ifan yn awdur, yn fardd ac yn fathemategydd, a llawer erbyn heddiw wedi troi at ei ffordd ef o feddwl am darddiad y meini hirion a hynafolion eraill o'r fath.

Yr oedd y bardd Matthew Arnold yn hoff iawn o eiriau cyn belled nad oeddynt yn eiriau Cymraeg. Rhyw ddiwrnod fe ddaeth yn arolygydd i Ysgol Genedlaethol Llanbedrgoch lle'r oedd Wil Ifan yn ddisgybl unarddeg oed. Barnodd yr arolygydd bod syms William Evans yn ddiffygiol, yn Saesneg beth bynnag, a bu rhaid i'r plentyn aros yn Standard 2 am flwyddyn arall. Ond bu rhaid i Wil Ifan adael yr ysgol yn ddeuddeg oed. Ac meddai Wil wrth y Prifardd John Eilian ym 1950, "Yn Standard 2 yr ydw'i byth, diolch i Matthew Arnold."

❖

Y TRAETH

Cofiaf rodio'r glannau,
    Dim ond ti a mi,
A chri gwylanod penddu
    Yn llonni 'ngalon i.

Heno, mi fy hunan
    Yn rhodio ger y lli
A chri yr wylan benddu
    Yn brifo nghalon i.

Siân Lloyd Williams

❖

DWÊD HYN'NA ETO

Tydyn 'nhw ddim yn chwarae i fath o batrwm wrth gwrs ond os na fydda'nhw'n ofalus fe fydda'nhw'n dechrau chwarae i'r patrwm hwnnw. *(Mike Davies)*

Chaiff o ddim problem i ddatrys yr ateb. *(Jack Karneham)*

Mae ei ddwylo fo ar ei bengliniau ac y mae'n dal ei ben mewn anobaith. *(Peter Jones)*

Mae'r efeilliaid yma hefyd. Dau o rai diddorol, – y ddau o Wisconsin. *(Dan Maskell)*

Bob tro mae Chrissie yn chwarae'n dda rydw i'n teimlo ei bod yn chwarae'n dda. *(Anne Jones)*

Pan mae Martina yn teimlo'r tyndra mae hynny'n help iddi ymlacio. *(Dan Maskell)*

Chawsom ni ddim mwy o law ar ôl iddi beidio bwrw. *(Harry Carpenter)*

Mi fedrwch chi glywed y distawrwydd wrth i'r frwydr fynd ymlaen. *(Dan Maskell)*

Mae'n dod o deulu o chwaraewyr tennis. Mae ei thad yn ddeintydd. *(Sylwebydd y B.B.C.)*

❖

Gwraig: Pan fydda' i lawr yn y dymps mi fydda' i'n cael het arall i mi fy hun.

Cymdoges: Dwi wedi bod yn meddwl lle'r oeddech chi yn eu cael nhw.

❖

Dydd Llun, Dydd Mawrth, Dydd Mercher
Mi es i garu Gwen;
Dydd Llun, Dydd Mawrth, Dydd Mercher
Mi chwerthodd am fy mhen.

❖

HEN DDOETHINEB

Y daran sy'n rhuo
Ond y fellten sy'n taro.

Gwag aelwyd heb fwg, gwacach heb dân.

Gorau coleg, coleg aelwyd.

Beudy oer a stabal gynnes.

Gorau cymydog, clawdd.

Aur sy' annwyl dros ennyd.

Amlaf ei gŵys, amlaf ei ysgub.

❖

DRYSAU

Ym mroliant ei gofiant fe ddyfynnir y comedïwr Michael Bentine yn dweud rhywbeth yn debyg i hyn:

"Yn ystod fy oes cefais fy hun yn wynebu llawer o ddrysau. Fe agorais ambell un, dim ond i'w cau mewn braw. Mae eraill wedi agor i mi a gwelais lawer o ofid a phoen. Mae yna rai nad wyf wedi bod yn ddigon dewr i'w hagor eto. Ond y mae yna un, o'i agor, sy'n gollwng tonnau enfawr o oleuni euraidd i'm bywyd. Tu draw iddo gallaf weld wynebau y rhai a garaf yn gwenu arnaf, y rhai hynny a'm rhagflaenodd trwyddo. Hwn yw fy hoff ddrws – yr un a elwir 'Haf'."

HANNER A HANNER

Derbyniodd Samuel Johnson lawysgrif gan awdur gobeithiol yn gofyn am ei sylwadau. Ysgrifennodd Johnson yn ôl. "Mae eich llawysgrif yn wreiddiol ac yn dda. Y drwg yw nad yw'r gwreiddiol yn dda iawn ac nad yw'r da yn wreiddiol iawn."

MORFA DULAS (Gwyn Roberts)

'Roedd hedd ym Morfa Dulas
  A'i hafau'n hir a phoeth
Ac ar ei hen aelwydydd
  Bu'r iaith yn bur a choeth.
Oes un a ŵyr am drysor gwell
  Na lleisiau plant yng Nghoed y Gell.

Fe redai'r afon fechan
  Yn fywiog tua'r môr
A'n swyno wnâi'r mwyalchod
  Yng Nghoed y Plas fel côr;
Y tonnau'n llyfn heb ewyn gwyn
  A'r gwŷr yn cranca ger y Bryn.

Caem drochi ym Mhwll Pegi
  Neu'r glaslyn twym gerllaw
A mochel dan y Porti
  Os dôi yn gawod law;
Caem dorri'n henwau ar y ddôr
  A lluchio cerrig llyfn i'r môr.

200

Fe red yr afon heddiw
　　Mor fywiog ag erioed,
Deil miwsig y mwyalchod
　　O hyd ym mrigau'r coed;
Ond daeth rhyw groes gyfnewid wynt
　　A darfu'r hen arferion gynt.

'Does neb ar drwyn y Cwmrwd
　　Yn cranca fel o'r blaen,
Mae'r cwch o dan y storws
　　Yn sgerbwd blêr di-raen;
Ddaw neb i rodio'r llwyni cnau,
　　Mae drws Glan Morfa wedi cau.

YMGEDWCH YN GENEDL

Cofiwch eich bod yn genedl trwy eneiniad Duw, am hynny, gwnewch yr hyn a alloch i gadw'r genedl yn genedl, trwy gadw'i hiaith, a phopeth gwerthfawr arall a berthyn iddi.

Os byddwch yn anffyddlon i'ch gwlad a'ch cenedl, pa fodd y gellir disgwyl i chwi fod yn ffyddlon i Dduw a'r ddynoliaeth? Gan i Dduw eich gwneuthur yn genedl ymgedwch yn genedl; gan Iddo gymryd miloedd o flynyddoedd i ffurfio iaith addas i chwi, cedwch yr iaith honno; canys wrth gydweithio â Duw yn ei fwriadau tuag atoch, bydd yn haws i chi ei gael wrth ei geisio.

Pwy a ŵyr nad yw Duw wedi cadw'r Cymry yn genedl hyd yn hyn am fod ganddo waith neilltuol i'w wneuthur trwyddynt yn y byd?

"Rargian fawr," meddai'r deintydd drachefn wrth edrych i mewn i geg gwraig ganol oed. "Dyna'r twll mwyaf a welais i erioed yn naint neb."

"Does dim angen i chi ail-ddweud y peth," meddai'r wraig.

"Wnes i ddim," meddai'r deintydd. "Eco oedd hwn'na."

Daeth gŵr i gadw tŷ tafarn yng nghyfffiniau Bae Colwyn a gofynnodd cyfaill iddo.

"Ydi o'n lle hen ffasiwn?"

"Nac ydi," meddai'r tafarnwr. "Ond mi fydd ar ôl i ni ei foderneiddio."

Dau gyfaill yn sgwrsio am ddyn oedd wedi marw heb dalu ei ddyledion.

"Maen nhw'n dweud na fedrwch chi ddim mynd â'ch arian hefo chi," meddai un. "Ond mae'n hawdd iawn mynd ag arian pobl eraill."

❖

MEDDYLIWCH AM Y PETH

Mae'n hawdd gwybod bod plant yn tyfu pan ddechreuant ofyn cwestiynau sydd ag atebion iddynt.

Mae'n hawdd cael dyn i gyfaddef na all arwain cerddorfa, tynnu pendics, cynllunio carffosiaeth neu redeg ffatri geir ond anodd yw dod o hyd i ddyn nad yw'n credu y gall ganu tenor, llywodraethu ysgol neu gyflawni swydd bwysig yn y llywodraeth.

Mae ystadegau fel bicini. Mae'r pethau a ddatguddir ganddynt yn awgrymog a'r pethau a guddir yn hanfodol.

❖

YN DOMINÔ

Glaniodd dau ŵr o Mars ar y maes golff. Gwyliasant un o'r chwaraewyr yn taro'r bêl i'r borfa fras a sylwi cymaint o drafferth a gâi wrth gael y bêl oddi yno.

Yna aeth y bêl i'r byncar a'r Marswyr yn dal i wylio'r golffiwr yn ymdrechu i'w chael yn ôl ar lwybr rhesymol.

O'r diwedd trawodd y golffiwr y bêl i'r twll ac meddai un o'r Marswyr "Mae hi wedi canu arno fo 'rŵan."

❖

MEDDYLIWCH AM Y PETH

Nid oes aeaf yn nheyrnas gobaith.

Da yw'r diafol wrth brentis.

Mae buwch y diafol yn bwrw dau lo.

Mae crofen ar bob torth.

Ni ddelir brithyll heb gwman gwlyb.

Mwya'r trai mwya'r gorllan.

Mewn dynion mawr mae beiau mawr.

Mwya'r goleuni mwya'r cysgod.

Tad darbodus, mab afradlon.

Cropian at Dduw, llamu at ddiafol.

❖

Atgoffodd athrawes blant ei dosbarth mai amser i rannu teganau oedd y Nadolig. Gwelodd fod ei chyngor wedi dwyn ffrwyth wrth iddi wagio'r blwch llythyrau ar ddiwedd y pnawn. Yr oedd un o'r plant wedi ysgrifennu

Annwyl Siôn Corn,

Yr wyf am rannu fy nheganau hefo'r plant eraill. A gaf i bentwr o deganau i'w rhannu os gwelwch yn dda ?

❖

Crafa pob ceiliog ato'i hun.

❖

PRYDAIN FAWR A'R IÂR

Un ffraeth iawn oedd Collins, postmon Amlwch. Wrth gwrs, yn yr oes honno, rhaid oedd cerdded o Amlwch i Benysarn a Dulas. Gwerthwr wyau oedd John Owen, Chwillan Bach, yr un mor ffraeth â Collins ac yn gynganeddwr medrus. Yr oedd y ddau am y gorau yn tynnu coesau ei gilydd ond tro Collins oedd hi y tro hwn.

'Roedd Collins wedi loetran yn y Rhiwlas a John Owen wedi sylwi ar hynny a phan gyfarfu'r ddau, meddai John Owen, "Beth wyt ti'n wneud tua Rhiwlas mor hir? Mi riportia i di i'r Post Master."

Ac meddai Collins. 'Does dim gwahaniaeth gen i. Mae Llywodraeth Prydain Fawr y tu ôl i mi, 'does yna ddim ond twll din iâr y tu ôl i ti." *(Gwyn Roberts)*

❖

FFRAMIAITH

Yn raddol a sydyn mae'r gêm yma wedi dod yn fyw. *(David Vine)*

Mae o'n lwcus ar un ystyr ac yn ffodus ar y llall. *(Ted Lowe)*

O dyna i chi ergyd ardderchog a'r hyn sydd yn rhyfedd ydi nad oes gan ei fam o ddim i'w ddweud wrth snwcer. *(Ted Lowe)*

Mae yna ddigon o bwyntiau ar y bwrdd i Tony fedru tynnu'r gath o'r tân. *(Ray Edmonds)*

Dwi'n credu'n gryf y bydd Steve Davis yn ceisio sgorio hynny o bwyntiau fedr o yn y ffrâm yma. *(Ted Lowe)*

Mae Tony Meo wedi cael hyd i'w 'sgidia potio. *(Rex Williams)*

Yn y sefyllfa yma mae'n rhaid i chi weld eich hun neu eich gwrthwynebydd yn ennill. *(Kirk Stevens)*

Mae o dipyn yn welw ond dyna fo, – White ydi' enw fo. *(Ted Lowe)*

Ar ôl dweud hynny rhaid dweud na ddigwyddodd yr anochel ddim. *(John Pulman)*

Mae hyn'na'n rhoi'r gêm y tu hwnt i bob bai. *(Ted Lowe)*

Fu neb yn nes at ennill Cwpan y Byd y llynedd na'r ail, Dennis Taylor. *(David Vine)*

❖

LEWIS MORRIS

Bu Lewis Morris mewn ysgarmesoedd cyfreithiol dibendraw ag ysweiniaid barus Ceredigion. Nid y lleiaf bygythiol o'r ysgweirod oedd Powell Nanteos ond, yn ôl J. Henry Griffith, nid oedd Lewis Morris yn brin o allu rhoi tro ar gynffon y gŵr bonheddig hwnnw chwaith. Wedi i Lewis Morris orfod ymddeol parhaodd i fyw ym Mhen y Bryn.

Un prynhawn daeth un o weision Nanteos yno gyda chasgen bwyd moch. Gofynnodd y gwas i Lewis Morris, ar ran ei feistr, a fuasai mor garedig â chylchu'r gasgen o'r newydd. Sarhau Lewis Morris oedd y bwriad wrth awgrymu y dylai ddychwelyd at grefft ei gyndadau. Holodd Lewis Morris y gwas yn fanwl a oedd ei feistr wedi dweud pa ddeunydd oedd i fod i'r cylchau. Na, nid oedd Powell wedi crybwyll hynny.

Anfonodd Lewis Morris y gasgen i Lundain i'w chylchu ag aur. Y traddodiad yng Ngheredigion yw fod costau enfawr y gwaith wedi tlodi Sgweier Nanteos yn enbyd.

❖

'Roedd yn gymorth i mi weld nad oedd fy nhad a mam yn parchu dim ond daioni. *(Y Fam Teresa)*

❖

Yr oedd gwraig yn gwrthod gwisgo'i sbectol gan ei bod yn meddwl fod ei gwisgo yn gwneud iddi edrych yn hen. Ond 'roedd yn ei gwisgo un bore.

"Ers pryd wyt ti'n gwisgo rheina?" gofynnodd ei chymdoges.

"Ers ddoe," oedd yr ateb. "Pan oeddwn i'n gwneud teisen fe godais y papur a lladd pump o gyrants."

❖

Teflais at ei ffenest neithiwr
Gerrig serch a'u galw'n siwgwr;
Llwyr anghofiais ei hatgoffa
Mai gwydr yw fy nghalon inna'.

Cledwyn Roberts

❖

TALU'R PWYTH YN ÔL

Rex Whistler oedd yr arlunydd a beintiodd lun ei fam a'r murlun enwog ym Mhlas Newydd, cartref Ardalydd Môn.

Pan glafychodd pwdl Whistler fe anfonodd yr arlunydd am Syr Morell MacKensie, un o feddygon enwocaf y byd, i ddod i weld y pwdl. Nid oedd y meddyg yn gwerthfawrogi'r alwad o gwbl.

Trannoeth anfonodd Syr Morell neges at Whistler yn peri iddo ddod ar frys ac fe aeth Whistler i gartref y meddyg a'i wynt yn ei ddwrn.

"Diolch yn fawr i chi am ddod," meddai'r meddyg. "Hoffwn gael eich barn ynglŷn â pheintio'r drws yma."

❖

Gwelwyd rhybudd Saesneg yn Nyfnaint yn dweud, "Cadwch draw, mae'r cae yma'n llawn o TARAXACUN." Ymddangosai hynny'n fygythiol a pheryglus iawn hyd nes i rywun sylweddoli mai dyna'r gair Lladin am ddant y llew.

Gwelais hen wraig yn godro
A menyg am ei dwylo,
Hidlo'r llaeth trwy gwt ei chrys
Nes 'rown i flys ei chicio.

❖

Yr oedd gŵr a gwraig wedi cael andros o ffrae ac wedi teithio yn y car am filltiroedd heb yngan gair. Toc dyma'r gŵr yn gweld mul yn y cae a gofynnodd i'w wraig

"Perthynas i ti?"

"Ie," meddai hithau. "Trwy briodas."

PLANT

"Ond beth yw sêr?" gofynnodd yr athrawes i'r plant. Ac meddai un geneth fach heb lyncu ei phoeri, "Sêr ydi'r golau'n dangos trwy garped Duw. "

"Dad, ydi pob stori dylwyth teg yn dechrau hefo 'Rhyw dro'?" "Nac ydynt," meddai ei thad. "Mae rhai yn dechrau hefo, 'Pan gaf i fy ethol'."

❖

GLENDID

Os ydwyd, fal y dywedan', – yn ffôl
Ac yn ffals dy amcan,
Hynod i Dduw ei hunan
Fentro dy lunio mor lân.

Dienw

❖

DAU CHWARELWR

Poenid chwarelwr gan gwmwl o chwiws ac ofer oedd ei ymdrechion i'w gwasgaru â rhifyn cleddyfol o'r Herald. O'r diwedd cododd ei olygon tua'r nefoedd ac meddai, "O Arglwydd, wnei Di eu gwneud nhw'n un pry' mawr i mi gael chance."

Yr oedd chwarelwr wedi cael reid ar gefn moto-beic ei fab ac ar ei ddychweliad meddai'n grynedig wrth ei gymydog, "Spîd, dyna i ti spîd, cae tatws yr ochor yma a chae rwdins yr ochor arall a welais i ddim ond stwnsh rwdan." *(Tegwen Hughes)*

❖

MWG

I'm gwely'n fachgen dengmlwydd oed
Pur euog derfyn dydd,
Fy nhad a mam heb amau dim
Fod baco gen i 'nghudd.

Ond codi fore trannoeth wnes
Yn yfflon racs fy myd,
Yn berffaith siŵr mai mhechod i
Oedd niwl y glyn i gyd.

206

Meddai'r barnwr wrth geisio rhoi taw ar y diffynnydd huawdl. "Os wyf i wedi eich deall yn iawn fe symudodd y goeden yn sydyn i'r chwith heb roi unrhyw fath o arwydd."

Dyn â golwg gwyllt arno, bwyell yn ei law, wrth ddrws cymydog, "Rydw i wedi dod i drin y'ch radiogram chi."

Merch fach bedair oed yn mynd a'i chyfeillion drwy'r tŷ.
"Dyma fy ystafell i," meddai, "A dyna ystafell fy mrawd bach." Agorodd ddrws yr ystafell ymolchi a dangos y glorian ar y llawr, "Dyna lle mae mam yn mesur ei thraed."

MEDDYLIWCH AM Y PETH

Mae tafod llawer un wedi torri ei drwyn.

Fuasai o ddim yn rhoi ei gyllell i'r diafol i ladd ei hun.

Y gŵr yn teyrnasu a'r wraig yn rheoli.

Nid cartref heb sgwrs.

Na chadwer cig mewn ciando.

Mae Duw yn caniatáu ond nid am byth.

Yfory, yn aml, yw diwrnod prysuraf yr wythnos.

Mae ysgub newydd yn 'sgubo'n lân ond yr hen a adnebydd y cornelau.

Llawr llithrig rydd werth i'r lludw.

'Roedd Picasso eisiau cwpwrdd derw ar gyfer ei blasty yn Ffrainc. Aeth at y saer lleol gan dynnu llun y cwpwrdd ar ddarn o bapur.
"Faint sydd arna'i i chi?" gofynnodd Picasso.
"Dim," meddai'r saer. "Dim, – ond i chi lofnodi'r llun."

Mae'r gwir yn bwysicach na ffeithiau. *(Frank Lloyd Wright)*

Aeth gŵr i'r llyfrgell i ofyn am rywbeth i'w ddarllen. "Trwm ynteu ysgafn?" gofynnodd y llyfrgellydd. "Does dim gwahaniaeth gen i," meddai'r gŵr. "Mae gen i gar."

Ydi, mae o'n werth pres. Ma'nhw'n dweud ei fod yn ddyledus i'w wraig gyntaf am ei lwyddiant ac yn ddyledus i'w lwyddiant am ei ail wraig.

Fe rois y gorau i yfed, ysmygu a chanlyn merched, y cwbl hefo'i gilydd. Dyna'r hanner awr waetha' fu ar fy mhen i 'rioed.

'Does ganddo fo ddim ofn gwaith, – 'drychwch fel mae o'n cwffio yn ei erbyn o ar bob cyfle.

Mi fydda' i yn hoffi gwaith. Mi fedra' i eistedd ac edrych arno trwy'r dydd.

❖

'Roedd yno deilwriaid o Fangor,
    A chryddion o Lannerch-y-medd,
A matiwrs o Niwbwrch i'w gweled,
    A rheini yn amlach na neb.

❖

Dyma stori am un o ffeiriau cyflogi Llangefni, prifddinas Gwlad y Medra. 'Roedd ffermwr yn holi bachgen oedd â deunydd gwas ynddo.

"Fedri di deneuo rwdins?"
"Medra."
"Fedri di doi tas?"
"Medra."
"Fedri di 'redig?"
"Medra."
"Fedri di godi wal?"
"Medra."
"Fedri di rowlio llond berfa o niwl ar draws y cae 'na?"
"Medra, os gwnewch chi ei llenwi hi i mi."

❖

Buwch goch gota
P'run ai glaw neu hindda?
Os mai glaw, cwymp i'r baw,
Os mai hinnda, hedfan draw.

❖

GALLESID EI DDWEUD YN WELL

Yr oedd Mrs. Thomas wedi priodi cyn iddynt ddechrau defnyddio anesthetig mewn triniaethau meddygol.

Cynhaliwyd ffair gan Ferched y Wawr nos Wener. Daeth llawer o'r aelodau â phethau nad oeddynt mwyach eu hangen. 'Roedd amryw o'r gwŷr yn bresennol.

Mae'r Cyngor am arbed arian stamp trwy ofyn i bobl alw am filiau'r dreth. Anfonir gair at bawb i'w hysbysu o hyn.

Mae'n ofid gennym nodi bod Mr. Everton Pritchard yn gwella o ganlyniad i ddamwain ddifrifol.

Yn dilyn ymholiadau yn yr ysbyty fe ddeallwn fod y trancedig cystal ag y gellid disgwyl.

Mae'r dref yn ymfalchïo yn ei ffair fulod ac i ddathlu'r achlysur fe arweiniwyd gorymdaith o asynnod gan y maer.

Tlysa'n ei grud
Hylla'n y byd
Hylla'n ei grud
Tlysa'n y byd.

MISOEDD Y FLWYDDYN

Trideg o ddyddiau sy'n Ebrill yn rhodd,
Mehefin a Medi a Thachwedd 'run modd;
Wyth dros yr ugain sydd yn Chwefror ei hun,
Ac ym mhob un arall dri deg ac un;
Ond mewn Blwyddyn Naid pryd bynnag y daw
Mae dyddiau mis Chwefror yn ddau ddeg a naw.

OEDFA'R HWYR

Unwaith, yn sŵn emynau–mi welais
Am eiliad yn llathru,
Y Groes, a dagrau Iesu,
A fflach o'r gyfrinach 'fry.

Goronwy O. Roberts.

Gŵr yn trafod operâu sebon, – "Mae hapusrwydd yn beth diflas iawn mewn opera sebon, mae'n rhaid cael marwolaeth i roi dipyn o fywyd yn y gyfres."

"Rhai gwirion yr hen fyd yma sy'n gwneud i rai fel ni edrych yn gall."

Meddai tad Islwyn Ffowc Elis, "Tawel yw'r gloch fawr nes canith hi."

Nid milltir pob milltir."

Meddai Miss Davies, Esgerdawe, wrth Dai Jones, "Nid cymydog yw e' ond un sy'n byw gerllaw."

Meddai un o drigolion Tiger Bay yng Nghaerdydd, "'Does a wnelo ni ddim â'u 'boulevards' nhw."

'Rydym yn byw mewn oes o hiraeth.

Llinell Gwilym Deudraeth wedi gweld arbenigydd yn Ysbyty Bangor: No more ale neu marwolaeth.

❖

PLESER A GOFID

Es filltir gyda Phleser
    Prepiai bob cam o'r daith,
Ychydig iawn a ddysgais
    Er gwaetha'r siarad maith.

Es filltir gyda Gofid,
    Sgwrsiodd hi ddim â mi
Ond O, mi ddysgais lawer
    Wrth gerdded gyda hi.

❖

Y PAROT

Aeth hen wraig fach i'r siop a gwelodd barot lliwgar iawn ar werth yno. "Mi fuaswn i'n hoffi prynu'r aderyn prydferth yna," meddai.
    "O gwell i chi beidio mynd yn agos at hwn'na," meddai'r siopwr. "Mae ei iaith o'n warthus, gwell i chi brynu cath neu gi bach."
    "Dwi eisiau'r parot" meddai'r hen wraig gan roi ei phres ar y cownter. "O'r gorau," meddai'r siopwr. "Chi wŷr eich petha'."

Ar ôl mynd adref rhoddodd yr hen wraig gryn sylw i'r parot gan ei fwytho a'i bwnio. Yn sydyn dechreuodd y parot ddamio a sincio na fu 'rioed y fath beth. Cafodd yr hen wraig gymaint o fraw nes iddi afael yn y parot a'i roi yn y ffrij. Wrth ei dynnu allan yn y man fe'i rhybuddiodd mai dyna fyddai ei dynged pe tramgwyddai eto.

Bu'r parot yn rhinweddol tu hwnt am ddiwrnod neu ddau ond pan roddodd y gath ei phawen yn ei gawell fe aeth yn gandryll gan dyngu a rhegi nes yr oedd ei feistres yn gweld y Werddon. Gafaelodd yr hen wraig yn y parot a'i roi yn y rhewgell. Wrth iddo swatio yn y fan honno yn crynu ac yn sgytian ei blu, gwelodd dwrci, wedi rhewi'n gorn gegoer, yn eistedd ar silff gyfagos. Llyncodd y parot ei boeri ac meddai,

"Y nefoedd fawr! Be' gythral ddudist ti felly?"

❖

Fe ddywedodd rhywun fod y gair 'amatur' yn tarddu o'r hen driawd amo, amas, amat (caraf, ceri, câr) a ddysgem mewn gwersi Ladin yn yr ysgol ers talwm. Amatur felly yw un sydd yn gwneud rhywbeth o gariad ac o wirfodd calon ac nid am ei fod yn cael tâl am ei wneud. Nid yw bod yn broffesiynol felly o angenrheidrwydd yn golygu eich bod yn canu, adrodd, sgwennu neu ganu offeryn yn well.

❖

Dim ond yn yr iaith Saesneg y ceir 'Snap, Crackle, Pop' ar bacedi creision. Yn Sweden fe geir 'Piff, Paff, Puff'. Yn Ne Affrig ceir 'Klap, Knetter, Kraak', ac yn yr Almaen 'Knuper, Knesper, Knusper." Diddorol fuasai codi o'r ciando yfory i wynebu 'Crac, Crensian, Clec' yng Nghymru.

❖

Yr oedd tyst yn dweud "Wel, dwi'n meddwl," o hyd ac o hyd ac meddai'r twrnai "Eisiau gwybod beth 'dach chi'n wybod yda'ni ac nid beth'dach chi'n feddwl."

"Wel," meddai'r tyst. "Nid twrnai ydw i, mae'n rhaid i mi feddwl cyn siarad."

❖

Gofynnwyd i Mark Twain beth fuasai dynion mewn byd heb ferched. "Prin," meddai Twain. "Prin."

❖

ATHRAWES Y BABANOD

Ei cherydd o'r tyneraf,
Ei gwên fel siôl wen amdanaf;
Ei chyfarwyddyd gwâr yn sail
I hynny o ddysg a feddaf.

❖

Nodyn i'r dyn llefrith.
"Peidiwch â gadael llefrith heddiw. Wrth gwrs, wrth ddweud
heddiw 'rwy'n golygu 'fory gan fy mod yn 'sgwennu hwn ddoe."

❖

Gofynnwyd i eneth ysgol ddiffinio 'teimladau cymysg'. Ei hateb
oedd, "Gweld y brifathrawes yn mynd dros y clogwyn ar fy meic
newydd i."

❖

DYWEDIADAU O IWERDDON

Nid cyfrinach cyfrinach rhwng tri.

Digon o wyneb i droi angladd.

Gwell helbul marwolaeth na helbul cywilydd.

Rhoi llwynog i warchod gwyddau.

Gwybod pris popeth a deall gwerth dim.

Llithrig rhiniog plasty.

Pwrs trwm calon ysgafn.

Pa werth byd i ŵr gwraig weddw.

❖

AR GOFEB TOM NEFYN

Bu was gwir, heb seguryd–i'w Arglwydd
Dan eurglod ac adfyd;
Ac o'i bregethau i gyd
Y fwyaf oedd ei fywyd.

William Morris

❖

Dr. Thomas: "A wnewch chi blygu'ch pen-glin Mrs. Jones?"
"Pa ffordd, Doctor?"

Dwy wraig yn disgwyl bws:
Cyntaf: "Tydi hi'n dywydd digalon?"
Ail: "Mae hi'n well na dim."

Dyn garej yn dweud wrth y wraig fod batri ei char yn fflat. "Pa siâp ydi o i fod felly?"

Gwraig yn cysuro gwraig arall oedd wedi cael pyncjar. "Dim ond y gwaelod sy'n fflat, mae'r top yn iawn."

Tad a phlentyn yn ymweld â Chôr y Cewri. "Paid â rhedeg o gwmpas rhag ofn i ti daflu rhywbeth."

Mewn Siop
"Pam na phrynwch chi lyfr iddo fo?"
"Ma'gynno fo lyfr."

"Mi ddywedais i wrtho fo, os na fedri di stopio, dos yn erbyn rhywbeth go rad."

Dwy wraig yn sôn am farwolaeth y Pab John. "Meddwl am ei wraig o ydw i."

"Mi fydda' i yn cymryd Valium cyn mynd i Tesco."

"Mae hi wedi marw 'chi, a welais i ddim golwg ohoni byth."

"Mae o'n meddwl y byd o anifeiliaid, mae o'n boddi'r cathod mewn dŵr cynnes."

❖

Cydgerddai Tegai Hughes, gweinidog Capel Helyg, Llangybi, a'r Parchedig Roberts, y person poblogaidd. Gwahoddodd Roberts ef i ddod i'r Bedydd Esgob. "Beth yw hwnnw, deudwch?" gofynnodd Tegai Hughes ac meddai Roberts y Person:
"Wel, drapia, fedra'i ddim dweud yn iawn wrthyt ti, ond os pecha nhw wedyn arnyn'nhw'i hunain fydd y bai."

Yr oedd William Roberts, Terfyn, wedi gollwng ei hun braidd ar ôl colli ei wraig a chwyno 'roedd pan gyferfu'r Dr. Rowlands, Llanelhaearn, ar y ffordd fawr.

"Ho, felly, wnaeth y botel gest ti'r wsnos dweutha' fawr o les i ti?"
""Tydi'ch ffisig chi ddim byd ond dŵr."

Ac meddai'r doctor. "Wel, pam ddiawl na fuaset ti'n golchi dy wyneb hefo fo 'ta."

Siarad Hen Amserau: John Henry Jones.

Dywedir bod glaw yn agos pan fo gwartheg yn gorwedd. Dywedir hefyd ei bod am dywydd sych pan fo gwartheg yn sefyll. Gwelodd gŵr yrr o wartheg, rhai ohonynt yn sefyll a'r lleill yn gorwedd. Edrychodd arnynt am funud neu ddau. "Cawodydd," meddai.

Edrychai Americanwr ar Vesuvius yn chwydu mwg a thân i'r awyr.

"Does gennych chi ddim byd fel'na yn America," meddai Eidalwr bach wrth ei ochr.

"Nac oes," meddai'r Americanwr, "Ond mi fuasai Niagara Falls yn diffodd hwn'na mewn chwinciad."

Y GŴR

Y gŵr yw'r un sy'n cofio'ch oed ond yn anghofio'ch pen-blwydd.

Y gŵr yw'r un sy'n cadw'ch cefn yn yr helbulon na fuasent wedi dod i'ch rhan o gwbl petaech chi heb ei briodi.

Y gŵr yw'r un sy'n trin cymhlethdodau'r dreth incwm, snwcer, cwponau pêl-droed, yswiriant a pheiriannau ond na all ddod o hyd i'w dei na'i grib dros ei grogi.

Y gŵr yw'r un sy'n cael llonydd i gredu mai fo sy'n rheoli'r aelwyd.

Y gŵr yw'r un sy'n eich deffro pan fydd y babi'n crio.

Y gŵr yw'r un sy'n rhoi'r babi i gysgu hefo caneuon rygbi.

Y gŵr yw'r un sy'n loetran i lyfu'i wefusau pan fyddwch yn paratoi cinio ac yna'n diflannu pan fydd ar y bwrdd.

Gofynnwyd barn Jean Cocteau ar nefoedd ac uffern. Gwrthododd Cocteau roi ei farn gan fod ganddo gyfeillion yn y ddau le.

Ysbeiliwyd banc am y trydydd tro a gofynnodd y plismon i'r clerc a oedd wedi sylwi bod rhywbeth yn hynod yn y lleidr. Ac meddai'r llanc, "Yr oedd ganddo siwt well bob tro."

❖

TRO I LUNDAIN

Gyferbyn â Thŷ'r Cyffredin yr oedd cartref Thomas Telford ers talwm. Trigai'r peiriannydd yn 'y tŷ pen' ond fe ddiflannodd y rhes ers blynyddoedd bellach.

Yn llawr Abaty Westminster y mae cofeb Owain Tudur ac fe gaiff llawysgrifau'r Tuduriaid le arbennig yn y Records Office yn Chancery Lane.

Mae tair cyfrol anferth o waith Syr William Jones, Llanfihangel Tre'r Beirdd, yn llyfrgell yr Amgueddfa Brydeinig. Y fo oedd y gŵr a gyfarchwyd gan Dywysog Ffrainc fel y gŵr a wyddai bob iaith ond ei iaith ei hun.

Ceir bedd Iago Trichrug (Cyduned Seion Lân) ym mynwent Bunhill Fields gyferbyn â Thŷ John Wesley yn City Road. Bu'n weinidog Capel Jewin ac yn olygydd y *Drysorfa*. Mae'n debyg i James Hughes gael ei ddymuniad ym mhrysurdeb Finsbury yn union fel pe claddesid ef yn nhawelwch Ciliau Aeron.

> Pan fyddo f'enaid yn y llwch
> A th'wyllwch fel y fagddu,
> Mae dawn a nerth i'm dwyn yn ôl
> Yn enw grasol Iesu.

❖

Y LLYNCWR TÂN

Yn rhinwedd ei swydd 'roedd rhaid i'r llyncwr tân, Christopher Dawson, gymryd turpentein a pharaffin. Ar ei ffordd adref o'i waith un noson yng Ngwlad yr Haf fe'i stopiwyd gan yr heddlu. Methodd Christopher y brawf cwdyn-cwrw a dirwywyd ef £100. Mae'n siŵr ei fod o'n fflamio!

❖

Yr oedd llu o ddynion yn disgwyl yn amyneddgar y tu allan i gatiau'r nefoedd. Yr oedd un arwydd yn dweud "I'r dynion fu dan fawd eu gwragedd," ac odditano yr oedd rhesiad hir o ddynion.

Nid oedd ond un dyn dan yr arwydd oedd yn dweud "I'r dynion na fuont erioed dan fawd eu gwragedd."

Daeth Pedr at y dyn bach a gofyn iddo paham y safai yn y fan honno.

"Wn i ddim" meddai'r dyn bach. "Y wraig ddywedodd wrtha' i am sefyll yn fan'ma."

❖

Mae gen i chwe gwas da. Hwy a'm dysgodd i. Eu henwau yw Beth, Pam a Phryd, Sut, Ymhle a Phwy. *(Rudyard Kipling)*

❖

Yr oedd y radio yn uchel iawn ei sŵn mewn tŷ yn Amlwch a ffoniodd cymydog ei pherchennog i gwyno bod y sŵn yn deffro'r plant.

"Wyddwn i ddim bod gynno'chi blant," meddai perchennog y radio dramgwyddus.

"Oes, ond welsoch chi erioed mohonyn'nhw," meddai'r cymydog. "Mae un yn byw yn Rhydwyn a'r llall yr ochr draw i Dregarth."

❖

CODI DEUFYS

Fe all y Cymry godi dau fys ar weddill y byd, – yn hanesyddol felly. Yn yr hen oes nid oedd neb i ddal cannwyll i'r milwyr Cymreig am eu gallu gyda'r bwa hir. Gwnaethant eu marc, yn ddwfn iawn weithiau, ym mrwydrau *Crecy* ym 1346 pan gafodd Philip y Pedwerydd o Ffrainc ei drechu gan Iorwerth y Trydydd o Loegr. Felly hefyd yn *Poitiers* ym 1356 yng ngoruchafiaeth y Tywysog Du, mab Iorwerth. Mi fuasai'n ddrwg ar Iorwerth a'i fab heblaw am y Cymry a'u bwâu hirion. Ond cawsant eu lladd wrth y cannoedd ym mrwydr *Bannockburn* ym 1314. At ei gilydd milwyr y bwa croes oedd y Gogleddwyr a milwyr y bwa hir oedd gwŷr y De. Cymaint oedd effaith y tynnu llinyn y bwa ar y milwyr Cymreig nes bod un ochr eu cyrff yn llawer mwy a chryfach na'r llall a thueddent i gerdded yn gam. Yr oedd y ddau fys tynnu ar un llaw yn gryfion iawn hefyd a phan ddelid hwynt gan y Ffrancod fe dorrid y ddau fys rheini i ffwrdd rhag blaen. Un ffordd o ddangos eu dirmyg o'u gelynion oedd i'r Cymry ddal dau fys i fyny i amlygu'r ffaith nad oeddynt wedi eu colli a'u bod yn barod ac yn eiddgar i'r frwydr unwaith eto.

❖

JÔC

Wyddom ni ddim yn iawn beth yw'r gair Cymraeg gorau am jôc, – *Ffraeth a Phert* oedd colofn ohonynt yn yr Herald ers talwm, a *Diddanion* yn Nhrysorfa'r Plant. Beth bynnag am hynny cawsom achos i wenu wrth ddarllen un ohonynt gan y Parchedig Eirian Davies yn y *Western Mail*.

Yr oedd bachgen ifanc yn dweud hanes ei dad yn disgyn yn farw wrth gario pwcedaid o ddŵr at y tŷ.

"Ddywedodd o rywbeth cyn marw?" gofynnwyd iddo.

"Na, dim gair," atebodd y bachgen. "O, do," meddai wedyn wedi iddo ailfeddwl, "Mi ddywedodd 'So long' wrtha' i."

"Mi aeth yn sydyn 'ta?"

"Sydyn, do," ebe'r llanc. "Sydyn ofnadwy. Ond dyna fo, diawl, sbîd yw popeth heddiw."

❖

Chefais i ddim y pleser o'ch cyfarfod chi o'r blaen," meddai un gŵr wrth y llall mewn parti. "On'd yw hwn yn barti diflas."

"Ydi, mae o."

Meddai'r dyn cyntaf, "Rwy'n teimlo fel mynd adre i 'ngwely."

"Finna hefyd," meddai'r llall. "Ond mae cotiau'r bobl 'ma i gyd ar fy ngwely i."

❖

TALHAIARN

Yn Eisteddfod Aberffraw ym 1848 fe siomwyd Talhaiarn, John Jones, yn ddirfawr gan feirniadaeth yr awdl, "Y Greadigaeth" a phan welodd gadeirio Nicander, curad Amlwch, fe ymwylltiodd gan ruthro o'r babell gan fytheirio a chwythu bygythion a chelanedd yn erbyn y beirniad a'r pwyllgor. Disgrifiwyd Talhaiarn fel gŵr barfog yn gwisgo gwasgod wen, cadwyn ac oriawr aur a modrwy aur, gŵr yn medru cerdd dant a chanddo 'Gywydd y March' ar dafod leferydd. "Arwr a merthyr oedd," meddai Llew Llwyfo. Wedi i Dalhaiarn ruthro o'r babell neidiodd i ben wal gerrig. Yr oedd yr awdl yn ei law, ei wallt gwyn yn chwifio yn y gwynt a'r bardd ei hun yn ffroeni fel rhyfelfarch dialgar. "Wele ddinistr fy 'Nghreadigaeth" bloeddiai Talhaiarn gan rwygo'i lawysgrif a'i gwasgaru'n ddarnau i'r pedwar gwynt.

Ym 1849 cynlluniodd Talhaiarn lwyfan hardd ar gyfer Eisteddfod Castell Rhuddlan. Gwnaeth waith rhagorol, fel y gweddai i un a fu'n arolygwr pan adeiladwyd y Plas Grisial. Ond nid oedd gwaith yr adeiladwyr cystal y tro hwn a phan oedd y llwyfan dan ei sang, o feirdd a chantorion ac enwogion o fri, fe ddymchwelodd a thaflu pawb yn bendramwnwgl i'r llawr. Gwelai Talhaiarn ei enw da yn mynd yn gymysg â llwch ei lwyfan a rhuthrodd o'r castell gan weiddi, "Gwell angau na chywilydd." Anelodd yn syth am reilffordd yr arfordir lle gallai fwrw ei hun dan olwynion y trên nesaf. Ar hynny daeth yr Arglwydd Mostyn i'r adwy ac anfon marchog nerth carnau i rwystro'r bardd yn ei fwriad hunanaberthol, a hynny a wnaed er mawr foddhad i bawb.

❖

Ffoniodd gwraig ifanc i gwyno wrth adeiladwr ei thŷ fod yr adeilad yn crynu pan ai trên heibio chwarter milltir i ffwrdd.

"Dim o'r fath beth," meddai'r adeiladwr. "Ond fe ddof draw i weld."

"Arhoswch chi iddi hi ddod yn amser y trên," meddai'r wraig wedi iddo gyrraedd. "Mae o'n ddigon i 'nhaflu allan o'r gwely, gorweddwch yn y fan yma i chi gael gweld."

'Roedd yr adeiladwr yn gorwedd ar ei hyd g'yd ar y gwely pan ddaeth gŵr y tŷ adref.

"Be' wyt ti'n wneud yn fan'na?" gofynnodd hwnnw'n fygythiol.

Erbyn hyn 'roedd yr adeiladwr yn crynu fel deilen ac meddai'n betrus. "Disgwyl y trên."

❖

Y PRYF COPYN

O'i wiw wy i weu 'e â – o'i ieuau
   Ei weau a wea;
  'E wywa ei we aea
  A'i weau yw ieuau iâ.

TWYLLO

Menyw dwyllodd Adda
I fwyta ffrwyth y pren,
Menyw dwyllodd Samson
I dorri gwallt ei ben,
Menyw dwyllodd Ddafydd
I wylo dagrau'n lli, –
Mae ofan yn fy nghalon
Y twyllith menyw fi.

O lyfr llofnodion.

218

Y SASIWN

Dyma ddetholiad o lythyr diddyddiad a ysgrifennwyd ar droad y ganrif gan lysfam i D. C. Owen, Cricieth, yr arolygwr rheilffyrdd oedd a chanddo ddiddordeb dihysbydd mewn crefydd a llenyddiaeth. Fe deithiai ar draws gwlad weithiau mor gyndyn fyddai o golli sgwrs flasus ar y trên, yn enwedig â phregethwyr ar eu ffordd i'w cyhoeddiadau. Dyma ran fechan o'r llythyr gan J. Owen, oedd yn byw yn 66 New Street, Porthmadog ar y pryd:

"Fe fûm yn y Sasiwn ddoe ym Mhwllheli. Yr oedd yn Sasiwn ardderchog, yr oedd yno ddeuddeng mil o bobl. Yr oedd John Williams, Brynsiencyn, yn pregethu yma ym Mhorthmadog y Sul o'r blaen. Yr oedd yn aros gyda Lloyd George nos Sadwrn a daeth Lloyd George yma 'r Sul gydag ef a gwrando ar y plant yn dweud eu hadnodau yn y Seiat."

❖

SYNDOD?

Dacw dŷ a dacw do,
Dacw efail Siôn y Go',
Dacw Mali wedi codi,
Dacw Siôn â'i freichia'i fyny.

❖

O na chawn innau fyw
Yn bur, yn hardd a bodlon,
A'm llygaid fry at Dduw
A chariad lond fy nghalon.

❖

Yr oedd dau wy yn cael eu berwi mewn sosban ac meddai un wrth y llall, "Mae hi'n boeth iawn yn fan'ma, fedra'i ddim dioddef llawer mwy."

"Paid â chwyno," meddai'r llall. "Cyn gynted ag yr ei di o'ma mi gei dy daro ar dy ben hefo llwy."

❖

YR WYLAN WEN

Mae'r wylan yn un i'w hedmygu,
　Yn mynd ac yn dod yn y nen,
Fe ŵyr i ble'r â yn ddieithriad
　Ac fe gyrcha i'r fan ar ei phen.

Nid yw'n oedi yn hir i bendroni,
　Mae ei bwriad a'i chynllun yn glir,
Fe'i denir i'r glannau mewn hindda,
　Pan ddêl drycin ehed dros y tir.

O na bawn i'n debyg i'r wylan,
　Yn lle bod mor wlanog fy mryd,
Fy mhen yn y gwynt yn dragwyddol,
　Yn betrusgar ddil'dalio o hyd.

❖

Disgynnodd balwnydd mewn cae, a chan sylweddoli ei fod ar goll,
gofynnodd i un o'r brodorion ble'r oedd ac meddai hwnnw,
　"Rydych yng nghanol cae mewn balŵn."
　"Rhaid mai cyfrifydd ydych chi," meddai'r balwnydd.
　"Sut gwyddoch chi hynny?" gofynnodd y brodor.
　Ac meddai'r balwnydd, "Am fod eich gwybodaeth yn hollol gywir
ond yn dda i ddim byd i neb."

❖

WIL HOPCYN

Dyma lle gole gwelwch–rwy'n gorwedd
　Dan gaerau pob tristwch;
Os tirion chwi ystyriwch
Lleyg a llên llawen â'n llwch.

Ym Mynwent Llangynwyd

❖

Yr oedd dau ddyn yn gwisgo ar ôl gêm bêl-droed. Dechreuodd un roi
staes amdano.
　"Rargian fawr," meddai'r llall. "Ers pryd wyt ti'n gwisgo staes?"
　Meddai'r cyntaf, "Ers pan gafodd y wraig acw hyd iddo fo dan sêt
y car."

❖

Daeth Sais i'r pentref a thynnu sgwrs ag un o'r triglion. Cytunwyd fod y pentref yn ddeniadol iawn yn yr haf ond dyfalai'r ymwelydd beth ar wyneb y ddaear oedd i'w wneud yno ar noson o aeaf.

"Fe eisteddwn o gwmpas y tân," meddai'r pentrefwr dan wenu, "yn sgwrsio am y ffyliaid gwirion fydd yn dod yma yn ystod yr haf."

DRWG YN Y CAWS?

Ym 1926 safodd Arlywydd Liberia, Charles King, i'w ailethol ac fe'i hailetholwyd gyda mwyafrif o 600,000 o bleidleisiau. Mynnai ei wrthwynebydd, Thomas Faulkener, nad oedd yr etholiad yn deg iawn a phan heriwyd ef i roi sylwedd i'w honiadau fe ddywedodd na allai yn ei fyw weld sut y gallai neb gael mwyafrif o 600,000 o bleidleisiau mewn etholaeth o 15,000!

❖

PRIF WEINIDOGION

Mae'n anodd trechu rhai pobl. Yn y senedd yn amser yr Arglwydd North dywedodd un aelod. "Mae'r Prif Weinidog yn cysgu." Agorodd yr Arglwydd North un llygad ac meddai, "Piti na fuaswn i."

Meddai'r Arglwyddes Astor wrth Winston Churchill, "Petawn i'n wraig i ti mi roddwn wenwyn yn dy goffi."

Ac meddai Churchill, "Petawn i yn ŵr i ti mi fuaswn yn ei yfed o."

❖

Ganwyd John W. Jones yn Llangybi tua 1850. Ymfudodd i'r America yn 1868 lle bu'n ymwneud a chynhyrchu dur am flynyddoedd. John Jones adeiladodd rai o longau mwyaf y Llynnoedd Mawr a fo hefyd ddysgodd ei grefft i Henry Ford pan oedd hwnnw'n llencyn 17 oed.
Siarad Hen Amserau: John Henry Jones.

❖

MEDDYLIWCH AM Y PETH

Caffaeliad gorau merch yw dychymyg dyn.

"Efallai ddywedais i a dyna ddiwedd."

"I gyrraedd, rhaid dal i fynd."

Hyder yw cyfrinach nerth.

Os byddwch yn teimlo eich bod yn rhy hen i wneud rhywbeth' – gwnewch o.

Peidiwch â seilio'r dyfodol ar y gorffennol.

Meddai gwas fferm wrth ei feistr ar ôl cinio, "Wyddoch chi be', giaffar, dwi'n siŵr fy mod yn colli 'ngolwg."

"Taw da ti, Twm, be 'nath i ti feddwl?"

"Wel, methu'n lân â gweld y cig oedd ar 'y mhlât i amser cinio heddiw."

Llyncodd y ffermwr yr abwyd a dywedodd wrth ei wraig, "Yli, 'ma Twm yn cwyno nad ydi o'n cael digon o gig ar ei blât, felly torra fo fel y cei di ddwy sleisen o un sleisen ac mi edrychith yn fwy ar y plât." Ac felly y bu.

Ar ôl cinio trannoeth dyma'r ffermwr yn gofyn yn sbeitlyd i Twm. "Sut mae'r golwg erbyn hyn, Twm?"

"Gwell o lawer," meddai Twm. "Roeddwn i'n gweld y plât drwy'r cig heddiw."

❖

DWÊD HYN'NA ETO!

Tydi o ddim yn ymddangos mor hapus ag y mae o'n edrych. *(Renton Laidlaw)*

Mae arna' i lawer i fy rhieni, yn enwedig i nhad a mam. *(Greg Norman)*

Wrth i chi fynd o gwmpas y byd fyddwch chi'n teithio dipyn? *(Harvey Smith)*

Wel, edrychwch mewn difrif, – chwe marc naw gwaith a phob un ohonyn'nhw'n chwech. *(Alan Weeks)*

Hyd yn oed wrth i mi siarad fe fydd y ras yn cychwyn ymhen pedair awr. *(Tony Lewis)*

❖

HEN GWESTIWN, HEN ATEB

C. Sut 'dach chi?
A. Dwi'n well na fy lle.

C. Helo
A. Lle gweli di lo?

C. Faint ydi'ch oed chi?
A. Dwi 'run oed â bawd fy nhroed a thipyn bach hŷn na fy nannedd.

C. Sut 'dych chi'n perthyn?
A. 'Roedd ei nain o a fy nain i yn ddwy nain.

C. Pam?
A. Am fod pam yn bod a'r iâr yn gori.

C. Pwy ddywedodd?
A. Y nhw.
C. Pwy ydy'nhw?
A. Pobol y goets fawr.

C. Chi sy'n dweud?
A. Naci, nid y fi sy'n deud, yr ardal sy'n deud.

BEIRDD HAFOD ELWY (ROBIN GWYNDAF)

Ym Mryntrillyn mae cloc,
Mae o'n mynd rŵan, mi stopith toc.

Ar y mynydd gwelais hwrdd,
Mae o yno o hyd os nad aeth i ffwrdd.
John Jones: Llidiart y Mynydd.

O Arglwydd, cladd fy meiau
   Cyn iti nghladdu i
Yn nyfnder môr o angof
   Sydd yn dy gariad Di;
Os na bydd claddu beiau
   Cyn hynny wedi bod
Ni allaf i ddim sefyll
   Yn nydd y farn sy'n dod.
Gwen Jones, Hendre Ddu.

Y rhai sy'n siarad fwyaf sydd â'r lleiaf i'w ddweud. *(Matthew Prior)*

FELLY MA'NHW'N DWEUD

Peth ofnadwy yw deffro ar ben coeden yn hanner cant oed a sylweddoli nad honno oedd y goeden yr oeddech wedi bwriadu ei dringo.

Am Hitler. Paid ymffrostio dy fod wedi lladd y cena'. Mae'r ast a'i cenhedlodd yn cwna eto.

O safbwynt diwylliant mae cael teledu fel cael carffos yn rhedeg drwy'r tŷ.

Mi af ymlaen,
O dow i dow,
Heb boeni neb
Na chodi row.

G. Lloyd

❖

Fe ymddengys nad oedd gan John Wesley fawr o glem am arwyddocâd yr iaith Gymraeg yng Nghymru. Ym 1748 fe ymwelodd ag Eglwys Caergybi i wrando ar bregeth Gymraeg. Daeth i'r penderfyniad mai melltith oedd pregethu mewn unrhyw iaith heblaw Saesneg. Yr un Sul fe bregethai Wesley yn Llanfihangel Tre'r Beirdd ym Môn ac nid oedd yr un o'r gynulleidfa yn deall yr un gair o'i genadwri. Yn ôl llyfr ar Hanes yr Eglwys yng Nghymru nid oedd Wesley yn ddoeth iawn yn ei ymdriniaeth â Chymru. Ganwyd unarddeg o'i bregethwyr yng Nghymru, dim ond pedwar ohonynt allai bregethu yn Gymraeg. Fe anfonwyd un o'r rheini i Gernyw ac ni ddaeth un arall o'r pedwar yn nes na Chaer.

❖

Weithiau fe gyhuddir y Cymry o fenthyca gormod o eiriau estron i'r iaith Gymraeg. 'Does yna fawr o ddrwg yn hynny ond i ni beidio llurgunio'r gystrawen. Mae yna ieithoedd yn benthyca llawer mwy na ni ac yn dianc yn groeniach. Yn ddiweddar cyhoeddwyd argraffiad arall, a hwnnw'n mynd i lai o le, o Eiriadur Rhydychen. Mae ynddo hanner miliwn o eiriau yr honnir iddynt fod yn Saesneg. Mae'r gair a ystyrid am flynyddoedd yr un hwyaf yn Saesneg i'w gael yn y gyfrol, –

floccinaucinihilipilification, (arferiad neu weithred sy'n profi bod rhywbeth yn ddiwerth).

Ond fe'i disodlwyd gan air ag ynddo 45 o lythrennau, –

Pneumonoultramicroscopicsilicovolcanoconiosis (clefyd yr ysgyfaint a achosir gan lwch silica).

Ac os oes yna fwy na chwarter modfedd o un o'r ddau air yna yn Saesneg mae'n llawn bryd i rywun lyncu ei het!

❖

X X X X

Fe geir hysbysebion ar y teledu yn rhoi amlygrwydd i'r sychedig rai sy'n anfodlon rhoi pedair croes am beint o ryw gwrw arbennig. Ond wyddech chi fod yr arfer o farcio casgenni cwrw hefo X, XX neu XXX, yn mynd yn ôl i'r Canol Oesoedd ac yn tarddu o waith swyddog a elwid yn selerydd yn y mynachlogydd. Nid oedd cwrw gwell i'w gael yn yr hen oes na chwrw'r mynachlogydd ac er mwyn cynnal y safon fe roddid marc ar bob casgen i sicrhau'r yfwyr fod y cwrw hwnnw o ansawdd dilychwin ac o flas anghymarol. Mae'n debyg fod y marc gwreiddiol ar ffurf croesbren ac fe ddaeth y groes wedyn yn fath o nod masnach wrth brynu a gwerthu cwrw.

❖

Ni wn pwy oedd fy nhaid, mae gwybod pwy fydd fy ŵyr yn bwysicach i mi. *(Abraham Lincoln)*

Mae pawb yn athrylith un waith yn y flwyddyn. Mae'r gwir athrylith yn cael ei syniadau gwreiddiol yn nes at ei gilydd. *(G. C. Lichtenberg)*

❖

Yr oedd crud yn bwysig iawn ddwy ganrif yn ôl. Dyna'r unig gyfrwng oedd yna i gael plentyn i gysgu gan ei fod, fel arfer, wedi ei lapio'n dynn mewn cadachau er mwyn cadw ei aelodau'n berffaith syth. Y Rhufeiniaid ddaeth â'r arfer hwnnw hefo nhw i Brydain. Rhaid oedd i'r plentyn orffwys heb symud modfedd, yn gosfa, yn fudreddi ac yn foddfa o chwys. Yr oedd cefn syth o gryn bwysigrwydd yr adeg honno. Rhoddid hoelion miniog y tu mewn i goler y plentyn rhag iddo ymlacio ac fe lunid cadeiriau arbennig rhag i'r plentyn blygu ei gefn.

Ni ddyfeisiwyd pinnau cau tan 1878 ac felly rhaid oedd cael digonedd o binnau sengl. 'Roedd pinnau yn ddrud iawn yr adeg honno gan y byddai ugain o bobl yn ymwneud â'r broses o wneud un pin. Gwneid y pinnau o bres gyda phennau tro ar wahân. Byddai gwragedd y tlodion yn gwneud rhyw fymryn o gyflog wrth wneud y pinnau yma, – a dyna oedd eu *'pin money'*.

❖

BEDDARGRAFF DIC ABERDARON

Ieithydd uwch ieithwyr wythwaith–gwir ydoedd
Geiriadur pob talaith;
Aeth angau â'i bymthengiaith
Obry 'nawr, heb yr un iaith.

Ellis Owen

❖

Mae marw yn gymorth mawr i bob athrylith. *(Robert S. Lynd)*

TWNEL AFON MERSEY

Er clir lôn, er claer oleuni,–yn saff
Ac yn sych mewn tacsi;
Mae arswyd afon Mersey
Eto'r un faint arnaf i.

Gwilym Deudraeth

❖

MAWREDD MAWR

Rhedodd geneth fach i'r tŷ i ddweud wrth ei mam ei bod wedi gweld eliffant yn yr ardd.

"Paid â dweud celwydd," meddai ei mam. "Boncyff ydi o, dos i'r llofft i ofyn i Dduw faddau i ti."

Ar ôl iddi ddod yn ôl i lawr y grisiau gwelodd ei thad a gofynnodd hwnnw beth oedd Duw wedi ei ddweud wrthi.

"O" meddai'r eneth fach, "Mi ddeudodd wrtha'i am beidio dweud wrth mam ond 'roedd yntau'n meddwl mai eliffant oedd o hefyd."

❖

A fuoch chi'n meddwl erioed am darddiad y dywediad Saesneg *"Gone for a Burton"*? Pan fyddai dyn yn marw fe ymddengys y byddai Cwmni Dillad Dynion enwog yn barod i werthu siwt rad i'w gladdu ynddi rhag i'r teulu gael colled o siwt dda fel petai. Felly, pan fyddai dyn yn marw fe ellid dweud ei fod yn *"Gone for a Burton."*

❖

HEN GAR

Ow! lanastr ar olwynion,–yn ysgwyd
Esgyrn yn gyrbibion;
Dihefelydd adfeilion
A rhwd yr holl ddaear hon.

Alafon.

❖

Mae yna stori am Syr Lewis Morris, gorwyr Lewis Morris o Bentre-iriannell, Môn, a'r dramodydd Oscar Wilde. Wedi marw Tennyson ym 1892 yr oedd Lewis Morris wedi rhoi ei fryd ar gael bod yn Fardd y Frenhines. Tybir i'r cynnig gael ei atal gan i'r Frenhines Victoria ffromi yn ddirfawr pan glywodd fod gan Lewis Morris wraig ordderch a thri o blant. Cwynodd Lewis wrth Oscar Wilde fod yna gynllwyn o ddistawrwydd (*conspiracy of silence*) yn ei erbyn. Yna gofynnodd i Oscar Wilde beth a wnâi ynglŷn â'r cynllwyn. Ac meddai Oscar Wilde, "Bod yn rhan ohono gyfaill, bod yn rhan ohono."

YR UNION AIR

Fe ddywedir fod gan y Groegiaid air am bopeth. 'Roedd ganddynt ddywediad am bopeth bron hefyd a llawer ohonynt yn cael eu defnyddio gennym ninnau heddiw. Dyma rai ohonynt, yn gyfarwydd ac yn anghyfarwydd i ni:

Mae o ofn ei gysgod. Mae o ofn cysgod mwg.

Dal blaidd wrth ei glustiau. (Fedrwch chi ddim ei ollwng na'i ddal.)

Yng ngwlad y deillion mae'r unllygeidiog yn frenin.

Troi pob carreg.

Cario dŵr mewn gogor.

Am wneud gwaith dibwrpas fe ddywedai'r Groegiaid:
    Siarad hefo'r gwynt
    Cribo gwlân i'r tân.
    Berwi carreg
    Hau ar greigiau
    Saethu'r sêr
    Taro hoelen hefo clwt
    Rhoi crib i'r moel.

Rhwng y clogwyn a'r blaidd.

Mae gobaith ymysg y byw, 'does dim ymysg y meirw.

Nes clun na chrimog NEU Nes penelin nag arddwrn.

Mwnci mewn porffor. Cardotyn ar geffyl.

Dim ond drygioni sy'n ymesgusodi.

'Does dim mêl heb ei wenyn.
'Does dim rhosyn heb ei bigyn.

Dwywaith yn blentyn.

Pan gerrydd y blaidd paid chwilio am ôl ei droed.

Dialar marw hen darw.

Y cadno'n gyrru'r ychen.

Rhydd gafr o aradr. (melys cwsg potes maip).

Mae henaint llew yn well nag ieuenctid ewig.

O hela dwy ysgyfarnog ni ddelir un.

Na phrocier tân â chleddyf. (Paid â gwylltio dyn dicllon.)

Rhoi'r sacramentau ar asyn. (Rhoi swydd i ddyn annheilwng)

Buasai'n bwrw'i din dros ei ben ar gyllell. (Y gorfentrus)

Melys rhyfel i'r dibrofiad.

Try diferyn yn gawod a chawod yn llyn.

DIM BRYS

Yr oedd pedwar crwban yn chwarae cardiau. Daeth syched arnynt a phenderfynwyd bod y crwban lleiaf yn mynd i nôl lemonêd. Aeth dau fis heibio heb siw na miw o'r crwban bach na'r lemonêd ac meddai un o'r lleill, "Mae o wedi rhedeg i ffwrdd hefo'r pres."

A daeth llais bach o'r ochr arall i'r drws, "Fe gaiff y nesaf i ddweud peth fel'na fynd i nôl y lemonêd ei hun."

MINC

Yr oedd Twm yn canlyn merch annwyl a'i feddwl ar ei phriodi. Un diwrnod magodd ddigon o blwc i ofyn iddi.

Atebodd hithau, "Gwnaf Twm, dim ond i ti brynu minc i mi."

Meddyliodd Twm am funud neu ddau cyn ateb. "Iawn" meddai yn y man. "Ond ar un amod."

"Beth yw'r amod?" gofynnodd y ferch.

"Dy fod ti'n llnau'r catsh," meddai Twm.

DWEUD LLIWGAR

Yn gors o annwyd. Yn drymgla' o annwyd.

Yn edrych dan ei 'sgafell fel hwch yn bwyta pys. (Yn slei)

Mi trawa' i di nes bydd ogla' mynwent ar dy boeri di.

Mi trawa' i di nes bydd fflei wîl dy enaid di'n chwyrnellu ar erchwyn tragwyddoldeb.

'Dos o'ma neu mi rof y bicwarch drwy dy enaid di.

Byw ar y grindil (byw yn dlawd). Llawr teilchion *(mosaic)*.

Paid â thorri hon'na neu mi â'n â chroen dy gwd i dalu amdani.

Mae fy ngheg i cyn syched â chesail arth.

ODDI AR LAFAR
Pennill Ann Thomas, y Ferch o Gefn Ydfa, i Wil Hopcyn.

Tydi yw'r mab a garaf mwy,
　Ti roddaist glwy' ar nwyfron,
A'm serch tuag atat sy'n crîhau
　O fewn i giliau'r galon;
Awn i Langynwyd gyda'r dydd
　Er profi ffydd cadarna',
Cei roddi'r fodrwy'n sêl o serch
　I'r ferch o Gefen Ydfa.

PENYD

Yr oedd person plwyf yn ystyried ei fod wedi byw'n dda ar y ddaear a siomwyd ef yn ddirfawr pan gyrhaeddodd y nefoedd a chael ei hun yng nghwmni gwraig gecrus ac anolygus. Yna gwelodd ei esgob yng nghwmni gwraig, a fu, yn ei dydd, yn enwog am ei phryferthwch a'i hudoliaeth.

Aeth y person ar ei union at Pedr i gwyno. "Tydi o ddim o'ch busnes chi," meddai Pedr. "Ewch chi ymlaen hefo'ch penyd a gadewch iddi hi fynd ymlaen â'i phenyd hithau."

Y TARW

Ar y ddôl las beth sy' gasach?–(drwy'r byd
   A ruir bas oerach?)
  Yn hagr rygnu a grwgnach,
  Llew o beth yw tad llo bach!

                 Dewi Havhesp

❖

Y DIWEDD

❖

Y LLYFYR HWN

Os cawsoch flas ar ddarllen hwn
  Ac am ei gau o heno,
Yfory trowch i'r dechrau'n deg
  A dechrau arno eto.